ŒUVRES POÉTIQUES COMPLÈTES

DE

SHELLEY

I

A LA MÊME LIBRAIRIE

LITTÉRATURE ANGLAISE

SHELLEY. — **Œuvres en prose**, traduites par M. Albert Savine. — Pamphlets politiques. — Réfutation du déisme. — Fragments de romans. — Critique littéraire et critique d'art. — Philosophie. — Un volume in-16. . . . . . . 3 fr. 50

— **Œuvres poétiques complètes**, traduites par Félix Rabbe.

I. — *Poèmes*. — **Reine Mab, Alastor, Laon et Cythna**, etc.

II. — *Drames*. — **Les Cenci, Prométhée, La Magicienne, Epipsychidion, Adonaïs, Hellas.**

III. — **Petits poèmes et fragments. — Défense de la poésie.**

Trois volumes se vendant séparément. Chaque volume. 3 fr. 50

RABBE (Félix). — **Shelley, sa vie et ses œuvres.** Un fort volume in-18. . . . . 4 fr. »

ÉLISABETH BARRETT BROWNING. — **Poèmes et Poésies.** Traduction et étude sur l'œuvre de Browning, par Albert Savine. Un volume in-16. . . . . 3 fr. 50

— **Aurora Leigh.** Traduit avec l'autorisation de Robert Browning. Un volume in-18. . . . . 3 fr. 50

THOMAS DE QUINCEY. — **Confessions d'un mangeur d'opium.** Première traduction intégrale par M. V. Descreux. Un volume in-18. . . . . 3 fr. 50

— **Souvenirs autobiographiques du mangeur d'opium.** — Un volume in-16, traduction de M. Albert Savine. 3 fr. 50

A.-C. SWINBURNE. — **Poèmes et Ballades**, traduction de Gabriel Mourey, avec des notes sur Swinburne par Guy de Maupassant. — Un volume in-18 . . . . 3 fr. 50

— **Nouveaux Poèmes et Ballades**, traduction de M. Albert Savine. Un volume in-16. . . . . 3 fr. 50

CHRISTOPHE MARLOWE. — **Théâtre complet.** Traduction, étude sur Marlowe, sa vie et ses œuvres, par Félix Rabbe, avec une préface par Jean Richepin. Deux vol. in-18. . . . 7 fr. »

F. ANSTEY. — **Vice-versa.** Un volume in-18 . . . . . 3 fr. 50

R.-L. STEVENSON. — **Enlevé !** roman. Un vol. in-18 . . 3 fr. 50

OSCAR WILDE. — **Intentions.** Un vol. in-18 . . . . . 3 fr. 50

— **Le Portrait de Dorian Gray.** Un vol. in-18 . . . 3 fr. 50

— **Le Crime de lord Arthur Savile.** Un vol. in-18. 3 fr. 50

— **Le Portrait de Monsieur W. H.** Un vol. in-18 . 3 fr. 50

— **Poèmes.** Un vol. in-18 . . . . 3 fr. 50

— **Le prêtre et l'acolyte.** Un vol. in-18 . . . . . 3 fr. 50

BIBLIOTHÈQUE COSMOPOLITE — N° 2[illegible]

ŒUVRES POÉTIQUES COMPLÈTES DE SHELLEY

TRADUITES PAR

F. RABBE

PRÉCÉDÉES D'UNE ÉTUDE HISTORIQUE ET CRITIQUE SUR LA VIE ET LES ŒUVRES DE SHELLEY

TOME PREMIER

« La poésie immortalise tout ce qu'il y a de meilleur et de plus beau dans le monde. »

(SHELLEY : *Défense de la poésie.*)

DEUXIÈME ÉDITION

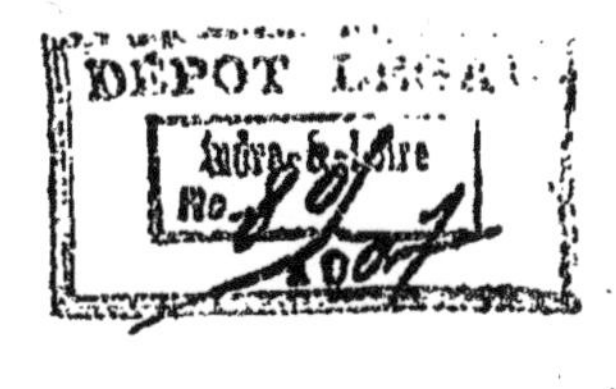

PARIS — Ier ARR.

P.-V. STOCK, ÉDITEUR

155, RUE SAINT-HONORÉ, 155

DEVANT LE THÉATRE-FRANÇAIS

1907

AVERTISSEMENT

En entreprenant cette traduction des *Poésies de Shelley*, nous nous sommes demandé s'il ne fallait pas faire un choix des parties les plus complètes et les plus achevées, et laisser de côté les fragments, les essais et les poèmes qui, de l'aveu des meilleurs juges, semblent inférieurs et indignes de lui. Une étude approfondie de l'ensemble de son œuvre nous a convaincu qu'il s'y trouve une unité de vues et d'inspiration trop accentuée pour nous permettre de la briser au caprice de notre propre critique, et nous exposer à priver le lecteur du puissant intérêt qu'il peut prendre à suivre pas à pas la marche de sa pensée toujours progressant, toujours s'élevant et s'épurant, à mesure qu'il réalise sous des formes de plus en plus parfaites son idéal poétique.

Une traduction qui se bornerait aux grands poèmes ne donnerait que la moitié de Shelley, et laisserait dans l'ombre les parties secondaires, si l'on veut, mais cependant si originales et si variées de son génie. Nous connaissons tel admirateur de Shelley qui préfère au *Prométhée délivré* l'*Ode à l'Alouette* ou au *Vent d'Ouest*. Il y a dans Shelley, pour le moins, une demi-douzaine de poètes : le poète philosophique dans la *Reine Mab*, le *Prométhée*, la *Magicienne de l'Atlas*; le poète épique dans *Laon et Cythna*; le poète tragique dans les *Cenci* et *Charles Ier*; le poète de la vie familière dans *Julien et Maddalo* et la *Lettre à Mme Gisborne*; le poète satirique dans *Peter Bell III*; le poète comique et burlesque dans *Swellfoot Tyran*; le poète mystique dans l'*Epipsychidion*; le poète élégiaque dans *Adonais*; le poète lyrique dans les chœurs du *Prométhée* et de l'*Hellas*, et dans cent autres petits poèmes.

Nous avons réuni dans les deux premiers volumes les œuvres capitales soit par leur étendue, soit par leur importance au point de vue du développement de l'idée shelléienne.

Le troisième est réservé aux pièces de moindre haleine, que Shelley écrivait au jour le jour sous l'impression de ses joies ou de ses tristesses, de ses enthousiasmes ou de ses abattements, de ses rêveries ou de ses colères, des événements de sa vie privée ou de sa vie publique. A l'aide de ces petits poèmes, dont la plupart sont de purs et rares joyaux, le lecteur pourra assister, année par année, jour par jour, aux émotions, aux passions, aux espérances, aux déceptions et aux désespoirs qui se pressent et tourbillonnent dans cette âme affamée, mais jamais assouvie, de lumière et de beauté. Les poésies de Shelley, c'est toute son âme, toute sa vie, tout son être : aucun poète ne s'est identifié à ce point avec son œuvre. Elles doivent être le commentaire toujours présent de sa biographie, esquissée dans le volume qui accompagne cette traduction (1), et qui en est inséparable, parce que l'histoire de la vie de Shelley est avant tout l'histoire de son âme et de ses poèmes où il l'a versée tout entière. Nous n'avons ajouté à la traduction que les notes essentielles à l'intelligence du texte, nous rappelant que Shelley, à l'encontre de plusieurs poètes ses contemporains, professait qu'une belle poésie doit être par elle-même assez claire, assez transparente, pour se passer d'explication et de commentaires. Nous laisserons à d'autres

(1) *Histoire de la vie et des Œuvres de Shelley*, 1 v.

(et ils ne manqueront pas) la stérile besogne de disséquer le poète et d'obscurcir les nuages en voulant les dissiper.

Si Shelley écrivait pour ceux qu'il appelait συνετοι, les initiés, cette initiation ne suppose l'intelligence d'aucune formule cabalistique, d'aucune doctrine ésotérique et mystérieuse, d'aucune psychologie transcendante et morbide, mais seulement une certaine dose d'idéalisme, et surtout l'amour sincère et désintéressé du vrai et du beau dans la nature et dans l'art.

F. Rabbe.

A M. H. SIGNORET

DÉDICACE DU TRADUCTEUR

« *Qu'il est doux de s'asseoir et de lire les contes des puissants poètes, et d'entendre toujours la suave musique, lorsque l'attention tombe, remplir la pause obscure !* »

SHELLEY : *Fragm.*

« *Bientôt mes paroles humaines trouvèrent de la sympathie dans des cœurs humains. Les plus purs et les meilleurs, comme un ami avec un ami, firent cause commune avec moi; ils furent en petit nombre, mais résolus.* »

SHELLEY : *Laon et Cythna*, IX, 9.

Ces vers de Shelley vous rappelleront les doux moments passés en sa compagnie, et la grande part que vous et vos amis avez bien voulu prendre à ce trop faible hommage rendu à son génie.

F. R.

REINE MAB

POÈME PHILOSOPHIQUE

A HARRIET

Quelle est celle dont l'amour, illuminant le monde, sait parer la flèche empoisonnée de son mépris? Quelle est celle dont la chaude et partiale estime est la plus douce récompense de la vertu?

Sous les yeux de qui mon âme renaissante a-t-elle mûri en hardiesse vertueuse? Dans quels yeux ai-je regardé tendrement, et aimé le plus l'espèce humaine?

Harriet! dans les tiens... Tu as été mon esprit purificateur; tu as été l'inspiration de mon chant; elles sont tiennes, ces premières fleurs sauvages, quoique tressées par moi.

Alors presse dans ton sein ce gage d'amour; et sache qu'en dépit des vicissitudes du temps et de l'évolution des années, toute fleurette cueillie dans mon cœur est consacrée au tien.

1813.

REINE MAB

I

Quel prodige que la Mort!... la Mort, et son frère le Sommeil! L'une, pâle comme la lune qui là-bas s'évanouit, avec des lèvres d'un bleu livide; l'autre, rosé comme le matin, quand, trônant sur la vague de l'Océan, il empourpre le monde; tous deux dans leur passage, prodigieux mystère!

Le sombre pouvoir qui règne sur les sépulcres infects s'est-il donc emparé de son âme innocente?* Cette incomparable forme, que l'amour et l'admiration ne peuvent voir sans un battement de cœur, ces veines d'azur qui serpentent comme des courants le long d'un champ de neige, cet adorable contour, beau comme un marbre respirant, tout cela doit-il périr? Le souffle de la putréfaction ne doit-il rien laisser de cette apparition céleste que hideur et que ruine? ne rien épargner, qu'un lugubre thème sur lequel le cœur le plus léger pourra moraliser?... Ou n'est-ce qu'un doux assoupissement envahissant les sens, que le souffle du matin rosé fait fuir dans les ténèbres? IANTHE s'éveillera-t-elle encore, pour rendre la joie à ce cœur fidèle dont l'esprit sans sommeil est aux aguets pour saisir lumière, vie, extase dans son sourire?*

* Les astérisques renvoient aux notes de l'*Appendice*, page correspondante.

Oui ! elle s'éveillera encore, quoique ces membres lumineux soient sans mouvement, et silencieuses ces douces lèvres, qui naguère, respirant l'éloquence, auraient pu apaiser la rage du tigre et fondre le cœur glacé d'un conquérant. Ses yeux humides de rosée sont clos, et de leurs paupières, dont le fin tissu cache à peine à l'intérieur les orbes bleu sombre, l'enfant sommeil a fait son oreiller ; ses tresses d'or ombragent l'orgueil sans tache de son sein, se tordant comme les vrilles d'une plante parasite autour d'une colonne de marbre.

Écoutez ! D'où vient ce son éclatant ? Il est comme le murmure prodigieux qui s'élève autour d'une ruine solitaire et que les échos du rivage font entendre le soir à l'enthousiaste errant ; il est plus doux que le soupir du vent d'ouest ; il est plus fantastique que les notes sans mesure de cette étrange lyre dont les génies des brises touchent les cordes. Ces lignes de lumière irisée sont comme des rayons de lune tombant à travers les vitraux d'une cathédrale ; mais les nuances sont telles qu'elles ne peuvent trouver de comparaison sur la terre.

Regardez le char de la Reine des Fées ! Les célestes coursiers frappent du pied l'air résistant ; ils replient à sa parole leurs ailes transparentes, et s'arrêtent obéissant aux guides de lumière... La Reine des Enchantements les fit entrer ; elle répandit un charme dans l'enceinte, et, se penchant toute gracieuse de son char éthéré, elle regarda longtemps et silencieusement la vierge assoupie.

Oh ! non, le poète visité par les visions dans ses rêves, quand des nuages d'argent flottent dans son cerveau halluciné, quand chaque apparition de l'adorable, de l'étrange et du grand, l'étonne, le ravit, et l'élève, quand sa fantaisie, d'un coup d'œil, combine le merveilleux et le beau, non, le poète n'a jamais vu forme aussi brillante, aussi belle, aussi fantastique que celle qui guidait les coursiers aériens et versait la magie de son regard sur le sommeil de la vierge.

La jaune et large lune brillait confusément à travers sa forme, forme d'une parfaite symétrie ; le char perlé et translucide ne dérangeait pas la ligne de la lumière lunaire. Ce n'était point un spectacle de la terre. Ceux qui purent contempler cette vision dépassant toute splendeur humaine, ne virent ni la jaune lune, ni la scène mortelle ; ils n'entendirent ni le bruit du vent de nuit déchaîné, ni aucun son de la terre ; ils ne virent que l'apparition féerique, n'entendirent que les accents célestes qui remplissaient ce séjour solitaire.

Le corps de la Fée était transparent ; ce nuage fibreux là-bas, qui ne retient que la plus pâle teinte du soir, et que l'œil attentif peut à peine saisir quand il fond dans l'ombre du crépuscule oriental, est à peine aussi délié, aussi transparent. La belle étoile, qui diamante la couronne étincelante du matin, ne jette pas une lumière aussi douce, aussi puissante que celle qui, jaillissant des formes de la Fée, répandait tout autour, sur la scène un halo de pourpre et, avec un mouvement d'ondulation, dessinait gracieusement ses contours. De son char céleste la Reine des Fées descendit, et trois fois elle agita sa baguette enlacée de guirlandes d'amaranthe ; sa forme mince et brumeuse suivait les mouvements de l'air ; et les sons clairs, argentins de sa voix, quand elle parla, furent tels qu'ils ne pouvaient être entendus que d'une oreille spécialement douée.

« Astres ! répandez votre plus balsamique influence !

Éléments ! suspendez votre colère ! Dors, Océan, dans les chaînes de rochers qui forment ton domaine ! Qu'on ne voie pas un souffle agiter les herbes qui croissent là-bas au sommet de la ruine ! Que le fil de la vierge toujours en mouvement dorme lui-même sur l'air immobile !... Et toi, Ame d'Ianthe, toi seule jugée digne de la faveur enviée, réservée aux bons et aux sincères, à ceux qui ont lutté, et qui, à force de résolution, ont triomphé de l'orgueil et des bassesses de la terre, brisé les chaînes... les chaînes de glace de la coutume, et fait briller sur leur âge les astres du jour... Ame d'Ianthe ! Éveille-toi ! Debout ! »

Soudain se leva l'Ame d'Ianthe ; elle apparut, toute belle, dans sa pureté nue, parfaite image de sa forme corporelle. Une beauté et une grâce inexprimables l'animaient ; toute tache terrestre avait disparu en elle ; elle avait repris sa dignité native et se tenait debout immortelle... sur une ruine !

Sur la couche, le corps gisait, enveloppé dans les profondeurs de l'assoupissement ; ses traits étaient fixes et sans expression, cependant la vie animale était encore là, et chaque organe accomplissait encore ses fonctions naturelles ; c'était un spectacle prodigieux de contempler à la fois le corps et l'âme. C'était les mêmes linéaments, une parfaite identité extérieure. Et cependant, quelle différence !... L'une aspire au ciel, ne soupire qu'après son héritage éternel, et toujours changeante, toujours s'élevant, s'ébat dans l'être sans fin. L'autre, pour un temps jouet involontaire des circonstances et de la passion, s'agite et lutte ; il traverse d'un vol rapide sa triste durée, et bientôt, comme une machine inutile et hors de service, il pourrit, périt et passe.

LA FÉE

« Esprit ! qui as plongé si profond !... Esprit, qui as plané si haut ! Toi l'intrépide, toi le doux, accepte la faveur due à ton mérite... Monte dans le char avec moi. »

L'ESPRIT

« Rêvé-je ?... Ce sentiment nouveau n'est-il qu'une vision, un fantôme du sommeil ?... S'il est vrai que je sois une âme, une âme libre et dégagée du corps, parle-moi encore. »

LA FÉE

« Je suis la Fée Mab ; il m'est donné d'observer les prodiges du monde humain ; les secrets de l'incommensurable passé, je les découvre dans les consciences infaillibles des hommes, ces chroniqueurs austères et qui ne savent point flatter ; l'avenir, je le déduis des causes qui surgissent dans chaque événement. Ni l'aiguillon que le souvenir vengeur plante dans le sein endurci de l'homme égoïste, ni cette palpitation extatique et triomphante qu'éprouve le sectateur de la vertu quand il récapitule les pensées et les actions d'un jour bien rempli, n'échappent à mon regard, et je les enregistre. Même, il m'est permis de déchirer le voile de la mortelle fragilité, afin que l'esprit, revêtu de son immuable pureté, puisse apprendre comment réaliser au plus tôt la grande fin pour laquelle il existe, et goûter cette paix, dont à la fin toute vie doit avoir sa part. C'est la récompense de la vertu... Heureuse Ame, monte dans le char avec moi. »

Les chaînes de la prison terrestre tombèrent de l'esprit d'Ianthe ; elles éclatèrent et se rompirent comme des liens de paille sous l'effort d'un géant qui s'éveille. Elle s'aperçut de ce glorieux changement, et sentit dans son entendement affranchi s'ouvrir de toutes parts de nouveaux ravissements; chaque rêverie du jour de sa vie mortelle, chaque vision délirante des sommeils qui avaient clos une journée bien remplie, semblaient maintenant se réaliser!

La Fée et l'Ame se mirent en mouvement; les nuages d'argent s'écartèrent; et comme elles montaient sur le char magique, de nouveau l'ineffable musique se fit entendre; puis les coursiers aériens déployèrent leurs ailerons d'azur, et la Fée, secouant les rênes irradiantes, leur ordonna de poursuivre leur route.

Le char magique avançait... La nuit était belle, et des astres sans nombre parsemaient la voûte bleu sombre du ciel. Justement au-dessus des vagues orientales commençait à poindre le premier faible sourire du matin... Le char magique avançait... Sous les sabots éthérés l'atmosphère volait en étincelles de flamme, et sur le sentier des roues embrasées, tournant au-dessus du pic le plus élevé des montagnes était tracée une ligne d'éclairs. Maintenant il volait bien loin au-dessus d'un roc, la dernière arête de la terre, le rival des Andes, dont le noir sourcil s'assombrissait au-dessus de la mer d'argent.

Bien, bien au-dessous du sentier du char, calme comme un enfant endormi, le formidable Océan s'étendait. Son calme miroir reflétait les pâles et défaillantes étoiles, la trace enflammée du char et la grise lumière du matin colorant les nuages floconneux qui faisaient un dais à l'aurore. Il semblait que le chemin du char s'ouvrait à travers le milieu d'une immense voûte, rayonnante de millions de constellations, teinte de nuances d'une variété infinie, et à demi entourée d'une ceinture d'où jaillissaient d'incessants météores.

Le char magique avançait... A mesure qu'ils approchaient de leur but, les coursiers semblaient ramasser leur vitesse. La mer ne se distinguait plus ; la terre apparaissait comme une vaste et sombre sphère ; l'orbe du soleil, dégagé des nuages, tournait à travers la noire voûte ; ses rayons de rapide lumière se partageaient autour du char plus emporté dans sa course, et retombaient comme l'embrun floconneux de l'Océan se brisant sur la lame bouillante devant la proue d'un navire.

Le char magique avançait toujours... L'orbe lointain de la terre n'apparaissait plus que comme la plus petite lumière clignotant dans le ciel ; pendant qu'autour de la voie du char, d'innombrables systèmes roulaient et des sphères sans nombre épanchaient l'infinie variété de leur gloire. C'était un merveilleux spectacle. Quelques-unes étaient cornues comme le croissant de la lune ; d'autres envoyaient un doux rayon d'argent comme Hesperus sur la mer occidentale ; d'autres s'élançaient avec des traînées de flamme, comme des mondes emportés à la mort et à la ruine ; d'autres brillaient comme des soleils et, sur le passage du char, éclipsaient toute autre lumière.

Esprit de la Nature ! Ici, dans ce désert interminable de mondes, dont l'immensité fait chanceler l'imagination dans son essor le plus hardi, ici est ton vrai temple !..... Cependant la plus petite feuille qui frissonne au passage de la brise n'en est pas moins animée de toi ; cependant le plus chétif ver qui rampe dans les tombeaux et s'engraisse des morts n'en participe pas moins à ton souffle éternel..... Esprit de la Nature !

O toi, impérissable comme cette scène, c'est ici qu'est ton vrai temple !

II

Si la solitude a jamais conduit tes pas au rivage plein d'échos du sauvage Océan, si jamais tu y as séjourné jusqu'à l'heure où le large orbe du soleil semblait se reposer sur la vague brunie, tu dois avoir remarqué les lignes d'or pourpre, qui, sans mouvement, restaient suspendues sur la sphère qui sombre ; tu dois avoir remarqué les nuages houleux, frangés d'un insoutenable rayonnement, se dressant comme des rocs de jais, couronnés de guirlandes de diamants. Et cependant il y a un moment où le point le plus élevé du soleil n'apparaît plus que comme une étoile, sur le bord occidental de l'Océan, où ces nuages d'or floconneux, ombrés d'une pourpre plus profonde, brillent au loin comme des îles sur le bleu sombre de la mer ; alors ta fantaisie a pris son essor au-dessus de la terre, et a ferlé son aile fatiguée dans le sanctuaire de la Fée.

Mais ni les îles d'or étincelant dans cette inondation de lumière, ni les rideaux floconneux tendus sur la brillante couche du soleil, ni les vagues de l'Océan bruni, qui pavent ce dôme splendide, ne pourraient offrir une vision aussi belle, aussi merveilleuse que le palais éthéré de Mab* . Cependant, il ressemble parfaitement à la voûte du soir, ce palais féerique ! Comme le ciel, appuyé sur la vague, il déployait ses parquets d'éblouissante lumière, son vaste dôme d'azur, ses fécondes îles d'or flottant sur une mer d'argent ; pendant que des soleils dardaient leurs rayons confondus à travers les nuages des ténèbres environnantes, et que les créneaux de perle dominaient de toutes parts l'immensité du Ciel.

Le char magique s'était arrêté. La Fée et l'Esprit entrèrent dans la salle des Enchantements; les nuages d'or qui roulaient en vagues étincelantes sous le dais d'azur, ne tremblèrent pas sous leurs pas éthérés; les brumes lumineuses et vermeilles, flottant aux accords de la pénétrante mélodie, à travers ce séjour qui n'a rien de la terre, obéissaient au moindre mouvement de leur volonté. Sur leur ondulation passive l'Esprit s'appuye, sans user, pour jouir des béatitudes variées qui se pressaient autour de lui, du glorieux privilège de la vertu et de la sagesse.

« Esprit! » dit la Fée, en lui montrant le splendide dôme, « voici un spectacle prodigieux, et qui se rit de toute grandeur humaine. Mais si la vertu n'avait d'autre récompense que d'habiter un palais céleste, tout abandonnée aux impulsions du plaisir, et murée dans la prison de son propre être, la volonté de l'immuable nature ne serait point accomplie. Apprends à rendre les autres heureux... Viens, Esprit! C'est là ta haute récompense! Le passé va se dresser devant toi; tu verras aussi le présent; et je t'enseignerai les secrets de l'avenir. »

La Fée et l'Esprit s'approchèrent du créneau plongeant... Au dessous, gisait l'univers étendu! Là, jusqu'à la ligne la plus reculée qui peut limiter le vol de l'imagination, des orbes innombrables et sans fin enchevêtraient leurs mouvements compliqués, obéissant immuablement à l'éternelle loi de la nature. Au-dessus, au-dessous, dans toutes les directions, les systèmes formaient en tournant un désert d'harmonie; chacun allant sans dévier à son but, dans un éloquent silence, à travers les abîmes de l'espace, poursuivait sa prodigieuse route... Il y avait une petite lumière, clignotant dans le lointain brumeux; rien que l'œil d'un esprit pouvait apercevoir cet orbe roulant; rien que l'œil d'un esprit, et seulement de ce céleste séjour, pouvait distinguer chacune des actions des habitants de cette terre. Mais matière, espace et temps n'ont plus d'action dans ces aériennes régions; et la sagesse toute-puissante, quand elle recueille les fruits de son excellence, franchit tous les obstacles qu'une âme terrestre craindrait d'affronter.

La Fée désignait la terre. L'œil intellectuel de l'Esprit reconnut les êtres de sa parenté. Sous son regard, les multitudes pressées apparaissaient comme les citoyens d'une fourmilière. Quelle merveille! que toujours les passions, les préjugés, les intérêts, qui animent le plus petit être, que la plus faible touche, qui met en mouvement le nerf le plus délicat, et produit dans la cervelle humaine la pensée la plus élémentaire, deviennent un anneau dans la grande chaîne de la nature!

« Regarde, cria la Fée, les palais ruinés de Palmyre!... Regarde! ici la grandeur faisait trembler; regarde! là souriait la volupté: que reste-t-il aujourd'hui? le souvenir de la folie et de la honte!... Qu'y a-t-il là d'immortel? Rien... ces ruines sont debout pour raconter une mélancolique histoire, pour donner un terrible avertissement; bientôt l'oubli emportera silencieusement les restes de leur gloire. Là, monarques et conquérants avec orgueil mirent le pied sur des millions d'hommes prosternés — tremblement de terre de l'humaine race, comme eux oubliés, quand la ruine qui marque leur secousse a disparu.

« A côté du Nil éternel, les Pyramides ont surgi. Le Nil poursuivra sa route immuable ; ces Pyramides tomberont ; oui ! pas une pierre ne restera debout pour indiquer le lieu où elles furent, leur emplacement même sera oublié, comme l'est le nom de leur architecte !

« Vois là-bas cette région stérile, où maintenant la tente de l'Arabe errant flotte au vent du désert. Là autrefois le temple altier de l'antique Salem élevait jusqu'au ciel ses mille coupoles d'or, et à la face rougissante du jour exposait sa honteuse gloire. Oh ! que de veuves, que d'orphelins ont maudit la construction de ce temple ; que de pères consumés par le travail et l'esclavage ont demandé au Dieu de la pauvre humanité de le balayer de la terre, et d'épargner à leurs enfants la tâche détestée d'empiler pierre sur pierre, et d'empoisonner ainsi les plus beaux jours de la vie pour caresser une vanité de veillard en enfance !... Là, une race inhumaine et barbare hurlait de hideuses louanges à son Dieu-Démon ! Ils se ruaient à la guerre, arrachaient des entrailles des mères l'enfant non encore né ; vieillards, enfants mouraient confondus ; leurs bras victorieux ne laissaient respirer aucune âme. Oh ! ce furent des démons ! Mais alors qu'était celui qui leur enseigna que le Dieu de la nature et de l'amour avait autorisé par une loi spéciale le commerce du sang ? Son nom et le leur s'évanouissent, et les contes de cette barbare nation, que récite l'imposture jusqu'à ce que la terreur y croie, la suivent dans l'oubli.

« Où Athènes, Rome et Sparte étaient debout, là maintenant est un désert moral ; ces chétives et misérables huttes, ces palais plus misérables encore, contrastant avec ces vieux temples, qui maintenant s'émiettent pour l'oubli ; les longues et solitaires colonnades, à travers lesquelles rôde le spectre de la Liberté, font l'effet aujourd'hui d'un air bien connu que nous avons aimé entendre dans quelque endroit cher à notre âme, dont nous nous souvenons maintenant avec tristesse. Mais combien plus frappant encore et plus sombre est le constraste qu'offre ici la nature humaine ! Où Socrate expira, un esclave des tyrans, un lâche et un fou sème la mort autour de lui, puis, frémissant, trouve la sienne. Où Cicéron et Antoine vécurent, un moine encapuchonné et hypocrite prie, maudit et ment.

« Esprit ! dix mille ans à peine ont passé depuis ; sur cette terre inculte où maintenant le sauvage boit le sang de son ennemi et, singeant les fils de l'Europe, fait retentir le chant impie de la guerre, s'élevait une cité puissante, métropole du continent occidental. Là maintenant la colonne couverte de mousse rongée par la morsure incessante du temps, qui jadis semblait devoir survivre à tout excepté à la ruine de son propre pays ; la vaste scène de la forêt, rude dans l'inculte beauté de ses jardins depuis longtemps devenus sauvages, semblent au voyageur, dont malgré lui le hasard a retenu les pas dans ce désert, avoir toujours existé ainsi, depuis que la terre est ce qu'elle est. C'était cependant jadis le rendez-vous le plus affairé, où, comme dans un centre commun, affluaient étrangers, vaisseaux et cargaisons ; jadis la paix et la liberté enchantaient la plaine cultivée. Mais la richesse, cette malédiction de l'homme, a flétri le bourgeon de sa prospérité : vertu et sagesse, vérité et liberté ont fui pour ne plus revenir, jusqu'à ce que l'homme sache qu'elles seules peuvent donner le bonheur digne d'une âme qui revendique sa parenté avec l'éternité !

« Il n'y a pas un atome de cette vaste terre qui n'ait été un jour un homme vivant ; pas la plus petite goutte de pluie suspendue dans le plus mince nuage qui n'ait coulé dans des veines humaines. Et des plaines brûlantes où hurlent les monstres de Lybie, des plus sombres vallons du Groënland sans soleil, jusqu'aux rivages où les champs d'or de la fertile Angleterre déploient leurs moissons à la lumière du jour, tu ne saurais trouver une place où quelque cité n'ait existé.

« Qu'étrange est l'humain orgueil ! Je te dis que ces atomes vivants, pour qui le fragile brin d'herbe qui germe le matin et périt avant le soir est un monde illimité ; je te dis que ces êtres invisibles qui habitent les plus petites particules de l'insensible atmosphère, pensent, sentent et vivent, comme l'homme ; que leurs affections et leurs antipathies, comme les siennes, produisent les lois qui gouvernent leur état moral ; et que la moindre palpitation qui dans leur trame répand le plus faible, le plus léger ébranlement, est aussi réglée, aussi nécessaire que les lois majestueuses qui gouvernent les sphères roulant dans l'espace. »

La Fée s'interrompit. L'Esprit, dans l'extase de l'admiration, sentait revivre toute la science du passé ; les événements des anciens âges merveilleux, qu'une obscure tradition enseigne sans suite au vulgaire crédule, se dévoilaient à sa vue dans leur juste perspective, obscurs encore, mais seulement par leur infinitude. Il semblait à l'Esprit qu'il était au haut d'un pinacle isolé, ayant au-dessous de lui la marée montante des âges, au-dessus les profondeurs de l'univers sans bornes, et tout autour l'immuable harmonie de la nature.

III

« Fée, » dit l'Esprit ; et il fixait ses yeux éblouis sur la Reine des Enchantements, « je te remercie. Tu m'as fait une faveur que je n'abdiquerai jamais, et appris une leçon que l'on ne peut plus désapprendre. Je connais le passé, et j'essaierai d'en glaner un avertissement pour l'avenir, en sorte que l'homme puisse profiter de ses erreurs et tirer l'expérience de sa folie ; car, quand le pouvoir de communiquer le bonheur en égalera la volonté, l'âme humaine ne demandera pas d'autre ciel. »

MAB

« Tourne-toi, Esprit supérieur ! Il reste encore bien des choses à examiner. Tu sais combien l'homme est grand ; tu connais sa faiblesse. Il te reste à apprendre ce qu'il est, à apprendre la sublime destinée que le temps infatigable réserve à toute âme vivante.

« Regarde ce somptueux palais, qui, au milieu de cette populeuse cité, dresse ses mille tours et semble lui-même une autre cité. De sombres troupes de sentinelles, en rangs sévères et silencieux, lui font une ceinture. Celui qui l'habite ne peut être ni libre ni heureux. N'entend-tu pas les malédictions des orphelins, les gémissements de ceux qui n'ont pas d'amis ? Il passe, le Roi, portant la chaîne dorée qui lie son âme à l'abjection ; le fou, que les courtisans appellent du sobriquet de monarque, tandis qu'il est l'esclave des plus vils appétits... Cet homme ne prête point l'oreille aux cris de la misère ; il sourit aux profondes imprécations que l'indigent murmure en secret, et une sinistre joie envahit son cœur exsangue, quand des milliers d'êtres aspirent en sanglotant après ces miettes que sa folie gaspille dans une orgie sans joie, pour sauver de la faim tous ceux qu'ils aiment ! Quand il entend le récit de ces horreurs, il se tourne vers quelque face toute prête à l'hypocrite assentiment, étouffant la lueur de honte, qui, en dépit de lui, colore sa joue bouffie !

« Puis au festin de silence, de grandeur et d'excès, il traîne son appétit émoussé et rechignant. Si l'or qui brille autour de lui, si les nombreuses viandes choisies sous tous les climats pouvaient forcer le sens dégoûté à triompher de la satiété ; si la richesse n'empoisonnait pas la source où il puise ; si le vice, le vice insensible et forcené, ne convertissait pas ses aliments en un mortel poison ; alors ce roi serait heureux ; et le paysan qui, après avoir rempli sa tâche volontaire, retourne chez lui le soir, et près du fagot flamblant retrouve sa souriante compagne pour qui il a essuyé toute cette fatigue, ne ferait pas un repas plus doux.

« Regarde-le maintenant étendu sur sa somptueuse couche ; sa cervelle enfiévrée vacille quelque temps étourdie. Mais bientôt l'engourdissement de la débauche tombe, et la conscience, cet immortel serpent, appelle sa venimeuse couvée à sa tâche nocturne... Écoute ! il parle ! Remarque cet œil frénétique !... Remarque ce visage funèbre. »

LE ROI

« Pas de repos ! Oh ! cela doit-il donc durer toujours ! Horrible mort ! Je désire et cependant je crains de t'étreindre !... Pas un moment de sommeil sans cauchemar ! O chère et sainte paix ! Pourquoi ensevelis-tu ta pureté de vestale dans le linceul de la misère et des cachots ? Pourquoi te caches-tu avec le danger, la mort et la solitude, et fuis-tu le palais que je t'ai bâti?... Paix sacrée! Oh! visite-moi une seule fois, et dans ta pitié verse une seule goutte de baume sur mon âme desséchée! »

MAB

« Homme vain! son palais, c'est le cœur vertueux, et la paix ne salit pas ses vêtements de neige dans un taudis tel que le tien! Écoute! il murmure encore... Ses sommeils ne sont que des agonies variées, ils sucent comme des scorpions les sources de la vie. Il n'est pas besoin de l'enfer fabriqué par les bigots pour punir ceux qui errent; la terre en soi contient à la fois et le mal et le remède; et la nature qui suffit à tout peut châtier ceux qui transgressent sa loi; elle seule sait comment proportionner équitablement à la faute le châtiment qu'elle mérite.

« Est-il donc étrange que ce pauvre misérable s'énorgueillisse dans son malheur? Qu'il trouve son plaisir dans son abjection, et presse contre son sein le scorpion qui le dévore? Est-il étrange qu'assis sur un glorieux trône d'épines, étreignant un sceptre de fer, muré dans une splendide prison, dont les durs liens l'enchaînent loin de tout ce qui est bon et précieux sur terre... son âme ne revendique pas son humanité? que la douce nature de l'homme ne s'insurge pas contre la prérogative du roi?... Non, cela n'est pas étrange. A l'exemple du vulgaire, il pense, sent, agit et vit juste comme a fait son père: les pouvoirs invincibles du précédent et de la coutume s'interposent entre un roi et la vertu! Ce qui peut paraître plus étrange à ceux qui ne connaissent pas la nature et ne savent pas déduire l'avenir du présent, c'est que pas un de ces esclaves qui souffrent des crimes de cet être contre nature, pas un de ces misérables dont les enfants meurent de faim, et dont le lit nuptial est le sein impitoyable de la terre, ne lève le bras pour le jeter à bas de son trône !

« Ces moucherons dorés qui, pullulant au soleil d'une cour, s'engraissent de sa corruption, que sont-ils ? Les frelons de la société. Ils se nourrissent du travail de l'artisan. Pour eux, le rustre affamé force la grève rebelle à céder ses moissons qu'il ne partagera pas ; et ce spectre hâve, plus maigre que la misère décharnée, qui consume une vie sans soleil dans la mine malsaine, traîne dans le labeur une mort prolongée pour assouvir leur grandeur ; la masse s'épuise de fatigue, pour qu'un petit nombre connaissent les soucis et les douleurs de la paresse !

« D'où crois-tu que sont sortis rois et parasites? D'où cette race contre nature de bourdons fainéants, qui accumulent les fatigues et une insurmontable indigence sur ceux qui bâtissent leurs palais, et leur apportent le pain quotidien ? — Du vice, du ténébreux et immonde vice ; de la rapine, de la folie, de la trahison, du crime ; de tout ce qui engendre la misère et fait de la terre ce sauvage désert ; de la luxure, de la vengeance et du meurtre. — Et quand la voix de la raison, retentissante comme la voix de la nature, aura éveillé les nations ; quand le genre humain s'apercevra que le vice est discorde, guerre et misère, que la vertu est paix, bonheur et harmonie ; quand, plus mûre, la nature de l'homme dédaignera les jouets de son enfance !..... alors l'éclat royal perdra le pouvoir d'éblouir ; l'autorité royale s'évanouira dans le silence : le trône sompteux restera inconnu dans la salle royale, tombant bientôt en ruines : tandis que le commerce du mensonge deviendra aussi odieux, aussi inutile que l'est aujourd'hui celui de la vérité.

« Où est la gloire que la vanité des puissants de la terre cherche à éterniser ? Oh ! le plus faible bruit que fait le pas léger du Temps, la plus petite vague qui grossit le courant des âges, ensevelit dans le néant cette bulle vide ! Oui, aujourd'hui, rigide est la loi du tyran, rouge le regard qui lance la désolation, fort le bras qui dissipe les multitudes..... Demain arrive ! cette loi n'est plus qu'un coup de tonnerre évanoui dans le passé; ce regard, un éclair passager sur lequel la nuit s'est refermée ; et de ce bras le vers a fait sa pâture !

« Quand l'homme vertueux, aussi grand dans son humilité que les rois sont petits dans leur grandeur ; l'homme qui mène sans défaillance une vie d'invincible probité, et qui, au fond des cachots silencieux, est plus libre et plus intrépide que le juge tremblant qui, revêtu d'un pouvoir vénal, a vainement essayé d'enchaîner l'impassible esprit — quand il succombe, son œil doux ne rayonne plus de bienveillance ; sa main qui ne s'étendait que pour soulager est desséchée ; évanouie, cette éloquence simple de la raison qui n'élevait la voix que pour consterner le coupable..... Oui, le tombeau a éteint cet œil; le froid impitoyable de la mort a raidi ce bras; mais le renom incorruptible que la vertu suspend sur la tombe de son sectateur, la mémoire immortelle de cet homme, dont la seule pensée fait trembler les rois, la ressouvenance dans laquelle l'heureux esprit contemple le bon emploi de son pèlerinage sur la terre, ne passera jamais !

« La nature rejette le monarque, non l'homme; le sujet, non le citoyen; car rois et sujets, ennemis les uns des autres, jouent entre eux une partie toujours perdante, dont les enjeux sont le vice et la misère. L'homme à l'âme vertueuse ne commande, ni n'obéit. Le pouvoir, comme une peste désolante, souille tout ce qu'il touche; et l'obéissance, fléau de tout génie, vertu, liberté, vérité, des hommes fait des esclaves, et de l'organisme humain un automate, une machine.

« Quand Néron, planant au-dessus de Rome en flammes, fondit sur elle avec la joie sauvage d'un démon, buvant d'une oreille ravie les cris déchirants de l'agonie, quand il contempla l'effrayante désolation partout répandue et sentit comme un nouveau sens créé dans son âme tressaillir à cette vue et vibrer de ces accents, crois-tu que sa grandeur n'avait pas dépassé la force de la patience humaine? Et si Rome, d'un seul coup, n'abattit pas le tyran, n'écrasa pas ce bras rouge de son sang le plus cher, l'abjection de l'obéissance n'avait-elle pas détruit les instincts de la nature?

« Regarde plus loin encore la terre! Les moissons d'or germent; le soleil infatigable répand la lumière et la vie; les fruits, les fleurs, les arbres croissent à leur saison; toutes choses disent paix, harmonie, amour! L'univers, dans la silencieuse éloquence de la Nature, déclare que tous les êtres accomplissent l'œuvre d'amour et de joie, tous... excepté un réfractaire, l'homme! Lui, il fabrique le fer qui poignarde sa paix; il caresse les serpents qui lui rongent le cœur; il élève le tyran qui se réjouit de ses douleurs et se fait un jeu de son agonie!... Le soleil là-bas n'éclaire-t-il que les grands? Les rayons d'argent dorment-ils moins doucement sur le chaume de la cabane que sur le dôme des rois? La maternelle Terre est-elle une marâtre pour ces nombreux fils qui, sans les partager, recueillent ses dons au prix d'incessantes fatigues? N'est-elle une mère que pour ces enfants pleurnicheurs qui, nourris dans les jouissances et le luxe, font des hommes les jouets de leur puérilité, et détruisent, dans leur important et égoïste enfantillage, cette paix que des hommes seuls apprécient?

« Non, Esprit de la Nature! La pure diffusion de ton essence palpite également dans tout cœur humain. C'est là que tu élèves le trône de ton pouvoir sans appel : tu es le juge, au moindre signe duquel la courte et frêle autorité de l'homme devient aussi impuissante que le vent qui passe. Ton tribunal est autant au-dessus de l'appareil de l'humaine justice que Dieu est au-dessus de l'homme!

« Esprit de la Nature! tu es la vie des infinies multitudes; l'âme de ces puissantes sphères, dont la route immuable traverse le profond silence du Ciel; l'âme du plus petit être dont la vie a pour séjour un pâle rayon d'avril! Comme ces êtres passifs, l'homme accomplit inconsciemment ta volonté; comme le leur, son âge de paix sans fin, que le temps se hâte de mûrir, viendra promptement et infailliblement; et ce monde sans bornes que tu pénètres n'aura plus de crevasses défigurant sa parfaite symétrie! »

IV

« Que cette nuit était belle! Le soupir embaumé, que les zéphyrs du printemps exhalent à l'oreille du soir, troublait seul le calme éloquent qui enveloppe cette scène immobile. La voûte d'ébène du Ciel, criblée d'astres indiciblement brillants, à travers lesquels roule la masse de la lune sans nuages, semble comme un dais que l'amour a étendu pour abriter le sommeil du monde. Ici de gracieux sommets, parés d'un vêtement de neige non foulée ; là, de sombres rochers, d'où pendent des glaçons si purs, que leurs blanches et étincelantes aiguilles ne nuancent pas le pur rayon de la lune ; plus loin un escarpement crénelé, dont la bannière, sur la tour consumée par le temps, pend si mollement que l'imagination frappée y voit comme l'image même de la paix ; — tout cela forme une scène où la solitude rêveuse aimerait à élever son âme au-dessus de cette sphère terrestre, où le calme du silence veillerait seul.:.. Une scène si fraîche, si brillante, si silencieuse ! .....

« L'orbe du jour, dans les régions du sud, sur la plaine sans vagues de l'Océan, plonge avec un doux sourire ; le plus léger souffle ne glisse pas à la dérobée sur le calme abîme ; les nuages du soir réfléchissent immobiles le rayon tardif du jour, et l'image de Vesper à l'occident brille d'une beauté silencieuse..... Demain arrive ! Nuage sur nuage, en masse noire et de plus en plus compacte, roule sur les eaux enténébrées ; le sourd mugissement du tonnerre lointain gronde formidable ; la tempête déploie son aile sur l'obscurité, linceul de la lame bouillonnante ; démon sans pitié, avec tous ses vents et ses éclairs, elle suit sa proie à la trace ; l'abîme déchiré bâille !..... le navire trouve un tombeau dans son gouffre déchiqueté !

« Ah ! d'où vient cette lueur qui enflamme l'arche du ciel ?... cette fumée rouge et sombre qui voile la lune d'argent ? Les astres s'éteignent dans les ténèbres, et la neige pure et pailletée jette une faible lueur à travers l'obscurité qui s'amoncelle. Écoute ce rugissement dont les rapides et sourds éclats retentissent en échos sans nombre à travers les montagnes, faisant tressaillir le pâle Minuit sur son trône étoilé! Voilà que grossit le fracas entre-choqué; la vibration répétée et effrayante de la bombe qui éclate; le rayon qui tombe, les cris perçants, les gémissements, les clameurs de triomphe, le cliquetis sans repos, et le choc précipité des hommes ivres de rage... De plus en plus retentissant, le tumulte grandit, jusqu'à ce que la pâle mort ferme la scène, et sur le vainqueur et le vaincu étende son froid et sanglant linceul. — De tous les hommes que le rayon fuyant du jour a vus là florissants dans leur fière et robuste santé, de tous les cœurs vivants qui battaient là pleins d'angoisse au coucher du soleil, combien peu survivent, combien peu battent encore!... Partout le profond silence, semblable au calme plein de terreurs qui sommeille dans le monstrueux repos de la tempête; excepté quand la plainte éperdue de l'amour réduit au veuvage vient frémir sur la brise, ou que se fait entendre le faible gémissement de l'âme brisant l'enveloppe d'argile qui emprisonne ses facultés rebelles.

« Le gris matin se lève sur cette funèbre scène; la fumée sulfureuse roule encore lentement devant la brise glacée, et les brillants rayons de la gelée matinale dansent le long de la neige diamantée. Là, des traces de sang même au plus profond de la forêt, et des armes brisées, et des guerriers sans vie dont la mort même n'a pu changer les traits farouches, marquent le passage terrible des vainqueurs déchaînés; bien loin au delà, de noires cendres indiquent la place où s'élevait leur fière cité. Au fond de la forêt est un sombre vallon; chaque arbre, qui abrite son obscurité des rayons du jour, ondule sur la tombe d'un guerrier.

« Je te vois reculer, Esprit supérieur ! — N'as-tu pas été homme ? Je vois une ombre d'anxiété et d'horreur passer sur ton front sans tache. Mais ne crains rien ; ce n'est pas une misère sans raison, sans cause et sans remède. Non, la nature mauvaise de l'homme, cette apologie que les rois qui gouvernent et les lâches qui rampent ne manquent pas d'invoquer pour justifier leurs innombrables crimes, ne verse pas le sang qui désole la plaine dévastée par la discorde ; c'est des rois, des prêtres, des hommes d'État que la guerre est venue ; leur salut est dans la douleur profonde, incurable de l'homme, leur grandeur dans son abaissement. Que la hache frappe à la racine, l'arbre empoisonné tombera ; et là où ses exhalaisons vénéneuses répandaient la ruine, la douleur et la mort, où des millions d'êtres gisaient assouvissant la faim des reptiles, leurs os blanchissant sans sépulture dans une atmosphère putride, un jardin s'élèvera, surpassant en délices le fabuleux Éden.

« L'Ame de la Nature, — qui a formé ce monde si beau, qui a répandu l'abondance sur le sein de la terre, qui a accordé la plus petite fibre de la vie pour un immuable unisson, qui a donné aux heureux oiseaux le bocage pour séjour, accordé aux voyageurs de l'abîme le silence ravissant de l'insondable océan, rempli le plus chétif ver qui se traîne dans la poussière d'esprit, de pensée et d'amour, — l'Ame de la nature ! sur l'homme seul, partiale dans sa malice sans cause, aurait-elle folâtrement accumulé ruine, vice, esclavage ? flétri son âme de dévorantes malédictions ? placé bien loin de lui le météore bonheur, pour échapper à sa main, et ne servir qu'à éclairer l'abîme effrayant étendu grand ouvert sous ses pas?

« La Nature! non! — Rois, prêtres, hommes d'État ont flétri la fleur humaine dans son tendre bouton; leur influence infiltre comme un subtil poison dans les veines exsangues de la société désolée! L'enfant, avant qu'il puisse bégayer le nom sacré de sa mère, sent se gonfler en lui l'orgueil dénaturé du crime, et brandit son épée de baby à la façon d'un héros! Cette arme d'enfant deviendra le fouet le plus sanglant de la terre dévastée: tandis que des noms spécieux, appris à l'heure insouciante de la molle enfance, servent de sophismes avec lesquels l'humanité obscurcit le brillant rayon de la raison, et sanctifient l'épée qui se lève pour verser le sang innocent d'un frère! Que les esclaves conduits par le prêtre cessent de proclamer que l'homme hérite du vice et de la misère, quand la force et le mensonge sont suspendus jusque sur l'enfant dans son berceau, étouffant de leur rude étreinte tout bien naturel!

« Ah! pour l'âme étrangère, quand pour la première fois elle hasarda un regard hors de son nouveau séjour, cherchant au dehors bonheur et sympathie, comme ce petit coin de l'immense monde est dur et désolé! Comme tous les boutons du bien naturel sont tristement flétris! Aucune ombre, aucun abri pour elle contre les tourbillons déchaînés d'un pouvoir sans pitié! Sur sa malheureuse existence, empoisonnée peut-être par les maladies et les douleurs qu'ont accumulées sur les misérables parents dont elle est sortie les mœurs, la loi, la coutume, — les purs vents du ciel, qui renouvellent la race des insectes, ne peuvent souffler! L'incorruptible lumière du jour ne peut visiter ses ardents désirs! Elle est enchaînée avant d'avoir vécu; oui, toutes les chaînes sont forgées bien avant qu'elle soit; toute liberté, tout amour, toute paix lui est ravie avant qu'elle puisse se défendre; maudite dès sa naissance, dès son berceau, vouée à l'abjection et à l'esclavage !

« Dans tout ce monde varié et éternel, l'âme est le seul élément inébranlable qui ait subsisté pendant d'innombrables âges. Le pilier immobile qui porte le poids d'une montagne est un esprit actif et vivant. Chaque grain dans son tout et ses parties est un être sentant, et le minuscule atome contient un monde d'amours et de haines. De là naissent le mal et le bien, la vérité et le mensonge; de là sortent volonté et pensée et action, tous les germes de peine ou de plaisir, de sympathie ou de haine, qui font la variéte de l'éternel univers. L'âme n'est pas plus souillée que les rayons du plus pur orbe du ciel, avant que les souillures de l'atmosphère née de la terre ne viennent altérer leurs lignes rapides. L'homme est un composé d'âme et de corps, formé pour des actions d'un haut dessein, pour prendre sur l'aile audacieuse de l'imagination un essor infatigable, pour changer intrépidement les angoisses les plus cuisantes en paix sereine, et goûter les joies que comportent les sens et l'esprit réunis... Ou bien il est formé pour l'abjection et la douleur, pour se traîner sur le fumier de ses craintes, pour tressaillir au moindre bruit, pour éteindre dans la sensualité la flamme de l'amour naturel, pour bénir l'heure où sur ses jours sans mérite la main glacée de la mort posera son sceau, pour redouter, craindre la guérison tout en haïssant la maladie. Le premier est l'homme, tel qu'il doit être un jour; l'autre est l'homme, tel que le vice l'a fait aujourd'hui.

« La guerre est le jeu des politiques, les délices du prêtre, l'amusement de l'homme de loi, le métier gagé des assassins; et pour ces royaux meurtriers dont les trônes mesquins sont le prix de la trahison, de la boue et de la honte, la guerre est le pain qu'ils mangent, le bâton sur lequel ils s'appuient. Des gardes, revêtus d'une livrée rouge-sang, font un rempart à leur palais, participent aux crimes que la force protège, et contre la rage d'une nation assurent la couronne, l'objet de toutes les malédictions qu'exhalent la Faim, la Frénésie, la Douleur et la Misère ! Ce sont là les *bravi* secrets qui défendent le trône du tyran, les fanfarons de sa crainte; ce sont les égouts et les canaux des plus détestables vices, le rebut de la société, la lie de tout ce qu'il y a de plus ignoble... Leurs cœurs glacés allient la fraude avec la sévérité, l'ignorance avec l'orgueil, tout ce qui est petit et vil avec la rage que la désespérance du bien et le mépris de soi-même peuvent seuls allumer. Ils sont parés de richesse, d'honneur, de pouvoir; et puis envoyés au dehors pour accomplir leur œuvre. La peste qui, dans sa sombre marche triomphale, parcourt quelques contrées de l'Orient est moins pernicieuse. Ils cajolent avec l'or, avec les promesses de gloire, la jeunesse insouciante déjà écrasée sous la servitude: elle ne connaît que trop tard son malheur et n'accueille la repentance que pour sa ruine, quand son destin est scellé dans l'or et dans le sang. Ceux-là aussi servent le tyran, qui, versés dans l'art d'entortiller les pieds de la Justice dans les filets de la loi, sont toujours prêts à opprimer le faible, toujours prêts à plaider le bien ou le mal pour de l'or, se raillant de la vertu publique, qui, sous leur pied impitoyable, gît meurtrie et écrasée pendant que l'honneur est assis souriant au trafic de la vérité.

« Puis des hypocrites graves, à la tête blanchie, sans une espérance, une passion, un amour, après avoir, à travers une vie de luxe et de mensonge, rampé par la flatterie jusqu'aux sièges du pouvoir, soutiennent le système qui fut la source de leur fortune. Ils ont trois mots (les tyrans en connaissent bien l'usage, ils en paient l'emprunt avec l'usure tirée du sang du monde): Dieu, Enfer et Ciel ! Dieu, un démon vindicatif, sans pitié et tout-puissant, dont la miséricorde est un sobriquet pour la rage de tigres indomptés altérés de sang ; l'Enfer, un rouge abîme de flammes éternelles, où des vers empoisonnés et immortels prolongent une éternelle misère pour ces malheureux esclaves, dont la vie a déjà été le châtiment de leurs crimes ; le Ciel, une récompense pour ceux qui se résignent à démentir leur nature d'hommes, à trembler, à croire, à faire des courbettes devant les moqueries du terrestre pouvoir.

« Voilà les instruments que le tyran emploie à son œuvre, qu'il manie dans sa colère, et qu'il brise comme il veut, tout-puissant dans sa perversité ; pendant que la jeunesse pousse, que la vieillesse tombe en poussière, l'âge mûr sans résistance fait la volonté du tyran, entraîné par l'appât d'un bonheur fugitif à prêter sa force à la faiblesse de son bras tremblant. Ils s'élèvent, ils tombent ; une génération vient livrer sa récolte à la faux de la destruction ; elle disparaît, une autre fleurit !... Cependant regarde ! l'estampille du tyran brille rouge sur sa fleur, flétrissant et corrompant profondément son servile éclat. Il a inventé des paroles et des modes menteuses, vides et vaines comme son propre cœur ; des significations évasives, des riens sonores; pour leurrer la victime étourdie et la pousser dans les filets tendus tout autour de la vallée de son paradis.

« Jette un regard sur toi-même, prêtre, conquérant, ou prince ! — Prêtre, ton commerce est mensonge, et tes convoitises se vautrent profondément dans le salaire du pauvre, avec qui vivait ton maître. Conquérant, tu te délectes, en comptant les myriades d'hommes que tu as tués ; toute espèce de misère ne pèse rien dans la balance en regard de ton éphémère renommée. Prince, roi, nourri de pompes, tu accables la terre gémissante du poids de tes lâchetés et de tes crimes. Jette un regard sur ton être misérable ! N'es-tu pas, dis-moi, le plus véritable esclave qui jamais ait rampé sur cette horrible terre ? Tes jours ne sont-ils pas des jours de mortel ennui ? Et, avant que la longue torture de la nuit soit achevée, ne cries-tu pas : quand viendra le matin ? Ta jeunesse n'est-elle pas un vain et fiévreux rêve de volupté ? ta virilité, flétrie d'infirmités prématurées? Les visions de ta mort non regrettée ne sont-elles pas lugubres, désespérées, horribles ? Ton esprit n'est-il pas infirme comme ton corps énervé, incapable de jugement, d'espérance et d'amour ? Ne désires-tu pas voir les erreurs, qui te ferment toutes les sympathies du bien, survivre au misérable intérêt que tu as retiré de leur prolongation ? Quand le tombeau aura englouti ta mémoire et toi-même, ne désires-tu pas que le poison qui infecte la terre enlace ses racines autour de ton argile ensevelie, pour germer de tes os, et fleurir sur ta tombe, afin que tes enfants puissent manger de son fruit et mourir ? »

V

« Ainsi les générations de la terre s'en vont au tombeau et ne cessent de sortir de la matrice, survivant toujours à l'impérissable changement qui renouvelle le monde. Comme les feuilles, que le souffle perçant et glacé de l'année qui décline a éparpillées sur le sol de la forêt et amoncelées là depuis bien des saisons, chargeant la lande de leur nauséabonde pourriture et étouffant pour longtemps tous germes de promesses, — cependant, quand les grands arbres d'où elles sont tombées dépouillées de leurs aimables formes gisent au niveau du sol pour tomber en poussière, elles fertilisent la lande qu'elles ont longtemps salie, jusqu'à ce que de la clairière palpitante s'élance une forêt de jeunesse, de force et de grâce, destinée, comme le germe qui lui a donné la vie, à grandir et à mourir, — ainsi l'Égoïsme, amant du suicide, qui flétrit les plus beaux sentiments du cœur qui s'ouvre, est destiné à tomber, pendant que du sol écloront toute vertu, toutes délices, tout amour, et que la raison cessera de faire une guerre contre nature à l'indomptable armée des passions. — Frère jumeau de la religion, l'Égoïsme, son émule en crime et en mensonge, singeant toutes les folâtres horreurs de ses jeux sanglants, et cependant glacé, impassible, sans âme, esquivant la lumière, ne reconnaissant pas son propre nom, forcé par sa difformité d'abriter sous le voile fragile de la justice et du droit ses traits repoussants qui épouvantent tout excepté la couvée de l'Ignorance; à la fois la cause et l'effet de la tyrannie; sans pudeur, endurci, sensuel et vil; mort pour tout autre amour excepté celui de sa propre abjection; d'un cœur insensible à toute autre passion que celles d'un plaisir non partagé, d'un gain sordide ou d'une vaine renommée; méprisant l'abjection de son propre être, qu'il voudrait, mais qu'il n'ose jamais affranchir !

« De là naît le Commerce, le vénal échange de tout ce que produit l'art humain ou la Nature, dont la richesse se passerait, mais que le besoin demande, et que la bonté de la nature s'empresse d'alimenter aux pleines sources de son amour sans bornes, sources pour toujours étouffées, taries et corrompues. Commerce, à l'ombre empoisonnée duquel aucune vertu solitaire n'ose éclore; pendant que Pauvreté et Richesse, d'une égale main, sèment leurs malédictions desséchantes et ouvrent les portes d'une mort prématurée et violente à la famine languissante et à la maladie bien nourrie, à tout ce qui partage le lot de la vie humaine : et celle ci, empoisonnée corps et âme, peut à peine traîner la chaîne qui s'allonge à mesure qu'elle va, en faisant retentir son cliquetis derrière elle.

« Le Commerce a mis la marque de l'égoïsme, le sceau de son pouvoir qui réduit tout en servitude, sur un métal brillant et l'a appelé or ; et devant son image s'inclinent le vulgaire des grands, le riche inutile, le misérable orgueilleux, la foule des paysans, nobles, prêtres et rois ; et dans leur aveuglement, ils adorent le pouvoir qui les broie et les réduit à la misère. Mais dans le temple de leurs cœurs mercenaires, l'or est un dieu vivant, qui gouverne dans le mépris toutes les choses de la terre, excepté la vertu.

« Depuis que les tyrans, grâce au trafic de la vie humaine, gorgent de voluptés leur sensualisme et de gloire leur immense orgueil insatiable et dévastateur, le succès a sanctionné pour ce monde crédule la ruine, les horreurs, les douleurs de la guerre. Le despote compte ses armées de dupes aveugles et dociles ; de son cabinet, il meut à sa guise ces marionnettes de son caprice, semblables à ces esclaves dont la force ou la faim contraint, sous un ignoble maître, à accomplir une froide et brutale corvée ; endurcis pour l'espérance, insensibles à la crainte, poulies à peine vivantes d'une machine morte, purs engrenages mécaniques, et articles de marché, parés de la fière et bruyante pompe de la richesse ! L'harmonie et le bonheur de l'homme sont sacrifiés à la richesse des nations ; ce qui élève sa nature à sa céleste sublimité, il l'échange pour ce qui empoisonne son âme, le poids qui entraîne vers la terre ses fières espérances ; pour ce qui flétrit en lui tout autre désir que celui d'un égoïste gain, dessèche toute autre passion que celle d'une servile crainte, éteint tout amour libre et généreux de noble et entreprenante audace. Cette pulsation même que l'imagination allume dans le cœur palpitant pour la mêler à la sensation, la richesse la détruit... Elle ne laisse rien que le sordide désir de l'argent, cette rampante convoitise de l'intérêt et de l'or, que rien ne saurait ni qualifier, ni vicier, ni racheter, pas même l'hypocrisie !

Et les hommes d'État se glorifient de la richesse ! La verbeuse éloquence, qui survit à la ruine de leurs cœurs, peut dorer l'amer poison qui dévore une nation ; elle peut amener la servile multitude à adorer leur corruptrice et éclatante idole, la Gloire, et à déserter les autels de la vertu, écrasée sous son talon de fer ! — Et cependant son piédestal éblouissant s'élève au milieu des horreurs d'un champ de bataille parsemé de membres humains, pendant que les habitations désolées fument tout alentour. L'homme à son aise, qui, près de son chaud foyer, borne les efforts et les aspirations de son cœur d'homme aux actions d'un charitable commerce, et au simple accomplissement des lois communes de décence et de convention, en réprimant les révoltes de son cœur d'homme, se laisse duper par leurs froids sophismes; il verse peut-être une larme forcée sur le naufrage de la paix terrestre, quand jusqu'à la porte de sa maison les terribles vagues accoururent, quand son fils est assassiné par le tyran, ou que la religion conduit sa femme à la folie furieuse... Mais le pauvre, dont la vie est misère, et crainte, et souci, que le matin ne réveille que pour un travail sans fruit, qui entend toujours le cri de ses enfants affamés, qui ne rencontre que le regard résigné de leur pâle mère, ou l'œil du riche orgueilleux d'où jaillit l'éclair du commandement, et ce spectacle, qui brise le cœur, de milliers d'hommes comme lui; — il fait peu attention à la rhétorique de la tyrannie. Sa haine est implacable comme ses malheurs; il n'a qu'un sourire de mépris pour la vaine et amère moquerie des mots; il sent toute l'horreur des actions du tyran; il n'est retenu que par le bras du Pouvoir, qui connaît et redoute son inimitié.

« La baguette de fer de la Pauvreté force toujours son misérable esclave à ployer les genoux devant la richesse, à empoisonner d'inutiles peines une vie sans consolation, à resserrer les chaînes mêmes qui l'attachent à son destin. La Nature, impartiale dans sa munificence, a doué l'homme d'une volonté à laquelle tout est soumis; la matière, avec toutes ses formes transitoires, gît docile et maniable à ses pieds, qui, affaiblis par la servitude, tremblent à chaque pas. Que de Miltons manqués ont passé sur la terre, étouffant les muets désirs de leur cœur dans les soucis et les fatigues d'un labeur sans repos ! Que de vulgaires Catons ont employé leur énergie, bientôt domptée par un pareil effort, à mouler une épingle, à fabriquer un clou ! Combien de Newtons inconnus, dont les yeux passifs ne virent dans ces puissantes sphères, qui diamantent l'espace infini, que des paillettes de clinquant, clouées dans le ciel pour éclairer les minuits de leur ville natale !

« Cependant tout cœur contient le germe de la perfection ; le plus sage des sages de la terre, qui jamais des trésors de la raison ait tiré la science, la vérité et les accents intrépides de la vertu, n'a été qu'un enfant faible et sans expérience, orgueilleux, sensuel, indifférent, dénué du pur désir et de l'universel amour en comparaison de cet être idéal, composé sublime de raison sans nuage, de pure passion, de volonté élevée, que la mort (et encore hésiterait-elle longtemps dans la crainte que lui inspireraient sa noble présence et l'immuable rayon de son regard), que la mort, dis-je pourrait seule subjuguer ! Le dernier des esclaves traînant aujourd'hui à travers l'ordure de quelque cité corrompue sa triste vie, languissant de faim, ou gonflé de luxure, émoussant la délicatesse de son sens spirituel dans des calculs étroits et d'indignes soucis, ou se ruant en furieux dans toutes sortes de violences et de crimes pour réveiller la profonde stagnation de son âme, pourrait l'imiter ou l'égaler.

« Mais la basse convoitise a tendu autour du monde de si étroites chaînes, que tout y est vénal, excepté l'homme vertueux. L'or et la renommée remporteront sûrement le prix marqué par l'égoïsme, en triomphant de tout excepté de cette volonté d'homme résolue et immuable, que ni les applaudissements d'une foule servile, ni les ignobles joies d'un luxe corrupteur ne pourront séduire ni amener à abandonner son âme élevée à la tyrannie ou au mensonge, quand même ceux-ci tiendraient dans leur main rouge de sang le sceptre du monde.

« Tout s'achète : la lumière même du ciel se vend ! Les inépuisables dons d'amour de la terre, les plus petites et les plus méprisables choses qui se cachent dans les profondeurs de l'abîme, tous les objets de notre vie, la vie elle-même, et cette pauvre dose de liberté qu'accordent les lois, l'amitié de l'homme, ces devoirs d'amour humain que son cœur devrait le presser d'accomplir instinctivement, tout cela s'achète et se paie comme dans un marché public, où l'égoïsme non déguisé met sur chaque objet son prix, l'estampille de son règne. L'amour même est vendu ! La consolation de toute douleur est changée en la plus mortelle des agonies ; la vieillesse tremble dans les bras dégoûtants d'une beauté éprise d'elle-même, et les impulsions corrompues de la jeunesse lui préparent une vie d'horreur souillée de la corruption d'un infâme trafic ; la pestilence qui a sa source dans un sensualisme sans jouissance a rempli toute la vie humaine de douleurs toujours renaissantes !

« Le mensonge ne demande que de l'or pour payer les angoisses d'une conscience outragée ; car l'esclave-prêtre ne fait pas grand fond sur sa foi mercenaire ; un maigre cortège qui passe, quelques âmes serviles (que la couardise suffirait à enchaîner, ou que le mesquin calcul de l'avarice pourrait entraîner à parer le triomphe de son zèle languissant), peuvent faire de lui le ministre de la tyrannie. Un crime plus audacieux demande une récompense plus haute : sans un frissonnement, l'esclave-soldat prête son bras aux œuvres de meurtre, et endurcit son cœur, quand la terrible éloquence des mourants, s'exhalant tout bas sur le champ solitaire de la gloire, vient livrer un assaut à cette nature humaine, dont il vend les applaudissements pour les grossières bénédictions d'une foule patriote, pour la vile gratitude de rois sans cœur, pour une froide approbation du monde — encore plus vile !

« Il y a une gloire plus noble qui survit jusqu'à la dissolution de notre être, et, consolatrice de toute peine humaine, accompagne son changement ; qui n'abandonne pas la vertu dans l'obscurité des cachots et, dans l'enceinte des palais, guide ses pas à travers ce labyrinthe de crime ; imprime sur ses traits l'intrépidité, alors même que, de la main vindicative du Pouvoir, il reçoit son plus doux, son dernier, son plus noble titre de gloire : la mort ! C'est la conscience du bien, que ne tentent ni l'or, ni la sordide renommée, ni l'espérance du bonheur céleste ; mais une vie de bien absolue, une volonté inébranlable, un désir inextinguible du bonheur universel, un cœur qui batte à l'unisson avec elle, un cerveau dont la sagesse toujours vigilante travaille à échanger les plaisirs de la raison contre son éternel bonheur.

« Ce *commerce* de sincère vertu ne demande aucune intervention de l'égoïsme, aucun jaloux échange d'un misérable gain, aucune fluctuation froide et longue de la prudence ; tout est pesé dans une juste et égale balance ; l'un des plateaux contient la somme du bonheur humain, et l'autre le cœur d'un homme de bien.

« Comme l'égoïste recherche vainement ce bonheur qui n'est accordé qu'à la vertu ! Aveugles et endurcis, ceux qui espèrent trouver la paix au milieu des orages du souci, qui convoitent un pouvoir dont ils ne savent pas comment user, et soupirent après un plaisir qu'ils refusent de donner ! Dans leur folie, ils trompent constamment leurs propres desseins, et quand ils espèrent jouir de ce repos que promet la vertu, l'amertume de l'âme, les cuisants regrets, les vaines repentances, la maladie, le dégoût, la lassitude envahissent leurs pauvres et misérables vies.

« Mais l'égoïsme à la tête blanchie a senti le coup de la mort, et le voilà chancelant vers la tombe. Un matin plus brillant attend le jour humain ; alors tout échange des dons naturels de la terre ne sera plus qu'un commerce de bonnes paroles et de bonnes œuvres ; alors la pauvreté et la richesse, la soif de la renommée, la crainte de l'infini, la maladie et la douleur, la guerre avec ses mille horreurs, et le farouche enfer, ne vivront plus que dans la mémoire du Temps, qui, comme un libertin pénitent, tressaillira, regardera en arrière; et frémira au souvenir de ses jeunes années. »

VI

Tout toucher, tout œil, tout oreille, l'Esprit sentit le discours brûlant de la Fée. Sur la mince trame de son être, chacune des diverses périodes peignait des nuances changeantes, comme en un soir d'été, quand flotte tout autour de vous une musique qui enveloppe l'âme, le miroir sans tache du lac réfléchit le crépuscule de l'Orient, mêlant convulsivement ses nuances de pourpre avec l'or bruni du soleil couchant.

Alors, l'Esprit parla ainsi : « C'est un sauvage et misérable monde, plein d'épines et de soucis, dont chaque démon peut faire sa proie à sa guise. O Fée ! Dans le cours des ans, n'y a-t-il pas d'espérance en réserve?... Les vastes soleils rouleront-ils sans fin, illuminant éternellement la nuit où gisent tant d'âmes infortunées, sans voir pour elles d'espérance ? L'Esprit universel ne rendra-t-il jamais la vie à ce membre desséché du ciel ? »

La Fée sourit avec calme pour le rassurer, et une étincelante lueur d'espérance inonda le visage de l'Esprit.

« Oh ! reste tranquille ! chasse ces doutes craintifs, qui ne devraient jamais tourmenter une âme éternelle, voyant les chaînes qui la lient à sa destinée. Oui ! crime et misère, mensonge, erreur et convoitise habitent cette terre ; mais le monde éternel contient à la fois le mal et la guérison. Il surgira toujours quelque homme éminent en vertu, même aux temps les plus pervers : les vérités de leurs lèvres pures, qui ne meurent jamais, enchaîneront le scorpion mensonge dans une ceinture de flammes toujours vivantes, jusqu'à ce que le monstre meure de sa propre piqûre.

« Quelle douce scène offrira la terre — un pur séjour d'esprits très purs, en symphonie avec les sphères planétaires — quand l'homme, avec l'aide de la nature immuable, entreprendra l'œuvre de la régénération ! quand ses pôles dévoyés ne graviteront plus vers le rouge et funeste soleil qui l'éclaire de ses faibles rayons !

« Esprit, ici-bas maintenant le Mensonge triomphe ; un pouvoir redoutable a mis son sceau sur la lèvre de la Vérité. Démence et Misère règnent ; le plus heureux est le plus misérable. Cependant, prends confiance : un jour viendra où de la coupe de la joie les pures gouttes salutaires tomberont comme une rosée de baume sur le monde !..... Maintenant, revenons à la scène que je t'ai montrée tout à l'heure, et lisons la charte ensanglantée du malheur universel, que bientôt la Nature de sa main régénératrice effacera miséricordieusement du livre de la terre. Qu'il est hardi le vol de l'aile vagabonde des Passions ! Qu'il est rapide le pas plus ferme de la Raison ! Qu'elles sont calmes et douces les victoires de la vie ! Comme il a perdu ses terreurs le triomphe du tombeau ! Qu'il était faible le bras du plus puissant monarque, vaine sa menace retentissante, impuissante sa colère ! Qu'il était ridicule le rugissement dogmatique du prêtre, léger le poids de ses anathèmes exterminateurs ; et sa charité affectée, si souple à la pression des révolutions des temps, quelle palpable fourberie ! Mais c'était pour te venir en aide, ô Religion ! C'était pour toi, prolifique monstre qui peuples la terre de démons, l'enfer d'hommes, et le ciel d'esclaves !

« Tu souilles tout ce que tu regardes ! — Les astres, qui sur ton berceau brillèrent d'un éclat si doux, furent des dieux pour le folâtre enjouement de ta première enfance abandonnée ; les arbres, l'herbe, les nuages, les montagnes et la mer, toutes les choses vivantes qui marchent, nagent, rampent ou volent, furent des dieux ; le soleil eut un culte, et la lune ses adorateurs. Puis, enfant, tu devins plus hardie dans tes frénésies ; toute forme monstrueuse, gigantesque, ou étrangement belle, que l'imagination emprunte aux données de la sensation ; les esprits de l'air, les spectres frémissants, les génies des éléments, les forces qui donnent une forme aux œuvres variées de la Nature, trouvèrent vie et place dans la pensée corrompue de ton cœur aveugle ; cependant tes jeunes mains restèrent encore pures du sang de l'homme. Puis la virilité communiqua sa force et son ardeur à ta cervelle en délire. Ton regard plus passionné scruta la terrible scène, dont les prodiges se riaient de ton orgueilleuse science ; leurs lois éternelles et immuables accusaient ton ignorance. Pendant quelque temps tu restas déconcertée et sombre. Alors, tu réunis les éléments de tout ce que tu connaissais, le changement des saisons, le règne sans feuilles de l'hiver, les astres bourgeonnant sous la palpitation du ciel, les orbes éternels qui embellissent la nuit, le lever du soleil et le coucher de la lune, les tremblements de terre et les guerres, les poisons et la maladie : et faisant converger toutes leurs causes en un point abstrait, ne faisant de tout cela qu'une chose, tu l'appelas Dieu ! Celui qui se suffit à lui-même, le tout-puissant, le miséricordieux, et le Dieu vengeur — qui, prototype de l'humaine déraison, est assis bien haut dans le royaume du Ciel sur un trône d'or, comme un simple roi de la terre ! et dont l'œuvre redoutable, l'Enfer, s'ouvre pour toujours pour les malheureux esclaves du destin, qu'il a créés en se jouant, pour triompher de leurs tourments une fois qu'ils y sont tombés..... La Terre entendit ce nom, la Terre trembla, et la fumée de sa revanche monta jusqu'au ciel, effaçant les constellations ; et les cris de millions d'hommes immolés dans la douce confiance d'une paix sans soupçons, et malgré les assurances confirmées par des serments verbeux jurés en ce nom redoutable, retentirent à travers la plaine..... Pendant que d'innocents enfants se tordaient sur ton inflexible lance, et que tu riais d'entendre les mères pousser des cris de délirante joie en sentant le froid de l'acier sacré dans leurs entrailles déchirées !

« Religion ! Tu arrivas alors à l'aurore de la maturité. Puis la vieillesse vint ; un seul Dieu ne pouvait suffire à ta sénile puérilité. Tu composas alors un conte s'adaptant à ton radotage et propre à assouvir l'âme altérée de misère. Tu racontas que le furieux démon inventé par ta perversité pouvait donner un moyen d'apaiser la soif dénaturée de meurtre, de rapine, de violence et de crime qui consumait toujours ton être ; alors même que tu entendais les pas du fatal Destin ; que les flammes pourraient éclairer ta scène funèbre, et que les horribles râles des pères mourant sur le bûcher qui devait servir de flambeau à leurs enfants, le rugissement des flammes amoncelées, les cris de triomphe de tes apôtres, mêlés dans un retentissant concert, pourraient rassasier ton oreille affamée, même sur ton lit de mort !

« Mais maintenant le mépris se rit de tes cheveux blancs ; voilà que tu descends au ténébreux tombeau, sans honneur et sans pitié, excepté de la part de ceux dont l'orgueil passe comme le tien, et ne jette plus, comme le tien, qu'une faible lueur qui s'évanouit devant le soleil de la vérité, et ne brille plus que dans la formidable nuit étendue depuis si longtemps sur les ruines du monde.

« A travers ces orbes infinis de lumière entrelacée, dont la terre est un, est répandu au loin un esprit d'activité et de vie qui ne connaît ni terme, ni cessation, ni décadence ; qui ne s'évanouit point quand la lampe de la vie terrestre, éteinte dans l'humidité du tombeau, y sommeille pour un temps, pas plus que quand l'enfant dans l'obscure aurore de son être sent les impulsions des choses sublunaires, et que tout est prodige pour ses sens inexpérimentés ; c'est cet esprit actif, inébranlable et éternel, qui toujours guide le furieux tourbillon dans les rugissements de la tempête, s'ébat dans la lumière, respire dans les bocages embaumés, triomphe dans la santé, et languit dans la maladie ; au milieu de l'orage du bouleversement qui roule sans repos autour de l'éternel univers et bat ses impérissables fondements, c'est lui qui préside, marquant avec une irrésistible loi la place que chaque ressort de sa machine doit remplir ; oui, alors que vagues sur vagues tumultueuses amoncellent leur mêlée jusqu'aux nuages, et que, lancés avec fureur, les éclairs du ciel brûlent les gués de l'Océan déracinés (pendant que l'œil du marinier naufragé, assis solitaire sur le roc nu et frémissant, ne voit en toutes choses que hasard sans suite et fortuite aventure), aucun atome dans cette turbulence ne remplit une tâche vague ou indéterminée et ne fait que ce qu'il doit faire et est appelé à faire ; même la plus petite molécule de lumière, qui, dans l'incandescence flottante d'un rayon d'avril, remplit sa tâche nécessaire quoique invisible, l'Esprit universel la guide ; et quand l'ambition sans merci ou le zèle insensé a conduit deux armées de dupes sur le champ de bataille où leur aveuglement va les pousser à se creuser mutuellement un tombeau, en donnant à cette œuvre de démence le nom de gloire, c'est encore lui qui dirige toutes ces passions. Il n'y a pas une pensée, une volonté, un acte, pas un effort de l'esprit chagrin du tyran, pas une crainte des esclaves se glorifiant de leur servitude pour cacher la honte qu'ils ressentent, pas un des événements qui enchaînent toute volonté et des profondeurs d'un temps immémorial ont fait sortir la vertu avec son universelle influence ; il n'y a rien qui ne passe sans être reconnu, sans être vu de toi, Ame de l'Univers ! Source éternelle de vie et de mort, de bonheur et de souffrance, de tout ce qui sillonne la scène fantastique qui flotte devant nos yeux dans les vagues de la lumière, et qui ne brille que dans les ténèbres de cette prison, dont nous sentons, mais sans les voir, les chaînes et les massives murailles !

« Esprit de la nature ! Pouvoir qui suffit à tout ! Nécessité, toi la mère du monde ! tu ne ressembles pas au dieu de l'erreur humaine, tu ne demandes ni prières ni louanges. Le caprice de la faible volonté de l'homme ne peut pas plus être attribué que les passions inconstantes de son cœur à ton immuable harmonie. L'esclave dont les horribles convoitises répandent la misère sur le monde, et l'homme de bien qui met un vertueux orgueil à élever son être, en vue du bonheur qui naît de ses propres œuvres ; l'arbre empoisonné à l'ombre duquel toute vie se flétrit, et le chêne magnifique dont le dôme de feuillage offre un temple où s'enregistrent les noms de l'amour heureux, sont égaux à tes yeux. Tu ne caresses ni l'amour, ni la haine ; revanche et favoritisme, les pires des désirs, ceux de la gloire, te sont inconnus. Tous les êtres que contient le vaste monde ne sont que tes passifs instruments ; et tu les regardes tous d'un œil impartial ; tu ne peux ressentir ni leurs joies, ni leurs peines, puisque tu n'as pas un sentiment humain, puisque tu n'as pas un esprit humain !

« Oui ! Quand l'ouragan balayant du temps aura chanté son chant de mort sur les temples ruinés et sur les autels brisés du tout-puissant démon dont le nom usurpe les honneurs qui te sont dus ; quand le sang, à travers les siècles amassés, aura descendu le courant souillé des âges, tu vivras immuable ! Il y a un sanctuaire élevé pour toi, que ni le souffle orâgeux du temps, ni l'incessante inondation qui roule sur le spectacle mesquin de la terre ne parviendront à détruire : l'étendue sensitive du monde ; ce merveilleux et éternel temple, où peine et plaisir, bien et mal, s'unissent pour accomplir la volonté de l'impérieuse Nécessité ; — et la vie sous ses innombrables formes, aspirant sans cesse à quelque chose qui ne peut avoir de terme, comme une flamme affamée et sans repos, s'enroule autour des éternelles colonnes de son immutabilité. »

VII

L'ESPRIT

« J'étais un enfant, quand ma mère alla voir brûler un athée. Elle m'y conduisit. Les prêtres vêtus de noir étaient réunis autour du bûcher ; la multitude regardait en silence ; le coupable passa avec un visage intrépide : dans ses yeux sereins un dédain tempéré, se mêlant à un doux sourire, brillait avec calme... Le feu altéré rampa autour de ses membres virils ; bientôt ses yeux résolus furent aveuglés par la flamme ; l'angoisse de sa mort déchira mon cœur... La foule insensée poussa un cri de triomphe, et moi, je pleurai... Ne pleure pas, enfant, me cria ma mère, car cet homme a dit : Il n'y a pas de Dieu ! »

LA FÉE

« Il n'y a pas de Dieu ! — La Nature confirme la foi qu'a scellée l'angoisse de la mort. Laisse le ciel et la terre, laisse la race éphémère de l'homme, ses générations sans fin, dire leur conte ; laisse chaque partie de l'univers, rivée à la chaîne qui la relie au tout, désigner la main qui étreint son terme ! Laisse chaque semence qui tombe développer, dans sa silencieuse éloquence, sa provision d'arguments ! L'infini au dedans, l'infini au dehors, dément la création ; l'esprit impérissable qu'elle contient est le seul Dieu de la nature ; mais l'orgueil humain est habile à inventer les noms les plus graves pour cacher son ignorance.

« La sainteté du nom de Dieu a justifié tous les crimes ; il est lui-même le créateur de ses adorateurs ; ses noms, ses attributs et ses passions — qu'il s'appelle Seeva, Buddha, Foh, Jehovah, Dieu ou Seigneur, — changent avec les dupes humaines qui élèvent ses sanctuaires, servant toujours, sur l'univers souillé par la guerre, de mot d'ordre à la désolation ; soit que des armées, après avoir rougi dans la boue sanglante de la mort les roues de leurs chars, les fassent rouler dans le triomphe, pendant que des brahmanes entonnent l'hymne sacré mêlé aux gémissements ; soit que les innombrables associés de son pouvoir se partagent sur le faible l'exercice de sa tyrannie ; soit que la fumée des tours incendiées, les cris de désespoir des femmes, ceux de la vieillesse désarmée, de la jeunesse et de l'enfance horriblement massacrées, montent au ciel en l'honneur de son nom ; ou que, dernière et pire des infamies, la Terre gémisse sous l'âge de fer de la religion, et que les prêtres osent bégayer le nom d'un Dieu de paix, alors même que leurs mains sont rougies du sang innocent, ne cessant d'immoler, déracinant tout germe de vérité, promenant partout l'extermination et la ruine, faisant de la terre une boucherie !

« O Esprit ! à travers le sens qui a révélé à ta nature interne les apparences extérieures, de vagues rêves ont roulé, et des réminiscences variées ont évoqué des tablettes à jamais ineffaçables ; là, toutes choses ont été imprimées, les astres, la mer, la terre, le ciel ; jusqu'aux traits les plus informes des plus étranges et plus fugitives visions y ont été enregistrés, pour rendre témoignage de la terre.

« C'est là mon empire ; car il m'a été donné de veiller sur les prodiges du monde humain, et de prêter aux légères créations de l'imagination une forme, un être, une réalité ; je veux donc évoquer, des rêves de l'obtuse et aveugle foi des erreurs humaines, un prodigieux fantôme, qui répondra à tes questions.

« Ahasverus, apparais ! »

Un personnage étrange, né pour la douleur, apparut près du créneau, et s'y tint immobile. Sa figure sans réalité ne jetait point d'ombre sur le parquet d'or. Son port et ses traits présentaient la trace de nombreuses années, et des chroniques d'une antiquité fabuleuse étaient lisibles dans son œil sans rayon. Cependant sa joue portait la marque de la jeunesse ; fraîcheur et force composaient sa mâle charpente ; la sagesse des années accumulées s'y mêlait avec l'intrépidité primitive de la jeunesse ; et d'inexprimables gémissements, atténués par une résignation sans crainte, donnaient une grâce terrible à son front révélateur.

L'ESPRIT

« Y a-t-il un Dieu ? »

AHASVERUS

« Y a-t-il un Dieu ? — Oui, un Dieu tout-puissant,

aussi plein de vengeance qu'il est tout-puissant ! Un jour sa voix se fit entendre sur la terre ; au son de cette voix la terre tressaillit ; le visage enflammé du firmament exprima l'horreur : et le tombeau de la Nature s'ouvrit béant, pour engloutir l'intrépide et le vertueux qui oserait lancer un défi à son trône, ainsi environné de pouvoir. Il n'y eut plus que des esclaves — esclaves au sang glacé, qui firent l'œuvre de l'omnipotence tyrannique ; esclaves dont une honnête indignation n'a jamais poussé les âmes à oser une entreprise élevée, une action que n'ait pas souillée un grossier et sensuel égoïsme. Ces esclaves bâtirent des temples au tout-puissant démon ; temples splendides et vastes ; les autels dispendieux fumèrent de sang humain, et des hymnes hideuses retentirent à travers les longues nefs. Un meurtrier entendit sa voix en Égypte, un homme dont l'habileté et les artifices ont fait la grandeur — complice de l'omnipotence dans le crime, et confident du seul Dieu qui connaît tout ! — Voici quelles furent les paroles de Jehovah :

« D'une éternité d'oisiveté, moi, Dieu, je me suis éveillé ; dans un travail de sept jours j'ai fait la terre de rien ; puis je me reposai et créai l'homme. Je le plaçai dans le paradis, où je plantai l'arbre du mal ; de telle sorte qu'il pût en manger et périr, et procurer à mon âme de quoi rassasier sa malice, et faire tourner, ainsi que font les conquérants sans cœur de la terre, toute misère à ma propre gloire. La race d'hommes, élue pour m'honorer, peut impunément assouvir les convoitises que j'ai plantées dans leur cœur. Je te commande de les conduire hors d'ici, jusqu'à ce que d'un pas infatigable leurs troupes conquérantes pénètrent dans la terre promise à travers le sang des femmes, et rendent mon nom redoutable dans la contrée. Et cependant une flamme toujours brûlante et des gémissements sans trêve seront le destin de leurs âmes éternelles, en compagnie de toute âme de cette ingrate terre, faible ou forte, vertueuse ou vicieuse, — oui, toutes périront, pour assouvir l'aveugle vengeance (ce que vous autres hommes, vous appelez la justice) de leur Dieu ! »

« Le front du meurtrier frissonna d'horreur.

« Dieu tout-puissant, n'y a-t-il pas de merci ? Notre châtiment doit-il être sans fin ? De longs siècles doivent-ils rouler ainsi, sans y voir aucun terme ? Est-ce donc dans la moquerie et la colère que tu as fait cette pauvre terre ? La miséricorde sied au puissant — ne sois que juste ! O Dieu ! repens-toi et sauve-nous ! »

« Il ne reste qu'une voie. J'engendrerai un fils, et il portera les péchés de tout l'univers. Il naîtra dans un coin inconnu de la terre, et là il mourra sur une croix, et effacera le crime universel ; ainsi le petit nombre de ceux sur qui descendra ma grâce seront marqués comme des vases d'élite pour la gloire de leur Dieu, pourront profiter de cet étrange sacrifice et sauver leurs âmes. Des millions d'hommes vivront et mourront qui n'entendront jamais prononcer le nom de leur Sauveur, et s'en iront sans être rachetés dans le sépulcre béant. Des milliers d'hommes n'y verront qu'un conte de vieille femme, semblable à ceux dont les nourrices effraient leurs nourrissons. Ceux-là dans un abîme d'angoisse et de flamme maudiront éternellement leur réprobation ; mais les souffrances décuplées les forceront de confesser, sur les lits mêmes de tourments où ils hurlent, ma gloire et la justice de leur arrêt. A quoi leur serviront alors leurs actions vertueuses, leurs pensées de pureté, étincelantes d'un radieux génie, ou éclairées du rayon terrestre de l'humaine raison ? Il y a beaucoup d'appelés, mais peu seront élus ! Exécute mon commandement, Moïse ! »

« La joue du meurtrier pâlit d'horreur, et ses lèvres frémissantes purent à peine murmurer : « O seul tout-puissant, je tremble et j'obéis ! »

« O Esprit ! Des siècles ont mis leur sceau sur ce cœur aux mille blessures, sur cette cervelle accablée, depuis que l'Incarné est venu. Il vint humblement, voilant son horrible tête de Dieu sous la forme d'un homme, méprisé par le monde ; son nom inconnu de tous, excepté de la canaille de sa ville natale, comme celui d'un démagogue de paroisse. Il remua la foule ; il lui enseigna justice, vérité et paix, en apparence ; mais il alluma dans les âmes les flammes sans repos du zèle, et bénit l'épée qu'il apporta sur la terre pour rassasier son âme méchante du sang de la vérité et de la liberté. Enfin sa forme mortelle fut conduite à la mort. Je me tenais près de lui ; sur la croix torturante aucune peine n'atteignait son sens supra-terrestre ; et cependant il gémissait. Saisi d'indignation, je résumai les massacres et les misères que son nom avait sanctionnés dans mon pays, et je criai : « Va ! va ! » en me moquant. — Un sourire de divine malice illumina ses traits défaillants. « Je m'en vais » cria-t-il ; « mais toi, sur cette terre inquiète tu erreras éternellement. » — La sueur froide du tombeau baigna mon impérissable front. Je tombai, et restai dans une longue léthargie sur le sol charmé. Quand je me réveillai, l'enfer brûlait dans mon cerveau, vacillant sur sa base ; car tout autour de moi les restes de ma parenté tombant en poussière gisaient, dans la position où la colère du Tout-Puissant les fixait... et dans leurs diverses attitudes de mort, les crânes muets et sans yeux de mes enfants assassinés projetaient sur moi une spectrale lueur !

« Mais mon âme, à force de voir et de ressentir les souffrances corruptrices de la tyrannie, a depuis longtemps appris à préférer la liberté de l'Enfer à la servitude du Ciel. — Donc je me levai, et sans crainte je commençai mon pèlerinage solitaire et sans fin ; résolu à engager une guerre impitoyable avec mon tout-puissant tyran et à défier sa colère impuissante à me nuire au delà des bornes de la malédiction que j'avais encourue. La même main qui a fermé devant mes pas le refuge et la paix du tombeau a écrasé la terre sous le poids de la misère, et donné son empire aux élus d'entre ses esclaves. Je les ai vus, dès la première aurore de leur faible, instable et précaire pouvoir, prêchant alors la paix, comme aujourd'hui ils pratiquent la guerre ; je les ai vus, alors qu'ils ne faisaient que revenir du massacre d'inoffensifs infidèles, étancher leur soif de ruine dans le sang même qui coulait dans leurs propres veines ; et un zèle sans pitié glaça tout sentiment humain, si bien que l'épouse plongeait dans le cœur de son mari le poignard sacré, à l'heure même où ses désirs rêvaient de son amour ; amis contre amis, frères contre frères se dressèrent l'un contre l'autre dans la plus sanglante bataille, et la guerre, à peine rassasiée par les dernières rasades de mort versées par le destin, s'acharnait toujours, ivre du pressoir de la colère du Tout-Puissant ; pendant que la croix rouge, en dérision de la paix, montrait la victoire ! Quand la mêlée fut terminée, il ne resta aucun survivant de la foi exterminée pour raconter sa ruine, rien... que la chair empoisonnant l'atmosphère d'une putride fumée, et pourrissant sur le bûcher à moitié éteint !

« Oui ! j'ai vu les adorateurs de Dieu tirer le glaive de sa vengeance pendant que sa grâce descendait, confirmant toute impulsion contre nature et sanctifiant leurs œuvres de désolation ; et des prêtres fanatiques faisaient onduler la sinistre croix sur la terre infortunée ; alors le soleil éclaira des averses de sang caillé tombant du fer brûlant du tranquille assassinat : tout crime perdit son aiguillon en vertu de l'Esprit du seigneur, et des arcs-en-ciel rouge-sang firent un dais à la terre.

« Esprit ! aucune année de mon existence si pleine n'a passé pure des crimes et de la misère qui découlent de la vraie foi de Dieu. J'ai vu ses esclaves, de leurs langues aux mensonges venimeux, tromper la foule insensée, et, pendant qu'une de leurs mains était rouge de meurtre, feindre de tendre l'autre en signe de fraternité et de paix. Maintenant qu'ils pérorent d'amour et de merci (pendant que leurs actions sont empreintes de toute la bassesse et la perversité que le jeune bras de la Liberté n'ose pas encore châtier) la Raison peut réclamer notre gratitude, elle, qui aujourd'hui, asseyant le trône impérissable de la vérité et de l'inflexible vertu, rend inutile et vaine la malice de mon ennemi ; sa rage infructueuse entasse des tourments pour les hommes vertueux, ajoute au châtiment des éternités impuissantes ; pendant que le plus poignant désappointement torture son sein, de voir les sourires de la paix jouer autour d'eux, et tromper ou sanctifier leur arrêt.

« Ainsi je vécus, — à travers un affreux désert d'années, luttant avec les tourbillons d'une curieuse agonie, cependant plein de paix et de sérénité, renfermé dans le sanctuaire de moi-même, me moquant de l'horrible malédiction de mon impuissant tyran, avec une obstinée et inébranlable volonté ; semblable à un chêne géant, que le terrible feu du ciel a fracassé dans la solitude, pour être un monument d'impérissable ruine ; — cependant, tranquille et immobile, il brave le nocturne conflit de l'ouragan d'hiver, comme dans le calme du soleil il étend vers le ciel ses bras consumés et flétris, pour goûter le repos d'un midi d'été. »

La Fée agita sa baguette ; Ahasverus disparut, aussi rapidement que les formes de l'ombre et du brouillard confondus, cachées en embuscade dans les vallons d'un sombre bosquet, fuient devant le rayon du matin : la matière dont les rêves sont faits n'est pas plus douée de vie réelle que cette fantastique image de la pensée humaine errante.

VIII

« Tu as vu le Présent et le Passé, un spectacle désolé ! Maintenant, Esprit, apprends les secrets de l'Avenir. — Temps ! déploie l'aile qui couve les destinées sous son ombre ; rends à la lumière tes enfants à demi dévorés, et des berceaux de l'éternité où des millions d'êtres dorment le sommeil qui leur est dévolu, bercés par le profond murmure du courant des choses qui passent, arrache ce sombre linceul. — Esprit, contemple ta glorieuse destinée ! »

La joie pénétra l'Esprit. Par la large déchirure faite au voile éternel du Temps, l'Espérance apparut, rayonnante à travers les brumes de la crainte. La Terre n'était plus un enfer ; amour, liberté, santé, avaient donné leurs trésors à la virilité de son printemps, et toutes ses pulsations battaient en harmonie avec les sphères planétaires ; alors s'éleva une suave musique, de concert avec les cordes vitales de l'âme ; celle-ci palpitait en doux et langoureux battements, trouvant une nouvelle vie dans une mort transitoire. Tels les vagues soupirs d'un vent du soir, éveillant les petites vagues de la mer assoupie, qui meurt en exhalant son souffle, et tombe et s'élève, faiblit et grandit par accès, tel était le pur courant de sentiment qui jaillissait de ces notes suaves, et sur les sympathies humaines de l'Esprit roulait paisiblement avec un mouvement doux et calme.

La joie pénétra l'Esprit, — la joie d'un amant qui voit l'élue de son âme dans le bonheur, qui est témoin de la paix de celle dont la souffrance lui était plus amère que la mort, qui voit sa joue reprendre sa fraîcheur et se colorer peu à peu du vif éclat de sa première santé, et tressaille devant ces yeux adorés, qui, semblables à deux astres au milieu de l'Océan soulevé, étincellent à travers des larmes de bonheur.

Alors, triomphante, la Reine des Fées parla :

« Je n'évoquerai pas le spectre des âges écoulés pour déployer les redoutables secrets de la science. Désormais, le présent est passé, et les événements qui désolent la terre ont disparu de la mémoire du Temps, qui n'ose pas donner la réalité à ce dont j'annule l'être. C'est à moi qu'il est donné d'observer les prodiges du monde humain, espace, matière, temps et esprit. L'Avenir expose maintenant ses trésors ; que cette vue renouvelle et fortifie ton espoir défaillant... O Esprit humain ! élance-toi vers ce terme, où la Vertu fixe la paix universelle et, au milieu du flux et du reflux des choses humaines, montre quelque chose de stable, quelque chose d'éternellement certain, un phare au-dessus du chaos des sombres vagues.

« La terre habitable est pleine d'allégresse. Ces déserts de lames glacées qu'avaient amoncelés autour des pôles d'incessants ouragans de neige, où la matière n'osait ni végéter ni vivre, mais où une gelée perpétuelle autour de la vaste solitude enchaînait sa large zone d'immobilité, sont maintenant déblayés; là, les zéphirs embaumés des îles aromatiques plissent à peine le placide abîme de l'Océan, qui roule ses flots larges et clairs sur le sable en pente, et dont le rugissement s'éteint en suaves échos pour murmurer à travers les bosquets respirant vers le ciel et s'y harmoniser avec la nature sanctifiée de l'homme.

« Ces incommensurables déserts de sable, dont les brûlantes ardeurs concentrées par le temps laissaient à peine un oiseau vivre, un brin d'herbe pousser, où le cri aigu des amours du lézard vert interrompait seul le silence étouffant, regorgent maintenant de ruisseaux sans nombre et de forêts ombreuses, de champs de blé, de pâturages et de blanches chaumières; et là où le désert effaré voyait un sauvage conquérant souillé du sang de ses frères, et une tigresse rassasier de la chair des agneaux la faim monstrueuse de ses petits sans dents, tandis que le désert retentissait de cris et de mugissements... là, une pelouse en pente et unie, émaillée de pâquerettes, offrant son doux encens au soleil levant, sourit de voir un enfant qui, devant la porte de sa mère, partage son repas du matin avec le basilic vert et or, venu pour lui lécher les pieds.

« Ces profondeurs inexplorées, où plus d'une voile fatiguée avait vu sur la plaine sans bornes le matin succéder à la nuit et la nuit au matin, sans que jamais aucune terre déployât, pour saluer le voyageur errant, ses montagnes ombreuses sur la mer illuminée par le soleil; où les rauques mugissements des vagues soulevées s'étaient si longtemps mêlés au fracas du vent d'orage dans une mélancolique solitude, et avaient balayé le désert de ces steppes de l'Océan, qui ne connaissait d'autres voix que les cris déchirants de l'oiseau de mer, le beuglement des monstres et le sifflement de la tempête, maintenant elles répondent aux accords doux et variés à l'infini des plus aimables impulsions humaines. Dans ces royaumes solitaires étincellent de brillantes îles, vrais jardins entourés de nuages lumineux et de mers étincelantes, avec de fertiles vallées retentissantes d'allégresse, de verdoyantes forêts ondoyant comme un dais au-dessus de la vague, qui, semblable à un travailleur épuisé de fatigue, saute à terre pour y trouver les baisers des fleurettes.

« Toutes choses sont recréées, et la flamme de l'amour commun inspire toute vie. Le fertile sein de la terre donne leur sève à des myriades d'êtres, qui grandissent toujours sous sa tutelle, et la récompensent par leur pure perfection L'haleine embaumée de la brise aspire ses vertus et les sème toutes au dehors ; la santé flotte dans la douce atmosphère, brille dans les fruits, et s'étend sur les courants Aucun orage ne défigure plus le front rayonnant du ciel, et ne disperse plus, dans la fraîcheur de son éclat, le feuillage des arbres toujours verts ; les fruits sont toujours mûrs, les fleurs toujours belles ; l'Automne porte fièrement sa grâce de matrone, allumant une rougeur sur la belle joue du Printemps, dont la fleur virginale sous le fruit vermeil réfléchit sa nuance et rougit d'amour.

« Le lion oublie maintenant sa soif de sang ; vous pourriez le voir jouer au soleil à côté du chevreau sans crainte ; ses griffes sont rentrées, ses dents sont inoffensives ; la force de l'habitude a fait de sa nature celle d'un agneau. Semblable au fruit de la passion, le suc séducteur de la belladone n'empoisonne plus le plaisir qu'il procure. Toute amertume est passée ; la coupe de la joie sans mélange est pleine jusqu'aux bords et recherche les lèvres altérées qu'elle fuyait naguère.

« Mais l'homme surtout, — lui qui peut, avec sa double nature, connaître plus de misères et rêver plus de joies que tout le reste, lui dont les vives sensations tressaillent dans sa poitrine pour s'y confondre avec un instinct plus élevé, prêtant leur puissance au plaisir et à la peine, élevant, raffinant, épurant l'un et l'autre ; l'homme, placé dans un monde toujours changeant pour être le fardeau ou la gloire de la terre ; c'est lui surtout qui s'aperçoit du changement ; son être observe sa rénovation graduelle, et définit chaque mouvement du progrès dans son âme.

« Là où l'obscurité de la longue nuit polaire pèse sur les rocs vêtus de neige et sur un sol gelé, où à peine l'herbe la plus hardie qui puisse braver la gelée se réchauffe à la clarté inefficace de la lune, là, l'homme était rabougri comme les plantes, et sombre comme la nuit ; ses énergies refroidies et restreintes, son cœur insensible au courage, à la vérité, à l'amour, sa stature nouée et sa constitution débile, le désignaient comme un avorton de la terre, fait pour être le compagnon des ours errant alentour, ayant les mêmes habitudes et les mêmes joies que lui ; sa vie était le rêve fiévreux d'une infortune stagnante, dont les maigres besoins, à peine satisfaits, lui rappelaient sans cesse l'ingrate carrière que le malheur de sa courte vie avait atteinte; sa mort était une convulsion que la faim, le froid et l'épuisement avaient depuis longtemps fait sentir à son âme, quand l'étincelle vitale s'attachait encore obstinément à son corps. Là, il subissait tout ce que la vengeance de la Terre pouvait infliger aux violateurs de sa loi; une malédiction seule lui fut épargnée — le nom de Dieu!

« Et là où les tropiques enchaînaient les royaumes du jour d'une large ceinture de nuages et de flamme confondus; où les brouillards bleuâtres à travers l'atmosphère immobile semaient les germes de pestilence et nourrissaient une végétation contre nature; où la lande foisonnait de tremblements de terre, de tempêtes et de maladies, l'homme n'était pas un être plus noble. L'esclavage l'avait écrasé dans la poussière sanglante de sa patrie; ou bien il était troqué pour la gloire de ce pouvoir, qui, détruisant toute énergie interne, fait de la volonté humaine un article de trafic; ou bien échangé auprès des chrétiens pour de l'or, et entraîné vers des îles lointaines, où, au bruit des fouets déchirant la chair, il faisait la besogne du luxe et de la richesse corruptrice, qui font doublement peser sur la tête des tyrans la plénitude lentement accumulée de leurs douleurs; ou bien il était mené à la boucherie légale, pour être la proie des vers sous ce brûlant soleil, où les rois se liguèrent pour la première fois contre les droits des hommes, et les prêtres pour la première fois trafiquèrent du nom de Dieu.

« Là même où une zone plus tempérée offrait à l'homme un semblant d'abri, là encore la contagion, flétrissant son être de maux innombrables, répandait comme un feu inextinguible ; la vérité toujours tardive ne parvenait point à arrêter ses progrès, ou à créer cette paix qui pour la première fois dans une victoire non sanglante fit flotter son étendard de neige sur ce climat favorisé. Là, l'homme fut longtemps le porte-queue des esclaves, le singe de la misère environnante, le chacal de la rage ambitieuse, le chien courant du zèle affamé de la religion.

« Là maintenant, l'être humain pare la plus aimable des terres de son âme et de son corps sans souillure, doué dès sa naissance de tous les charmants instincts, qui doucement dans son noble sein éveillent toutes les passions bienveillantes et les purs désirs. Il ne cesse de poursuivre d'espérance en espérance le bonheur qui du trésor inépuisable du bien-être humain afflue dans l'esprit vertueux ; les pensées, surgissant avec une infinité qui défie le temps, lui donnent cette éternité intime qui se moque de l'impuissante blancheur de la vieillesse ; et l'homme, qui autrefois passait sur la scène transitoire avec la rapidité d'une vision aussitôt oubliée, est immortel sur la terre. Il ne tue plus l'agneau qui le regarde dans les yeux, ne dévore plus horriblement ses chairs déchirées, qui, pour venger la loi violée de la Nature, allumaient dans son corps toutes les humeurs putrides, et dans son âme toutes les mauvaises passions, toutes les pensées vaines, les germes de la misère, de la mort, de la maladie et du crime. Maintenant les habitants ailés, qui chantent leurs douces vies dans les bois, ne fuient plus la forme de l'homme ; ils se réunissent autour de lui et lissent leurs plumes étincelantes sur les mains que, dans un amical amusement, de petits enfants tendent à ces compagnons apprivoisés de leur jeu.

Partout la terreur a disparu. L'homme a perdu sa terrible prérogative et vit égal au milieu d'égaux. Le bonheur et la science, bien que tardifs, rayonnent enfin sur la terre ; la paix anime l'esprit, la santé renouvelle le corps. La souffrance et le plaisir cessent de combattre ; chacun, affranchi, déploie sur la terre ses irrésistibles énergies et y porte le sceptre d'un vaste empire ; toutes les formes et tous les modes de la matière prêtent leur force à l'omnipotence de l'esprit, qui de sa mine obscure tire le diamant de la vérité pour en décorer son paradis de paix. »

IX

« O heureuse Terre ! réalité du Ciel, auquel aspirent ces âmes sans repos qui incessamment se pressent à travers l'univers humain ! Toi, la consommation de toute mortelle espérance ! Toi, glorieuse conquête d'une volonté travaillant en aveugle, dont les rayons, dispersés à travers tout l'espace et le temps, convergent en un seul point, et s'y confondent pour toujours ! Toi, pur séjour des très purs esprits, où soucis et chagrins, impuissance et crime, langueur, maladie, ignorance, n'osent paraître ! O heureuse Terre, réalité du Ciel ! *

« Le Génie t'a aperçue dans ses rêves passionnés ; et d'obscurs pressentiments de ta beauté, hantant le cœur humain, y ont profondément enraciné ces espérances de quelque doux lieu de bonheur, où amis et amants se rencontrent pour ne plus se séparer. Tu es la fin de tout désir et de toute volonté, le fruit de toute action ; et les âmes, qui après avoir traversé le changement perpétuel du désir ont atteint ton port d'interminable paix, s'y reposent loin de l'éternité de fatigue qui a construit l'édifice de ta perfection.

« Le Temps lui-même, ce conquérant, a eu peur et t'a fuie ; ce géant blanchi qui dans son orgueil solitaire a si longtemps gouverné le monde que les nations se sont écroulées sous son pas silencieux. Les Pyramides qui pendant des millenium ont résisté à la marée des choses humaines, son souffle de tempête les a réduites en sable, en travers de ce désert où leur masse de pierre faisait survivre le nom de celui dont l'orgueil les y avait élevées. Ce monarque, là-bas, dans sa pompe solitaire, n'était que le champignon d'un jour d'été, que ses pas ailés de lumière ont réduit en poussière. Le Temps était le roi de la terre ; toutes choses ont passé devant lui, excepté la volonté ferme et vertueuse, les sympathies sacrées de l'âme et des sens, qui se moquaient de sa furie et préparaient sa chute.

« Cependant lent et graduel luisait le matin de l'amour ; longtemps les nuages de ténèbres se sont étendus sur la scène jusqu'au jour où ils s'enfuirent de leur ciel natif. D'abord, le Crime triomphant de toute espérance poursuivit sa carrière sans pudeur, sans déguisement, hardi et fort ; et le Mensonge, paré des attributs de la Vertu, sanctifia longtemps toutes les actions du vice et de la misère, jusqu'à ce que, recevant la mort du venin de son propre aiguillon, il laissât le monde moral sans une loi ; il n'enchaînait plus l'aile sans crainte de la Passion ; il ne brûlait plus la Raison avec le brandon de Dieu ! Alors, l'heureux ferment travailla avec énergie ; la Raison fut libre, et quoique la capricieuse Passion vînt à travers les vallons emmêlés et les prairies ceintes de bois cueillir une guirlande des plus étranges fleurs, cependant, comme l'abeille retournant vers sa reine, elle attachait les plus charmantes sur le front de sa sœur, qui, douce et modeste, baisait la folâtre enfant, qui ne tremblait plus devant la baguette brisée.

« La lente nécessité de la mort devint douce ; l'Esprit tranquille défaillit sous sa main sans un gémissement, presque sans une crainte, — calme comme un voyageur sur quelque terre lointaine, et, comme lui, plein d'émerveillement, plein d'espérance. Les germes mortels de langueur et de maladie périrent dans le corps humain, et la pureté enrichit de tous ses dons ses terrestres adorateurs. Quelle vigueur alors dans la forme athlétique de la vieillesse ; quel éclat sur son front ouvert et sans rides, où ni l'avarice, ni l'artifice, ni l'orgueil, ni le souci n'avaient imprimé le sceau d'une grise difformité sur tous les traits entre-croisés du temps ! Qu'il fut aimable le front intrépide de la jeunesse, que le courage au doux regard parait de la plus fraîche grâce ! Courage de l'âme qui ne rêvait plus un vain nom, volonté élevée qui voyageait à travers la scène fantasmagorique de la vie en toute intrépidité, en compagnie de la vertu, de l'amour et du plaisir, la main dans la main !

« Alors, ce doux servage qui est l'être de la liberté, et qui rive des plus doux liens de la sensation les sympathies fraternelles des êtres humains, n'eut plus besoin des chaînes d'une loi tyrannique. Ces délicates et timides impulsions jaillirent de nouveau dans la primitive modestie de la nature, et avec une entière confiance laissèrent éclater les désirs naissants de son amour à l'aurore, que ne réprimait plus une idiote et égoïste chasteté, cette vertu des gens vertueux à bon marché, qui s'enorgueillissent de leur insensibilité et de leur glace. Le venin de la prostitution n'empoisonna plus les sources du bonheur et de la vie. La femme et l'homme en toute confiance et amour, égaux, libres et purs, gravirent ensemble le sentier montueux de la vertu, que ne souillait plus le sang des pieds de plus d'un pèlerin.

« Alors, là où, à travers les âges éloignés, longtemps avec orgueil le palais de l'esclave monarque s'était moqué du faible gémissement de la Famine et des larmes silencieuses de la Pauvreté, il n'y eut plus qu'un monceau de ruines tombant en poussière et laissant s'écrouler d'année en année leurs pierres sur le sol, en réveillant de leur chute un solitaire écho ; et les feuilles de la vieille épine, qui sur la tour la plus élevée usurpait la grandeur du royal étendard, s'entre-choquèrent dans le violent ouragan qui faisait ployer la superbe tour, et murmurèrent d'étranges contes à l'oreille du tourbillon. Tout bas, à travers les nefs sans toit de la solitaire cathédrale, les vents mélancoliques chantèrent un lugubre chant de mort. Ce fut un spectacle terrible, de voir les chefs-d'œuvre de la foi et de l'esclavage, si vastes, si somptueux, et cependant si périssables, semblables au cadavre qui repose sous leurs murs. Aujourd'hui mille pleureurs revêtent l'appareil de mort, le marbre respirant étincelle partout pour décorer sa mémoire, et les langues sont toutes occupées de sa vie ; demain, les vers dans le silence et dans les ténèbres saisiront leur proie.

« Dans les cours des massives prisons tombant en poussière, libres et sans crainte les enfants vermeils jouèrent, tressant de joyeuses guirlandes pour leurs fronts innocents avec le lierre verdoyant et la rouge giroflée de muraille, qui se rient de l'inutile obscurité du cachot. Les lourdes chaînes, les pesantes grilles de fer se rouillèrent au milieu des monceaux de pierres brisées, se confondant lentement avec la terre dont elles étaient sorties; le large rayon du jour, qui autrefois éclairait si faiblement la joue de la maigre Captivité d'une pâle et chétive lueur, alors étincela librement sur les purs sourires de la folâtrerie enfantine. On n'entendit plus la voix frémissante du rauque Désespoir faire retentir les échos des voûtes; mais les notes caressantes des brises jouant dans le lierre et des joyeux oiseaux résonnèrent gaiement tout à l'entour. Ces ruines bientôt ne laissèrent pas un débris derrière elles; leurs éléments, disséminés au loin sur le globe, se moulèrent pour de plus heureuses formes, et se mirent au service de toutes les impulsions du bonheur. Ainsi les choses humaines arrivèrent à la perfection; et la terre, comme un enfant sous l'amour de sa mère, grandit dans toute excellence, et avec chaque année écoulée devint plus belle et plus noble.

« Maintenant le Temps ferme ses sombres ailes sur la scène; elle rentre dans une impénétrable obscurité, et l'avenir disparaît à nos regards charmés. — Ma tâche est achevée: ta science est complète. Les prodiges de la terre sont à toi, avec toute la crainte et toute l'espérance qu'ils contiennent. Mes enchantements sont épuisés; le présent reparaît. Hélas! Un désert inexploré reste encore à soumettre à la main réparatrice de l'homme.

« Pourtant, Esprit humain, poursuis bravement ta course. Que la vertu t'enseigne à suivre fermement les sentiers graduels du progrès: car la naissance et la vie et la mort, et cet étrange état où l'âme nue n'a pas encore trouvé sa demeure, tendent également au parfait bonheur, et poussent dans leur chemin les roues infatigables de l'être, dont les rayons étincelants, animés d'une vie infinie, frémissent et brûlent d'atteindre leur but marqué par le destin La naissance ne fait qu'éveiller l'esprit à la sensation des choses extérieures, afin que leurs formes inconnues puissent prêter à sa nature de nouveaux modes de passion. La vie est pour lui l'état d'action, et toutes les combinaisons d'événements qui font la variété de l'éternel univers s'y trouvent réunies. La mort est une porte d'horreur et de ténèbres qui mène aux îles azurées, aux cieux rayonnants, aux heureuses régions de l'éternelle espérance. Ainsi, ô Esprit ! avance sans crainte. L'orage peut briser la primevère sur sa tige, la gelée flétrir la fraîcheur de ses pétales ; mais l'haleine éveillante du printemps n'en caressera pas moins la terre, pour nourrir de ses plus douces rosées sa fleur favorite, qui s'épanouit dans les bancs de mousse et dans les vallons sombres, éclairant la verdure des bois de son sourire ensoleillé.

« Ne redoute pas, Esprit, le bras ravisseur de la Mort ! La Mort si bien venue quand le tyran s'éveille, si bien venue quand le fanatique allume sa torche d'enfer ! Ce n'est que le voyage d'une heure sombre, le cauchemar passager d'un sommeil interrompu ! Non, la Mort n'est pas l'ennemie de la vertu ; la terre a vu les plus brillantes roses de l'amour fleurir sur l'échafaud, mêlées aux lauriers impérissables de la liberté, et présageant la vérité du bonheur rêvé. N'y-a-t-il pas en toi des espérancés qu'a confirmées la vision de la chaîne du progrès graduel de l'être ? espérances dont l'aiguillon pressait ton cœur de regarder toujours au delà, quand, te promenant par le clair de lune au bras de Henri, doucement et tristement tu lui parlais de la mort ? Voudrais-tu donc rudement arracher ces espérances de ton cœur pour écouter nonchalamment les croyances d'un bigot, ou t'incliner sans résistance sous le fouet du tyran dont les lanières de fer sont rouges de sang humain ?... Jamais !... Mais toujours inflexible et brave, ta volonté est destinée à soutenir une éternelle guerre avec la tyrannie et le mensonge, et à déraciner du cœur humain les germes de la misère. C'est ta main dont la piété doit charmer l'oreiller épineux du crime infortuné (dont l'impuissance obtient un facile pardon), en veillant sur son délire comme sur la maladie d'un ami. C'est ton front dont la douceur doit défier sa plus furieuse rage, et braver ses plus tyranniques volontés, quand il est protégé par le pouvoir, et qu'il est le maître du monde ! Tu es sincère et bon, d'une âme résolue, libre du froid contrôle de la coutume qui dessèche le cœur ; d'une passion élevée, pure et indomptable. L'orgueil et les bassesses de la terre ne pourraient triompher de toi ; tu es donc digne de la faveur que tu viens de recevoir. La vertu marquera la trace de tes pas dans le sentier que tu auras foulé, et de nombreux jours de rayonnante espérance béniront ta vie sans tache de doux et saint amour. — Va donc, Esprit heureux ! va rendre la joie à ce sein dont l'esprit sans sommeil est aux aguets pour saisir lumière, vie, extase, dans ton sourire ! » *

La *Fée* agite sa baguette magique ; muet de bonheur, l'Esprit remonte sur le char (qui roulait à côté du créneau), baissant ses yeux rayonnants en signe de reconnaissance. Les coursiers enchantés furent de nouveau attelés ; de nouveau les roues brûlantes enflammèrent la descente escarpée de la route inexplorée du ciel. Vite et loin le char vola. Les vastes globes de feu, qui roulaient autour de la porte du palais de la Fée, s'amoindrirent par degrés, et bientôt n'offrirent plus à la vue que ce minuscule scintillement des orbes planétaires qui, dépendant du pouvoir solaire, poursuivaient là-bas avec une lumière empruntée leur chemin raccourci.

Déjà la terre flottait au dessous. Le char s'arrêta un moment : l'Esprit descendit. Les coursiers infatigables frappèrent du pied le sol ingrat, humèrent l'air grossier, puis, leur mission finie, déployèrent leurs ailes aux vents du ciel.

Le corps et l'âme se réunirent alors. Un doux tressaillement agita le sein d'Ianthe. Les paupières veinées s'ouvrirent doucement. Les prunelles bleu sombre restèrent quelque temps immobiles. Puis elle regarda autour d'elle avec étonnement, — et elle aperçut Henri agenouillé en silence près de sa couche, veillant sur son sommeil avec les regards d'un silencieux amour, et les brillantes étoiles rayonnant à travers la croisée.

ALASTOR

OU

L'ESPRIT DE LA SOLITUDE

> « Je n'aimais pas encore, et j'aimais aimer, et aimant aimer je cherchais quelque chose à aimer. »
>
> *Confessions de saint Augustin.*

PRÉFACE

Le poème intitulé *Alastor* peut être considéré comme l'allégorie d'une des situations les plus intéressantes de l'esprit humain. Il met en scène un jeune homme au cœur pur et d'un aventureux génie, entraîné par une imagination ardente, mais purifiée par son commerce familier avec tout ce qu'il y a d'excellent et de sublime à la contemplation de l'univers. Il boit avidement aux sources de la science et il est toujours insatiable. La magnificence et la beauté du monde extérieur pénètrent profondément la trame de ses conceptions, et donnent à leurs développements une inépuisable variété. Aussi longtemps qu'il est possible à ses désirs d'aspirer à des objets aussi infinis et sans mesure, il est joyeux, tranquille et maître de lui-même. Mais il arrive un moment où ces objets cessent de lui suffire. Son esprit est enfin tout à coup éveillé, et ressent la soif d'un commerce avec une intelligence semblable à lui-même. Il se crée alors par l'imagination un objet qu'il aime. Familiarisé comme il est avec les spéculations des esprits les plus sublimes et les plus parfaits, la vision dans laquelle il incorpore ses propres fantaisies réunit, en merveilleux, en sagesse, en pureté, tout ce que le poète, le philosophe ou l'amant pourraient peindre. Les facultés intellectuelles, l'imagination, les fonctions du sentiment s'adressent aux facultés correspondantes dans les autres esprits humains pour y trouver intelligence et sympathie. Le poète est représenté comme réunissant ces diverses aspirations, et les attachant à une seule image. Mais il cherche en vain dans la réalité un prototype de sa conception. Désappointé et abattu, il descend prématurément à la tombe.

Ce tableau n'est pas dépourvu d'enseignement pour les hommes d'aujourd'hui. L'isolement volontaire du poète a été vengé par les furies d'une irrésistible passion qui le pousse rapidement à sa ruine. Mais le même pouvoir qui frappe les flambeaux du monde d'un obscurcissement et d'une extinction soudaine, en les éveillant à une perception trop exquise de ses influences, condamne à une lente et dissolvante agonie ces esprits de trempe inférieure, qui osent abjurer son empire. Leur destinée est d'autant plus abjecte et obscure que leur prévarication est plus méprisable et plus pernicieuse. Ceux qui, n'ayant jamais été déçus par une généreuse erreur, ni poussés par la soif sacrée d'une science pleine de doute, ni dupés aucune noble illusion, n'aiment rien sur cette terre, ne caressent aucune espérance au-delà, et restent étrangers à toute sympathie humaine, ceux-là et ceux qui leur ressemblent ont la destinée qu'ils méritent. Ils languissent, parce qu'il n'y a personne dont la nature sympathise avec la leur. Ils sont moralement morts. Ils ne sont ni amis, ni amants, ni pères, ni citoyens du monde, ni bienfaiteurs de leur pays. Au milieu de ceux qui essaient ainsi de vivre en dehors de toute sympathie humaine, les cœurs purs et tendres périssent victimes de l'ardente passion avec laquelle ils recherchent ses liens, du jour où le vide de leur esprit s'est fait soudainement sentir. Le reste, égoïste, aveugle, engourdi, forme ces multitudes insouciantes qui font, avec la leur, l'extrême misère et l'isolement du monde. Ceux qui n'aiment pas leurs semblables vivent des vies sans fruit, et préparent à leur vieillesse un misérable tombeau.

« Les bons meurent tôt, et ceux dont les cœurs sont secs comme la poussière de l'été brûlent jusqu'à la bobèche. » (Wordsworth.)

14 décembre 1815.

Terre, Océan, Air, fraternité bien-aimée ! Si la nature, votre grande mère, a imbu mon âme de quelque piété naturelle pour sentir votre amour et y répondre avec le mien ; si le matin humide de rosée, le midi odorant, le soir avec le coucher du soleil et sa splendide cour, et le solennel tintement du silence de minuit, si les profonds soupirs de l'Automne dans le bois desséché, et l'Hiver revêtant de pure neige et de couronnes de glace étoilée les herbes flétries et les rameaux nus, si les voluptueuses palpitations du printemps, quand il exhale ses premiers baisers si doux, m'ont été chers ; si jamais je n'ai sciemment fait de mal à aucun oiseau brillant, insecte ou gentille bête, mais si je les ai toujours aimés et chéris comme ma famille, — alors, pardonnez-moi cette vanterie, frères bien-aimés, et ne me retirez rien de votre faveur accoutumée !

Mère de ce monde impénétrable, favorise mon chant solennel ! Car je t'ai aimée toujours, et toi seule ; j'ai épié ton ombre et l'obscurité de tes pas, et mon cœur a toujours le regard plongé sur l'abîme de tes profonds mystères... J'ai fait mon lit dans les charniers et sur les cercueils, où la noire Mort garde le registre des trophées conquis sur toi, dans l'espérance de faire taire les obstinés questionneurs de tes secrets en forçant quelque ombre délaissée, ta messagère, à me révéler ce que nous sommes. Dans les heures solitaires et silencieuses, quand la nuit fait de son silence même une rumeur enchantée, comme un alchimiste inspiré et désespéré, risquant sa propre vie sur quelque obscure espérance, j'ai amalgamé les formules redoutables et les regards scrutateurs avec mon plus innocent amour ; jusqu'à ce que d'étranges larmes, se mêlant à ces baisers haletants, arrivent à composer un philtre capable de forcer la nuit enchantée de me livrer ton secret. Et, quoique tu n'aies pas encore dévoilé ton plus intime sanctuaire, l'incommunicable rêve et tes fantômes crépusculaires, et la profonde pensée de midi ont fait briller en moi assez de lumière, pour que maintenant dans la sécurité, immobile comme une lyre longtemps oubliée, suspendue au dôme solitaire de quelque temple mystérieux et déserté, j'attende ton souffle, ô grande mère ; pour que mon chant puisse mêler ses modulations aux murmures de l'air, aux bruits des forêts et de la mer, à la voix des êtres vivants, aux hymnes entrelacés de la nuit et du jour, et du profond cœur de l'homme !

Il y eut un poète dont la tombe prématurée ne fut point élevée avec un pieux respect par une main humaine ; mais les tourbillons charmés des vents d'automne bâtirent sur ses os tombant en poudre une pyramide de feuilles s'en allant en poussière dans l'inculte désert... Un jeune homme digne d'amour !... Aucune vierge désolée ne para de fleurs éplorées ou d'une guirlande de cyprès votif la couche solitaire de son éternel sommeil ; il était noble, et brave, et généreux ! Aucun barde solitaire n'exhala sur sa sombre destinée un chant mélodieux ; il vécut, il mourut, il chanta dans la solitude. Des étrangers ont pleuré en entendant ses notes passionnées ; et des vierges, pendant qu'il passait inconnu, ont langui et se sont consumées du fol amour de ses yeux sauvages. Le feu de ces doux orbes a cessé de brûler, et le Silence, lui aussi enamouré de cette voix, enferme sa musique muette dans son âpre prison.

Une vision solennelle, un brillant rêve d'argent nourrit son enfance. Chaque soupir, chaque bruit de la vaste terre et de l'air ambiant, envoya à son cœur ses plus exquises impulsions. Les sources de la divine philosophie ne fuirent pas ses lèvres altérées; tout ce que le saint passé consacre, dans la vérité de la fable, de grand, de bon, d'adorable, il le sentit et le connut. La première jeunesse passée, il quitta le foyer glacé et le *home* détesté, pour chercher d'étranges vérités sur des terres inconnues. Bien des déserts désolés, bien des solitudes inextricables ont leurré ses pas intrépides ; et souvent de sa douce voix et de ses doux yeux il acheta aux hommes sauvages son repos et sa nourriture. Il a poursuivi comme son ombre les pas les plus secrets de la nature, partout où le rouge volcan étend comme un dais sur ses champs de neige et ses pinacles de glace sa fumée brûlante ; où les lacs de bitume battent éternellement la pointe nue des sombres îlots de leur vague indolente ; où les cavernes secrètes, hérissées et ténébreuses, faisant tourner autour des sources de feu et de poison leurs dômes étoilés de diamant et d'or, inaccessibles à l'avarice ou à l'orgueil, développent les voûtes de salles sans nombre et sans mesure, regorgeant de nombreuses colonnes de cristal, de claires châsses de perles, et de trônes étincelants de chrysolite. Cependant cette scène d'une plus ample majesté que les gemmes ou l'or, la voûte changeante du ciel et la verte terre, n'avait pas perdu dans son cœur ses droits à l'amour et à l'admiration. Il aimait à s'arrêter longtemps dans les vallées solitaires, faisant des lieux sauvages sa demeure, jusqu'à ce que tourterelles et écureuils vinssent partager dans son innocente main son innocente nourriture, attirés par la douce expression de ses regards, et que la sauvage antilope, qui tressaille au moindre bruissement de la feuille sèche sur la fougère, suspendît ses pas timides pour arrêter ses yeux sur une forme plus gracieuse que la sienne.

Son pas errant, obéissant à de hautes pensées, visita les formidables ruines des anciens jours; Athènes et Tyr et Balbec, et le désert où fut Jérusalem, les tours écroulées de Babylone, les éternelles pyramides, Memphis et Thèbes, toutes les étranges sculptures des obélisques d'albâtre, des tombeaux de jaspe ou des sphinx mutilés, que la noire Éthiopie cache sur ses sommets déserts. Là, parmi les temples ruinés, les colonnes stupéfiantes, les images barbares d'êtres plus qu'humains, où des démons de marbre gardent le mystère de bronze du zodiaque, et où les hommes morts ont suspendu tout autour leurs muettes pensées sur les murs muets, il aimait à s'arrêter, les yeux fixés sur ces monuments de la jeunesse du monde; tout le long du jour brûlant, il contemplait ces formes muettes; et quand la lune remplissait les salles mystérieuses d'ombres flottantes, il ne suspendait point son étude; mais il regardait et regardait toujours jusqu'à ce qu'une signification illuminât son esprit vide comme une inspiration irrésistible, et qu'il tressaillît en apercevant les secrets de la naissance du temps.

Cependant une vierge arabe lui apportait sa nourriture, sa portion quotidienne, de la tente de son père; elle étendait la natte qui lui servait de couche; elle dérobait à ses devoirs et à son repos pour épier ses pas;

éprise d'amour, et cependant n'osant pas, tant était profonde sa respectueuse crainte, parler d'amour... Elle veillait la nuit sur son sommeil, sans fermer les yeux elle-même, pour contempler ses lèvres entr'ouvertes dans l'assoupissement, d'où s'exhalait la respiration régulière de ses rêves innocents. Puis, quand le rouge matin faisait blémir la pâle lune, vers sa froide demeure, égarée, pâle et toute palpitante, elle se retirait.

Le poète, errant à travers l'Arabie et la Perse, et le sauvage désert Caramanien et sur les montagnes aériennes qui versent l'Indus et l'Oxus de leurs cavernes de glace, poursuivit son chemin joyeux et triomphant. Il arriva dans la vallée de Cashmire, et là, dans une de ses plus solitaires retraites, où des plantes odorantes entrelacent sous le creux des rochers un berceau naturel, sur le bord d'un ruisselet étincelant, il étendit ses membres languissants. Alors une vision descendit sur son sommeil, un rêve d'espérances qui n'avaient pas encore fait rougir sa joue. Il vit en songe une vierge voilée assise près de lui, parlant dans des tons bas et solonnels. La voix était comme la voix de sa propre âme entendue dans le calme de la pensée ; sa musique prolongée, semblable aux sons entrelacés des courants et des brises, tenait son plus intime sens suspendu dans sa trame aux mille couleurs, aux mille nuances changeantes. Science, vérité et vertu étaient son thème, ainsi que les sublimes espérances de la divine liberté, les pensées les plus chères pour lui, et la poésie, elle-même étant un poète. Bientôt le solennel enthousiasme de son pur esprit alluma dans tout son être un feu pénétrant. Alors elle fit entendre des nombres sauvages avec une voix étouffée en sanglots tremblants que dominait sa propre passion ;

ses belles mains étaient seules nues, tirant de quelque étrange harpe une étrange symphonie, et dans les rameaux de leurs veines le sang éloquent disait des choses ineffables. On entendait le battement de son cœur remplir les pauses de sa musique, et sa respiration s'accordait tumultueusement avec les reprises du chant interrompu. Soudain elle se leva, comme si son cœur endurait impatiemment son poids prêt à éclater. Au bruit, le poète se retourna et, dans la chaude lumière de leur propre vie, il vit ses membres étinceler sous le voile sinueux du vent entrelacé; ses bras, nus maintenant, étendus, ses boucles noires flottant au souffle de la nuit, les globes de ses yeux rayonnants, ses lèvres entr'ouvertes, détendues, pâles et tremblant avec passion. Son robuste cœur défaillit et pâma sous l'excès de l'amour. Il soulevait ses membres frémissants, et retenait sa respiration haletante, et étendait ses bras pour atteindre son sein palpitant... Elle se retira en arrière un instant, puis, s'abandonnant à une irrésistible joie, d'un geste frénétique et avec un rapide cri étouffé, elle se jeta dans ses bras défaillants... Alors des ténèbres voilèrent ses yeux étourdis, et la vision rentra dans la nuit qui l'engloutit; le Sommeil, comme un noir courant suspendu dans sa course, roula de nouveau ses vagues sur sa cervelle vide.

Réveillé par la secousse, il tressaillit de son extase. La froide lumière blanche du matin, la lune bleue déclinant à l'ouest, les sommets clairs et étincelants, la vallée distincte et le vide des bois, telle était la scène qui se déroulait autour de lui. — Où ont fui les nuances du ciel qui faisait un dais à son berceau de la nuit d'avant-hier? les sons qui caressaient son sommeil, le mystère et la majesté de la terre, la joie, l'exultation ? Ses yeux pâlis regardent la scène vide aussi vaguement que la lune de l'océan regarde la lune dans le ciel. L'esprit du doux amour humain a envoyé une vision à son sommeil, à lui qui méprisait ses plus précieux dons ! Il poursuit ardemment au delà des royaumes du rêve cette ombre fugitive; il franchit toutes les bornes. Hélas! Hélas! Où sont ces membres, cette respiration, cet être si traîtreusement unis ? Perdue, perdue, pour toujours perdue dans l'immense et insensible désert de l'obscur sommeil, cette forme si belle ! La noire porte de la mort conduit-elle à ton mystérieux paradis, ô Sommeil ? L'arche brillante des nuages irisés et les montagnes pendantes qu'on aperçoit dans le calme lac ne conduisent-elles qu'à un abîme noir et liquide, tandis que la voûte bleue de la mort, avec ses immondes vapeurs suspendues, où toute ombre exhalée de l'infect tombeau cache son œil mort loin du jour détesté, conduit, ô Sommeil, à tes délicieux royaumes ? Ce doute, comme une soudaine marée, envahissait son cœur; l'insatiable espérance qui l'avait éveillé blessait son cerveau avec la violence du désespoir.

Tant que la lumière du jour remplit le ciel, le poète tint une conférence secrète avec son âme. Avec la nuit vint la passion, comme le démon furieux de quelque rêve désordonné, qui le réveilla en sursaut et le força de s'enfuir dans les ténèbres. — Comme un aigle, étreint dans les replis d'un vert serpent, sent le poison brûler sa poitrine, et à travers la nuit et le jour, la tempête et le calme et le nuage, dans la frénésie de sa douleur éperdue, précipite son vol aveugle sur le vaste désert de l'air ; ainsi entraîné par la brillante ombre de ce rêve adoré, sous la lueur glacée de la nuit désolée, à travers le labyrinthe des marécages et le gouffre des profondes vallées, faisant tressaillir de son pas insouciant le serpent éclairé par la lune, il fuyait !...

Le rouge matin commençait à poindre sur sa fuite, versant la moquerie de ses couleurs vitales sur sa joue de mort. Il erra jusqu'au vaste *Aornos* qu'on aperçoit de l'escarpement de Petra, suspendu comme un nuage sur le bas horizon; jusqu'à Balk, et aux lieux où les tombes désolées des rois parthes éparpillent à tout vent leur poussière épuisante ; là il errait en sauvage, jour après jour, consumant les heures dans l'ennui, portant dans sa poitrine le souci rongeur qui se nourrit sans fin de sa flamme expirante. Et maintenant ses membres étaient maigres; sa chevelure flottante, flétrie par l'automne d'une étrange souffrance, chantait dans le vent des chants de mort ; sa main insouciante pendait comme un os mort dans sa peau desséchée; la vie et l'ardeur qui le consumaient, comme dans une fournaise qui brûle en secret, ne rayonnaient plus que de ses yeux noirs. Les villageois, qui subvenaient avec une humaine charité à ses humains besoins, regardaient avec un étonnement mêlé de terreur respectueuse ce visiteur qui fuyait. L'habitant de la montagne, qui rencontrait sur quelque vertigineux précipice cette forme de spectre, s'imaginait que l'esprit du vent, avec ses yeux d'éclair, sa respiration enflammée et ses pas qui ne dérangent pas la neige amoncelée, se reposait en ce lieu. L'enfant voulait cacher son visage troublé dans la robe de sa mère, effrayé par l'éclat de ces yeux sauvages, pour se souvenir de cette étrange lumière dans maint rêve de l'avenir. Mais les jeunes vierges, instruites par la nature, s'expliquaient à moitié la souffrance qui le consumait, auraient voulu l'appeler de ces noms menteurs de frère et d'ami, auraient voulu presser sa main pâle au départ, et suivre, à travers d'obscures larmes, le chemin du voyageur du seuil de la maison paternelle.

Enfin, sur le rivage solitaire de la Chorasmanie il s'arrêta, un immense et mélancolique désert de putrides marais. Une violente impulsion poussait ses pas au rivage de la mer. Il y avait là un cygne, près d'un courant paresseux, au milieu des joncs. L'oiseau s'enleva à son approche et, de ses ailes puissantes escaladant le ciel, dirigea sa course brillante bien haut au-dessus de l'incommensurable Océan. Ses yeux poursuivaient son vol : « Toi, tu as une demeure, bel oiseau ! Tu voyages pour retrouver cet abri, où ta douce compagne entrelacera le duvet de son cou avec le tien, et saluera ton retour avec des yeux resplendissant de tout l'éclat de leur ardente joie. Et moi, qu'ai-je à attendre ici, avec une voix beaucoup plus douce que tes notes mourantes, un esprit plus étendu que le tien, un organisme mieux accordé pour la beauté, consumant en vain ces facultés supérieures dans l'air sourd, pour la terre aveugle et le ciel qui n'a point d'écho pour mes pensées ? » — Un sombre sourire d'espérance désespérée rida ses lèvres tremblantes. Car le Sommeil, il le savait, gardait impitoyablement son précieux trésor, et la Mort silencieuse, peut-être aussi perfide que le Sommeil, ne montrait qu'un leurre d'ombre, se moquant avec un sourire équivoque de ses propres charmes si étranges !

Tressaillant à ses propres pensées, il regardait autour de lui. Il n'y avait auprès de lui aucun ennemi visible, aucun objet, aucun son qui pût être sujet de crainte, excepté dans les profondeurs de son propre esprit. Une petite chaloupe flottant près du rivage frappa les regards de l'impatient voyageur. Elle était depuis longtemps abandonnée, car ses flancs étaient largement tailladés de nombreuses fentes, et ses frêles jointures étaient ballottées au gré des ondulations de la marée. Une impulsion irrésistible le poussait à s'embarquer et à aller au-devant de la mort solitaire sur le terrible désert de l'Océan ; car il savait bien que cette ombre puissante aime les cavernes visqueuses du populeux abîme.

Le jour était beau et ensoleillé ; la mer et le ciel buvaient son irradiation vivifiante, et le vent soufflait avec force du rivage, noircissant les vagues. Obéissant à l'ardeur de son âme, le voyageur sauta dans l'embarcation; il suspendit son manteau flottant au mât nu, s'assit sur le banc solitaire et sentit le bateau fuir sur la mer tranquille, comme un nuage déchiré fuit devant l'ouragan.

Comme un navire, qui, dans une vision d'argent, obéissant à l'impulsion des brises parfumées, flotte sur des nuages resplendissants, aussi rapidement le bateau avec effort vola sur les eaux noires et plissées. Un tourbillon l'emportait avec de violentes rafales et une force entraînante à travers les blanches crêtes de la mer irritée. Les vagues montaient. Toujours plus haut et plus haut leurs cols farouches se tordaient sous le fouet de la tempête, comme des serpents se débattent sous l'étreinte d'un vautour. Lui, calme et joyeux dans cette formidable lutte de la vague fondant sur la vague, du coup de vent descendant sur le coup de vent, et du flot noir emporté sur le tourbillon qu'il efface dans sa sombre course, lui était assis ! comme si les génies de la tempête étaient les ministres chargés de le conduire à la lumière de ces yeux bien-aimés, le poète était assis, tenant le gouvernail d'une main assurée. Le soir arriva : les rayons du soleil couchant suspendirent leurs couleurs irisées au milieu des dômes changeants de l'embrun étendu qui faisaient un dais à son passage sur le sauvage abîme ; le crépuscule, montant lentement de l'est, entrelaça en tresses plus sombres ses boucles emmêlées sur le beau front et les yeux rayonnants du jour ; la nuit le suivit, revêtue d'étoiles. De toutes parts, avec plus d'horreur encore, les multitudes de courants du montagneux désert de l'océan se ruèrent en un mutuel combat, dans un noir tumulte retentissant comme le tonnerre, comme pour insulter au calme du ciel étoilé. La petite embarcation fuyait toujours devant l'orage ; elle fuyait toujours comme l'écume au-dessous de la cataracte escarpée d'un torrent d'hiver ; tantôt s'arrêtant sur le bord d'une vague fendue ; tantôt laissant loin derrière elle la masse éclater et tomber, en soulevant l'océan... Elle fuyait sans rien craindre, comme si cette frêle et chétive forme humaine avait été un dieu des éléments.

A minuit la lune se leva ; et alors ! apparurent les rochers aériens du Caucase, dont les sommets de glace brillaient au milieu des étoiles comme la lumière du soleil, pendant qu'autour de sa base caverneuse les rafales et les vagues, éclatant avec une irrésistible furie, tourbillonnent avec rage et retentissent éternellement. — Qui le sauvera ? Le bateau volait toujours, poussé par le torrent bouillonnant ; tout autour les rochers faisaient une ceinture de leurs bras noirs et dentelés ; la montagne fendue en éclats pendait sur la mer ; et toujours plus rapide, au delà de toute vitesse humaine, suspendu sur la courbe de la vague unie, le petit bateau était poussé.

Là une caverne était béante, et au milieu de ses profondeurs obliques et tortueuses s'engouffrait la mer précipitée... Le bateau volait toujours avec une vitesse sans relâche : « Vision et amour ! » cria bien haut le poète, « j'ai vu le sentier de ton départ ! Le Sommeil et la Mort ne nous sépareront plus longtemps ! »

Le bateau suivait les tournants de la caverne. — La lumière du jour brilla enfin sur le sombre courant. Maintenant que la furieuse guerre entre les vagues était calmée, sur l'abîme insondable le bateau avançait lentement. A l'endroit où la montagne fendue exposait ses noires profondeurs à l'azur du ciel, avant même que l'énorme masse de l'inondation fût tombée sur la base du Caucase avec un fracas qui ébranla les rocs éternels, un immense tourbillon remplissait ce vaste gouffre ; degré par degré les eaux tourbillonnantes s'étaient élevées, s'étendant en cercle avec une incommensurable rapidité, et baignaient de leur choc alterné les racines noueuses des arbres puissants qui étendaient sur elles leurs bras géants dans l'obscurité. Au milieu avait été laissé, réfléchissant l'image déformée des nuages, un étang d'un calme perfide et redoutable. Saisi par le mouvement ascendant du courant avec une vertigineuse rapidité, le bateau tourna, tourna, tourna, vague après vague, s'élevant avec effort, jusqu'à ce que sur la limite de l'extrême courbe, à l'endroit où les eaux débordent à travers une ouverture de bancs de rochers, et laissent un doux lieu de limpide repos au milieu de ces flots agités, il s'arrêtât frémissant. S'enfoncera-t-il dans l'abîme ? La violence en retour de cet irrésistible gouffre l'engloutira-t-elle ? Doit-il donc périr ?... Voilà qu'au souffle errant d'un vent de l'ouest, la voile se gonfle et s'étend, et alors ! avec un gracieux mouvement, entre les bancs d'une échancrure garnie de mousse et sur un paisible courant, à l'ombre d'un bosquet touffu, le bateau vogue ! Et écoutez ! le spectral torrent mêle son rugissement lointain à la brise murmurant dans les bois pleins de musique ! A l'endroit où les arbres en berceau s'éloignent et laissent un petit espace d'étendue verte, la crique est fermée par des bancs qui se rencontrent, dont les jaunes fleurs regardent éternellement leurs propres yeux languissants réfléchis dans le calme cristal. La vague produite par le mouvement du bateau dérangeait pour la première fois, leur pensive tâche, que jamais rien n'avait troublée, si ce n'est un oiseau vagabond ou une brise folâtre, ou la chute d'un chiendent, ou leur propre déclin. Le poète brûlait de parer de leurs brillantes couleurs sa chevelure flétrie ; mais dans son cœur, il sentit renaître sa solitude et il s'abstint. La violente passion cachée sous ces joues écarlates, ces yeux dilatés et ce corps d'ombre, n'avait pas encore accompli son ministère ; elle était suspendue sur sa vie, comme l'éclair dans un nuage brille suspendu jusqu'à ce qu'il s'évanouisse, et que les flots de la nuit se referment sur lui.

Le soleil de midi brillait maintenant sur la forêt, une vaste masse d'ombre entrelacée, dont la brune magnificence enceint une étroite vallée. Là, d'immenses cavernes, creusées dans la sombre base de leurs rocs aériens, répondent, en se jouant, à ses plaintes et mugissent éternellement. Les rameaux qui s'enlacent et les feuilles touffues tissaient un crépuscule sur le sentier du poète, alors que, conduit par l'amour, ou le rêve, ou un Dieu, ou la Mort plus puissante, il cherchait dans la plus chère retraite de la nature un abri, son berceau à elle, et à lui, son sépulcre... De plus en plus sombres, les ombres s'accumulent. Le chêne, de ses bras immenses et noueux qu'il étend, embrasse le frêle hêtre. Les pyramides du cèdre altier, faisant voûte, forment lès plus solennels dômes, et bien loin au-dessous, comme des nuages suspendus dans un ciel d'émeraude, le frêne et l'acacia flottent suspendus, tremblants et pâles. Semblables à des serpents sans repos, vêtus d'arc-en-ciel et de feu, les plantes parasites, étoilées de dix mille fleurs, courent autour des troncs gris ; et, comme les yeux enjoués d'enfants rayonnants de charmantes intentions et des plus innocents artifices enlacent de leurs rayons les cœurs de ceux qui les aiment, ainsi ces plantes entrelacent leurs vrilles autour des rameaux unis, pour sceller leur secrète union ; le tissu des feuilles forme un réseau de la lumière bien foncé du jour et des sombres clartés de minuit, aussi changeant que les ombres dans les nuages charmés. De molles clairières mousseuses sous ces dais étendent leurs ondulations parfumées d'herbes odorantes et parsemées des yeux de mille belles petites fleurs. Un très sombre vallon, de ses bois de rose musquée, entrelacés aux jasmins, envoie une odeur qui fait pâmer l'âme et invite à quelque plus ravissant mystère. A travers la vallée, Silence et Crépuscule, frères jumeaux, font leur veille de midi et voguent au milieu des ombres, comme des formes vaporeuses à moitié aperçues. Au delà une source aux lueurs sombres, et de l'eau la plus transparente, reflète tous les rameaux, enlacés au-dessus d'elle, et chaque feuille pendante, et chaque parcelle du ciel azuré qui perce à travers leurs vides ; et rien autre chose ne baigne son image dans le liquide miroir, que quelque belle étoile inconstante scintillant à travers le treillis du feuillage, ou un oiseau peint dormant sous la lune, ou un merveilleux insecte flottant immobile, inconscient du jour, avant que ses ailes aient déployé leurs splendeurs aux regards de midi.

Là arriva le poète. Ses yeux, à travers les lignes reflétées de sa maigre chevelure, aperçurent leur propre lumière pâle, distincte dans la noire profondeur de cette fontaine silencieuse ; comme le cœur humain, regardant en rêve le ténébreux tombeau, y voit sa perfide ressemblance. Il entendait le mouvement des feuilles, l'herbe qui poussait, frémissante, étonnée et tremblante de sentir une présence inaccoutumée : il entendait le bruit du doux ruisseau qui sortait des secrètes sources de cette sombre fontaine. Il lui semblait voir un Esprit se tenir près de lui. — Il n'était point revêtu des brillantes parures d'argent mat ou de lumière mystérieuse empruntées à ce que le monde visible peut offrir de grâce, de majesté ou de mystère ; mais il lui semblait que les bois onduleux, la vallée silencieuse, le ruisseau qui saute et le crépuscule du soir, qui en ce moment assombrissait encore la noirceur des ombres, prenaient la parole et conversaient avec lui, comme s'il n'existait autre chose au monde que ces objets et lui. Seulement... quand son regard fut aiguisé par l'intensité de la mélancolique rêverie, deux yeux étoilés le regardaient suspendus dans le crépuscule de sa pensée, et semblaient, de leurs sourires azurés et sereins, lui faire signe....

Obéissant à la lumière qui brillait dans son âme, il poursuivit sa course à travers les tournants de la vallée. Le ruisselet, capricieux et folâtre, par maint vert ravin, coulait sous la forêt. Quelquefois, il tombait sur la mousse, avec une harmonie sourde, sombre et profonde. Tantôt sur les pierres polies il dansait, riant, comme un enfant, à mesure qu'il allait ; puis à travers la plaine il rampait en de tranquilles détours, réfléchissant chaque herbe, chaque bouton languissamment suspendu sur son repos. — « O courant, à la source insondable, où vont tes eaux mystérieuses ? Tu es pour moi l'image de ma vie. Ton lugubre silence, tes vagues éblouissantes, tes gouffres bruyants et creux, ton impénétrable source et ton cours invisible, tout cela a son type en moi. L'immense ciel, et l'océan sans mesure peuvent révéler aussi facilement quelles cavernes bourbeuses ou quel nuage errant contiennent tes eaux, que l'univers peut dire où résident ces pensées vivantes, quand, étendus sur tes fleurs, mes membres desséchés se consumeront dans le vent qui passe ! »

Il approcha du bord uni du petit courant ; il imprima son pas tremblant sur la verte mousse, qui frémit violemment au contact de ses membres brûlants. Semblable à celui que chasse de sa couche fiévreuse quelque joyeux délire, il allait ; mais sans oublier, comme lui, le tombeau où il va descendre, quand la flamme de sa frêle exaltation sera épuisée. D'un pas rapide il s'avançait sous l'ombre des arbres, à côté du courant du capricieux et babillard ruisseau ; mais voici que les dais solennels de la forêt ont fait place à la lumière uniforme du ciel du soir. De gris rochers perçaient la mousse rare et refoulaient le ruisseau récalcitrant ; de hautes aiguilles de chaume projetaient leur ombre grêle sur le talus inégal, et seuls les troncs noueux d'antiques pins sans branches et flétris accrochaient au sol, malgré lui, leurs racines étreignantes Il se fit alors un changement graduel et lugubre. De même qu'avec l'écoulement des rapides années, le front poli se ride, la chevelure devient rare et blanche et, là où brillaient des yeux étincelants comme la rosée, il n'y a plus que la lueur d'orbes pétrifiés; de même sous ses pas les brillantes fleurs disparaissaient, ainsi que la belle ombre des verts bosquets, avec toutes leurs brises odorantes et leurs ondulations musicales. Calme, il suivait toujours le courant, qui maintenant avec un plus large volume roulait à travers le labyrinthe de la vallée, et là se frayait un chemin parmi les courbes descendantes avec sa rapidité d'hiver. De chaque côté maintenant s'élevaient des rocs, qui, avec d'inimaginables formes, dressaient leurs noirs et stériles sommets dans la lumière du soir; et son précipice assombrissant le ravin s'ouvrait en haut, au milieu des pierres dégringolantes, des gouffres noirs et des cavernes béantes, dont les détours donnaient dix mille langues différentes au retentissement du torrent. Voyez! à l'endroit où le défilé étend ses mâchoires de pierre, la montagne abrupte se brise et semble, avec ses rochers accumulés, se suspendre sur le monde; car on voit se déployer au loin, sous les pâles étoiles et la lune déclinante, des mers peuplées d'îles, de bleues montagnes, de puissants fleuves, d'obscures et vastes régions baignant dans la lueur miroitante du soir couleur de plomb, et des sommets de feu mêlant leurs flammes au crépuscule sur le bord de l'extrême horizon. La scène voisine, dans sa simplicité nue et sévère, faisait un frappant contraste avec l'univers. Un pin, enraciné sur le roc, étendait dans le vide ses branches qui se balançaient, ne donnant à chaque souffle du vent capricieux, à chacune de ses pauses, qu'une seule réponse, dans la plus familière cadence, mêlant son chant solennel au hurlement du tonnerre et au sifflement des torrents vagabonds; pendant que la large rivière, écumante et emportée dans son lit escarpé, tombait dans ce vide incommensurable, éparpillant ses eaux aux vents qui passent.

Cependant le gris précipice, et le pin solennel, et le torrent n'étaient pas tout; il y avait encore là un coin silencieux. Au bord même de cette vaste montagne, soutenu par des racines noueuses et des rocs écroulés, il regardait d'en haut dans sa sérénité la sombre terre et la voûte courbée des étoiles. C'était un coin tranquille, qui semblait sourire au sein même de l'horreur. Un lierre s'accrochait aux fissures des pierres avec ses bras enlaçants, et enveloppait dans le berceau de ses feuilles éternellement vertes et de ses baies noires tout l'espace uni de son parquet non foulé; et là les enfants du tourbillon d'automne faisaient voltiger en de folâtres ébattements ces brillantes feuilles dont les teintes expirantes, rouges, jaunes ou d'un pâle éthéré, rivalisent avec l'éclat des couleurs de l'été. C'est le rendez-vous de toutes les brises suaves, dont la douce haleine peut apprendre aux violents à aimer la paix. Un pas seul, un pas humain, a une fois rompu le silence de sa solitude; une voix seule a inspiré ses échos; la voix qui vint alors dans ces lieux, flottant sur les vents, et y conduisit la plus adorable des formes humaines, pour faire de ce sauvage asile le dépositaire de toute la grâce et de toute la beauté qui revêtaient ses mouvements, pour lui livrer sa majesté, disperser sa musique dans l'ouragan insensible, et laisser aux humides feuilles et aux bleues moisissures des cavernes, nourrices des fleurs irisées et des mousses branchues, les couleurs de cette joue changeante, de cette poitrine de neige, de ces yeux noirs et étincelants.

La lune blafarde et cornue pendait bas, et versait sur le bord de l'horizon un océan de lumière qui inondait ses montagnes. Un brouillard jaune remplit l'atmosphère illimitée, et but la pâle clarté de la lune jusqu'à la satiété; pas une étoile ne brillait, pas un bruit ne se faisait entendre; les vents eux-mêmes, les farouches camarades de jeu du Danger, dormaient sur ce précipice, dans l'étreinte de son embrassement. O ouragan de la Mort, dont le vol aveugle fend cette lugubre nuit! Et toi, Squelette colossal, qui, toujours guidant son irrésistible course dans ta toute-puissance dévastatrice, est le roi de ce fragile monde! Du rouge champ de carnage, de la vapeur ensanglantée de l'hôpital, de la couche sacrée du patriote, du lit de neige de l'innocence, de l'échafaud et du trône, une voix puissante t'appelle! La Ruine appelle sa sœur la Mort! En rôdant autour du monde, elle t'a préparé une rare et royale proie! Après t'en être repue, tu pourras te reposer, et les hommes iront à leur tombeau, comme les fleurs ou le ver rampant, et n'offriront plus jamais à son lugubre sanctuaire le tribut dédaigné d'un cœur brisé!

Quand sur le seuil de la verte retraite les pas du voyageur tombèrent, il comprit que la mort était sur sa tête. Encore un peu, avant qu'elle s'envolât, il abandonna son âme élevée et sainte aux images du majestueux passé, qui s'arrêtèrent alors dans son être passif, comme des brises qui apportent une douce musique, alors qu'elles soufflent à travers le treillis d'une chambre obscure. Il posa sa main maigre et pâle sur le tronc noueux du vieux pin ; sur une pierre revêtue de lierre il pencha sa tête languissante ; ses membres s'affaissèrent étendus sans mouvement, sur le bord uni de ce sombre gouffre ; et ainsi il gisait, livrant à leurs dernières impulsions les pouvoirs voltigeants de la vie.... Espoir et Désespoir, les tortureurs, s'endormirent ; aucune peine, aucune crainte mortelle n'empoisonnait son repos ; les afflux des sens, et son propre être n'étant plus altérés par la peine, mais cependant de plus en plus faibles, entretenaient avec calme le courant de la pensée ; son souffle respirait la paix, et il souriait doucement. Sa dernière vision fut la grande lune qui, sur la ligne occidentale du vaste monde, suspendait ses puissantes cornes, et dont les bruns rayons semblaient s'entrelacer et se confondre avec l'obscurité. La voilà maintenant qui s'arrête sur les sommets dentelés ; et au moment où la masse divisée du vaste météore disparut, le sang du poète, qui toujours battit dans une mystique sympathie avec le flux et le reflux de la Nature, s'affaiblit encore ; et quand les deux seuls points de lumière qui restaient s'amoindrirent et ne jetèrent plus qu'une lueur dans les ténèbres, le mouvement alterné de sa respiration épuisée agita à peine la nuit stagnante ; jusqu'au dernier moment où le plus faible rayon fut éteint, la pulsation resta dans son cœur. Puis elle s'arrêta et voltigea... Mais, quand le ciel demeura tout à fait noir, les ombres ténébreuses enveloppèrent une image silencieuse, froide et sans mouvement, comme leur terre sans voix et leur air vide. Comme une vapeur nourrie de rayons d'or, assistant au coucher du soleil, jusqu'à ce que l'ouest l'éclipse, telle était cette merveilleuse forme, — ni sentiment, ni mouvement, ni divinité,

— un luth fragile, sur les cordes harmonieuses duquel le souffle du ciel errait, — un brillant courant nourri naguère de vagues aux mille voix, — un rêve de jeunesse que la nuit et le temps avaient éteint pour toujours, — une forme maintenant silencieuse, enténébrée, desséchée, et dont on ne se souviendra plus !

Oh ! qu'est devenue la merveilleuse alchimie de Médée, qui, partout où elle agissait, faisait briller la terre de fleurs radieuses et exhalait des rameaux dépouillés par l'hiver le frais parfum des floraisons printanières ! Oh ! si Dieu, fécond en poisons, voulait nous abandonner le calice où a bu un seul homme vivant, qui aujourd'hui, vaisseau de l'immortelle colère, esclave qui ne sent pas l'immunité glorieuse dans la flétrissante malédiction qui l'accable, erre pour toujours sur le monde, solitaire comme la mort incarnée ! Oh ! si le rêve du sombre magicien dans sa caverne enchantée, fouillant les cendres d'un creuset pour y trouver la vie et la puissance, alors même que sa faible main tremble, dans sa dernière décrépitude, pouvait être la vraie loi de ce monde si digne d'amour ! — Mais, tu t'es envolé comme une frêle exhalaison que l'aube revêt de ses rayons d'or, ah ! tu t'es envolé ! toi le brave, le doux, le beau, l'enfant de la grâce et du génie !... Il y a toujours dans le monde des paroles et des actions sans cœur; vers, bêtes et hommes continuent d'y pulluler; et la puissante terre, de la mer et de la montagne, de la cité et du désert, le soir dans sa prière, basse ou éclatante de joie, élève toujours sa voix solennelle ! .... Mais toi, tu n'es plus ! Tu ne pourras plus étudier ou aimer les formes de cette scène fantastique, qui ont été pour toi les plus purs enseignements ! Elles existent encore, hélas! Et toi tu n'es plus!... Sur ces lèvres pâles, si douces même dans leur silence, sur ces yeux, l'image du sommeil dans la mort, sur cette forme encore intacte de l'outrage du ver, qu'aucune larme ne soit versée, pas même en pensée! Et quand ces teintes auront disparu, que ces divins linéaments consumés par le vent insensible ne vivront plus que dans les frêles accords de ce simple chant, qu'aucun vers altier pleurant la mémoire de ce qui n'est plus, qu'aucune douleur de la peinture ou de la sculpture, n'essaient dans de faibles images de faire parler leurs froides énergies! Art et éloquence, toutes les ostentations du monde sont vaines et impuissantes à pleurer une perte qui change en ombre leurs lumières! C'est une douleur « trop profonde pour les pleurs », quand tout disparaît à la fois, quand un esprit supérieur, dont la lumière embellissait le monde autour de lui, ne laisse à ceux qui restent, ni sanglots, ni gémissements, — tumulte passionné d'une espérance aux abois, — mais le pâle désespoir, et la froide tranquillité, la vaste machine de la Nature, la trame des choses humaines, la naissance et le tombeau..... qui ne sont plus ce qu'ils étaient!

LAON ET CYTHNA

OU

LA RÉVOLUTION DE LA CITÉ D'OR

VISION DU XIXe SIÈCLE

DANS LA STANCE DE SPENSER

1817

« Donne-moi un point d'appui et je soulèverai le monde. »

ARCHIMÈDE.

(Titre de l'édition de 1818).

LA RÉVOLTE DE L'ISLAM

POÈME EN DOUZE CHANTS

« Toutes les joies qu'il est donné à la race mortelle d'atteindre, il en touchera le dernier terme. Mais nul ne saurait, nautonnier ou voyageur, trouver la route merveilleuse qui conduit aux banquets sans fin des Hyperboréens. »

PINDARE, *Pythique*, X.

PRÉFACE

Le poème que j'offre aujourd'hui au monde est un essai dont j'ose à peine attendre le succès et dans lequel un écrivain d'une renommée déjà établie pourrait succomber sans déshonneur. C'est une expérience du tempérament de l'esprit public, en vue d'observer jusqu'à quel point les aspirations à une plus heureuse condition de la société morale et politique survivent, chez les hommes éclairés et raffinés, aux orages qui ont ébranlé l'âge où nous vivons. J'ai voulu faire servir l'harmonie du langage mesuré, les combinaisons éthérées de l'imagination, les rapides et subtils mouvements de la passion humaine, tous les éléments qui sont l'essence d'un poème, à la cause d'une morale libérale et compréhensive ; désireux surtout d'allumer dans le cœur de mes lecteurs un vertueux enthousiasme pour ces doctrines de liberté et de justice, cette foi et cette espérance dans le bien que ni la violence, ni l'erreur, ni les préjugés ne peuvent jamais totalement éteindre dans l'espèce humaine.

Dans ce dessein, j'ai choisi pour sujet une histoire de passion humaine, dans son caractère le plus universel, mêlée d'aventures émouvantes et romantiques, et s'adressant, en dépit de toute opinion ou institution artificielle, aux sympathies communes à tout cœur humain. Je n'ai point essayé d'établir par arguments méthodiques et systématiques les mobiles moraux que je voudrais voir substituer à ceux qui maintenant gouvernent l'espèce humaine. Je ne veux qu'éveiller les sentiments : en sorte que le lecteur puisse voir la beauté de la vraie vertu et se sentir excité aux mêmes recherches qui m'ont amené à cette foi morale et politique, qui est aussi celle de quelques-uns des plus sublimes esprits du monde. Ce poème, à l'exception du premier chant qui est une pure introduction, est donc narratif, non didactique. C'est une suite de tableaux où se déroulent : le développement progressif d'un esprit individuel aspirant à la perfection et dévoué à l'amour de l'humanité ; ses efforts pour affiner et purifier les plus audacieuses et les plus singulières impulsions de l'imagination, de l'entendement et des sens; son impatience de toutes les oppressions qui ont paru sous le soleil ; sa tendance à réveiller l'espérance publique, à enthousiasmer et améliorer l'espèce humaine ; les rapides effets de l'application de cette tendance ; le réveil d'une immense nation de l'esclavage et de la dégradation à un vrai sentiment de la dignité morale et de la liberté ; le détrônement non sanglant de ses oppresseurs, et la révélation des mensonges religieux qui l'avaient réduite en servitude ; la sérénité du patriotisme triomphant, l'universelle tolérance et bienveillance de la vraie philanthropie ; la déloyauté et la barbarie du soldat mercenaire ; le vice devenant l'objet non du châtiment et de la haine, mais de la bonté et de la pitié ; le caractère sans foi ni loi des tyrans; la ligue des maîtres du monde et la restauration par les armes étrangères d'une dynastie expulsée ; le massacre et l'extermination des patriotes, et la victoire du pouvoir établi; les conséquences du despotisme légal, guerre civile, famine, fléaux, superstition, et une complète extinction des affections domestiques ; le meurtre juridique des avocats de la liberté ; le triomphe temporaire de l'oppression ; le présage assuré de sa finale et inévitable chute ; le caractère transitoire de l'ignorance et de la terreur, et l'éternité du génie et de la vertu. Telle est la suite des esquisses qui composent ce poème. Si les passions élevées que j'ai eu pour but de développer dans ce récit n'excitent pas dans le lecteur une généreuse impulsion, une soif ardente de la perfection, un intérêt fort et profond pour un but si élevé, il ne faudra pas en imputer la faute à une incapacité naturelle de la sympathie humaine en face de ces thèmes sublimes et encourageants. C'est l'affaire du poète de communiquer aux autres le plaisir et l'enthousiasme résultant de ces images et de ces sentiments, dont la vivante présence dans son propre esprit est à la fois son inspiration et sa récompense.

La terreur panique, qui, durant les excès inséparables de la Révolution française, s'était répandue comme une frénésie épidémique sur toutes les classes de la société, fait place insensiblement à un état plus sain des esprits. On a cessé de croire que toutes les générations de l'espèce humaine doivent se résigner à l'héritage désespéré de l'ignorance et de la misère, parce qu'une nation qui avait été dupe et esclave pendant des siècles s'est montrée incapable de se conduire avec la sagesse et le calme d'hommes libres, le lendemain du jour où elle avait vu tomber quelques-unes de ses chaînes. Que sa conduite n'ait pu se signaler par d'autres caractères que la férocité et l'insanité, c'est là un fait historique dont la liberté tire toute sa justification et le mensonge toute sa laideur. Il y a dans la marée des choses humaines un reflux qui porte les espérances naufragées des hommes dans un port assuré, quand la tempête est passée. Il me semble que ceux qui vivent aujourd'hui survivent à un âge de désespoir.

La Révolution française peut être considérée comme une des manifestations de ce malaise produit dans les sociétés civilisées par un défaut d'harmonie entre le progrès de la science, d'un côté, et celui qui doit résulter de la graduelle abolition des institutions politiques, de l'autre. L'année 1789 a été la date d'une des crises les plus considérables produites par ce malaise. Les sympathies qui se rattachaient à cet événement se sont fait sentir à tout cœur humain. Les plus généreuses et les plus aimantes natures y ont pris la plus large part. Mais on en attendait un tel résultat de bien sans mélange qu'il était impossible de le voir réaliser. Si la Révolution avait complètement réussi, alors la tyrannie et la superstition auraient perdu à demi leurs droits à notre haine, comme des fers que le captif peut briser du plus léger mouvement de ses doigts, et qui ne rongent pas l'âme de leur rouille empoisonnée. La répulsion, occasionnée par les atrocités des démagogues et par le rétablissement d'une succession de tyrannies en France, a été terrible, et s'est fait sentir jusqu'aux coins les plus reculés du monde civilisé. Mais, pouvaient-ils donc écouter les conseils de la raison, ceux qui avaient si longtemps gémi sous les malheurs d'un état social qui, pendant que les uns regorgent et jouissent.

condamne les autres à mourir de faim, faute d'un morceau de pain ? Celui qui la veille encore n'était qu'un esclave foulé aux pieds pouvait-il donc devenir tout à coup un esprit libéral, modéré et indépendant ? Un tel résultat ne peut être que la conséquence des habitudes d'un état de société, produit par une persévérance résolue, une infatigable espérance, un courage soutenu d'une longue patience et d'une longue foi, les efforts systématiques de plusieurs générations d'hommes d'intelligence et de vertu. Telle est la leçon que nous enseigne aujourd'hui l'expérience. Mais, dès les premières déceptions de cet espoir dans le progrès de la liberté française, l'aspiration exaltée vers le bien dépassa la solution de ces problèmes et s'éteignit pour un temps dans l'imprévu du résultat. C'est ainsi que beaucoup des plus ardents, des plus tendres adorateurs du bien public ont été complètement démoralisés par un résultat qu'une vue incomplète des événements qu'ils déploraient leur représentait comme le mélancolique anéantissement de leurs plus chères espérances. De là cette sombre misanthropie qui est devenue le caractère dominant de l'âge où nous vivons, la consolation d'un désappointement qui, sans en avoir conscience, ne trouve de soulagement que dans l'opiniâtre exagération de son propre désespoir. Cette influence s'est fait sentir à la littérature de notre temps tout imprégnée de la désespérance des esprits où elle a sa source. La métaphysique (1), les recherches de la science morale et politique ne sont plus guère que de vaines tentatives pour ressusciter de vieilles superstitions, ou des sophismes comme ceux de M. Malthus (2), destinés à bercer les oppresseurs de l'humanité dans la sécurité d'un éternel triomphe. La même ombre délétère s'étend sur nos ouvrages de fiction et de poésie. Mais l'humanité me semble prête à sortir de sa torpeur.

(1) Je dois en excepter les *Questions académiques* (1805, in-4°) de Sir W. Drummond, un livre de sagace et puissante critique métaphysique. S.

(2) Il faut remarquer, comme un symptôme de la renaissance des espérances publiques, que M. Malthus, dans la dernière édition de son ouvrage, reconnaît à la loi morale un empire illimité sur le principe de population. Cette concession répond à toutes les conséquences défavorables au perfectionnement humain que l'on pouvait tirer de sa doctrine, et réduit l'*Essai sur la population* à n'être plus qu'un commentaire explicatif de l'irréfutable *Justice politique*. S.

Je crois pressentir un changement graduel, lent, silencieux. C'est dans cette croyance que j'ai composé ce poème.

Je n'ai pas la présomption de vouloir entrer en lice avec nos grands poètes contemporains. Cependant je ne suis disposé à marcher sur les traces d'aucun de ceux qui m'ont précédé. J'ai voulu éviter l'imitation de toute forme de langage ou de versification particulière aux esprits originaux dont elle est le caractère ; de telle sorte que, quel que soit le mérite de mon œuvre, elle soit proprement mienne. Je ne me suis même permis, à l'égard de la pure diction, aucun système de nature à distraire l'attention du lecteur de l'intérêt tel que je puis avoir réussi à créer, en l'attachant à l'habileté que j'aurais mise à le dégoûter selon les règles de la critique. J'ai simplement revêtu ma pensée du langage qui m'a semblé le plu snaturel et le mieux approprié au sujet. Quand on est familiarisé avec la nature et avec les plus célèbres productions de l'esprit humain, il est difficile de se tromper en suivant, par rapport au choix du langage, l'instinct produit par cette familiarité.

Il y a une éducation spécialement faite pour le poète, sans laquelle le génie et la sensibilité pourraient difficilement développer tout le cercle de leurs capacités. Aucune éducation, il est vrai, ne suffirait à faire un poète d'un esprit lourd et dénué d'observation, ni même d'un esprit observateur et intelligent, mais chez qui seraient obstrués et fermés les canaux de communication entre la pensée et l'expression. Jusqu'à quel point puis-je appartenir à l'une ou à l'autre de ces deux classes, je ne sais. J'aspire au moins à être quelque chose de mieux. Les circonstances accidentelles de mon éducation ont été favorables à cette ambition. Dès mon enfance j'ai été l'hôte familier des montagnes et des lacs, de la mer et des forêts solitaires ; le danger, qui se joue au bord des précipices, a été mon compagnon de jeux. J'ai foulé les glaciers des Alpes et vécu sous le regard du mont Blanc. J'ai erré dans les pays lointains. J'ai descendu les grands fleuves; j'ai vu se lever et se coucher le soleil, et les étoiles briller au ciel, pendant que je voguais nuit et jour emporté par un rapide courant entre une double ligne de montagnes. J'ai vu de populeuses cités, j'ai observé comment les passions se soulèvent, se répandent s'étouffent et se transforment, dans les multitudes assemblées. J'ai vu le théâtre des plus sensibles ravages de la tyrannie et de la guerre, des cités et des villages réduits à quelques groupes dispersés de maisons noircies et sans toits, et les malheureux habitants affamés et nus sur leurs seuils désolés. J'ai conversé avec les hommes de génie mes contemporains. La poésie de l'ancienne Grèce et de Rome, de l'Italie moderne et de mon propre pays, a été pour moi, comme la nature elle-même, une passion et une volupté. Telles sont les sources dont j'ai tiré les matériaux des images de mon poème. J'ai considéré la poésie dans son acception la plus compréhensive ; j'ai lu les poètes, les historiens et les métaphysiciens (1) dont les ouvrages m'ont été accessibles, et j'ai contemplé la belle et majestueuse scène de l'univers, comme autant de sources communes des éléments que le poète est appelé à combiner et à faire vivre. Cependant l'expérience et les sentiments dont je parle ne font pas proprement de l'homme un poète, mais le préparent seulement à être l'auditeur de ceux qui le sont. Jusqu'à quel point trouvera-t-on que je possède le plus essentiel attribut de la poésie, c'est-à-dire, le pouvoir d'éveiller dans les autres des sensations semblables à celles qui m'animent moi-même ? C'est ce que, pour parler en toute sincérité, je ne sais pas; et ce que, avec un esprit docile et résigné, je m'attends à apprendre de l'effet que je produirai sur ceux à qui je m'adresse.

J'ai évité, ainsi que je l'ai déjà dit, d'imiter aucun style contemporain. Mais il doit y avoir entre tous les écrivains d'un même siècle une ressemblance *indépendante* de leur propre volonté. Ils ne peuvent échapper à la commune influence qui est le résultat d'une infinie combinaison de circonstances appartenant au temps où ils vivent ; quoique chacun soit en un certain degré l'auteur de l'influence même qu'il subit. C'est ainsi que les poètes tragiques du temps de Périclès, les auteurs italiens de la Renaissance, les puissants esprits qui surgirent

(1) En ce sens il peut y avoir une certaine perfectibilité dans les œuvres de fiction, malgré l'opinion souvent exprimée par les avocats du progrès humain, que la perfectibilité est un terme qui ne peut s'appliquer qu'à la science. S.

chez nous après la Réforme, les traducteurs de la Bible, Shakespeare, Spenser, les dramatistes du règne d'Elisabeth, lord Bacon (1), les esprits plus froids de l'epoque qui suivit, nous présentent tous, au milieu de toutes leurs dissemblances, de grandes analogies entre eux. A ce point de vue, Ford ne peut pas plus être appelé l'imitateur de Shakespeare, que Shakespeare l'imitateur de Ford. Il y eut peut-être entre ces deux hommes quelques points de ressemblance autres que ceux produits par la générale et inévitable influence de leur siècle. Celle-ci est une influence à laquelle le plus petit écrivailleur ni le plus sublime génie ne peuvent se soustraire : je n'ai pas essayé d'y échapper.

J'ai adopté la stance de Spenser (un rythme d'une inexprimable beauté), non parce que je la considère comme un modèle plus achevé de l'harmonie poétique que le vers blanc de Shakespeare et de Milton, mais parce que dans ce dernier il n'y a pas d'abri pour la médiocrité; il faut réussir ou échouer. Un esprit ambitieux l'eût peut-être tenté. Mais j'étais aussi attiré par l'éclat et la magnificence de son qu'un esprit nourri de pensées musicales peut produire par le juste et harmonieux arrangement des repos de cette mesure. On pourra cependant trouver quelques endroits où j'ai complètement échoué dans cette tentative; un entre autres que je prie le lecteur de considérer comme un *erratum*, celui où j'ai très étourdiment laissé un alexandrin dans le milieu d'une stance (2).

Mais sous ce rapport comme sous tous les autres j'ai écrit sans crainte. C'est le malheur de ce siècle que ses écrivains, trop oublieux de l'immortalité, sont excessivement sensibles à un éloge ou à un blâme passager... Ils écrivent avec la crainte des Revues devant les yeux. Ce système de critique a surgi à une époque d'interrègne et d'engourdissement où la poésie n'existait plus. La poésie et l'art qui prétend régler et limiter ses pouvoirs ne peuvent subsister ensemble. Longin n'aurait pas pu être le contemporain d'Homère, ni Boileau celui d'Horace. Cependant cette espèce de critique n'a jamais eu la pré-

(1) Bacon domine seul le siècle qu'il a éclairé. S.
(2) Rossetti signale trois exemples de cette même négligence : ch. IV, st. 27 ; ch. VIII, st. 27; ch. IX, st. 36.

somption de donner ses appréciations comme venant de son propre fonds ; elle a toujours, différente en cela de la vraie science, suivi et non précédé l'opinion du public, et même aujourd'hui elle voudrait, à force de lâches adulations, amener quelques-uns de nos plus grands poètes à imposer gratuitement des entraves à leur propre imagination, et à devenir les complices inconscients de l'immolation quotidienne de tout génie moins ambitieux ou moins heureux que le leur. J'ai donc essayé d'écrire (comme je crois qu'écrivaient Homère, Shakespeare et Milton) avec un entier dédain de la censure anonyme. Je suis certain que la calomnie et le travestissement des pensées, quelque compassion qu'ils puissent m'inspirer, ne peuvent troubler mon repos. Je comprendrai le silence significatif de ces habiles ennemis, « qui n'osent pas se risquer à parler ». J'essaierai de tirer, du milieu des insultes, du mépris et des malédictions, les conseils qui peuvent concourir à corriger les imperfections que de semblables censeurs auront découvertes dans ce premier appel sérieux au public. Si certains critiques étaient aussi clairvoyants qu'ils sont méchants, quels bénéfices ils auraient à s'abstenir de leurs violentes diatribes ! En tout cas, je crains d'être assez malicieux pour m'amuser de leurs piètres finesses et de leurs boiteuses invectives. Si le public juge que ma composition est sans mérite, je m'inclinerai devant le tribunal dont Milton a reçu sa couronne d'immortalité; et je m'appliquerai, si je vis, à puiser de nouvelles forces dans cet échec même, pour m'exciter à une nouvelle entreprise poétique qui ne soit plus sans mérite. Je ne saurais m'imaginer que Lucrèce, quand il méditait ce poème dont les doctrines sont encore la base de notre science métaphysique, et dont l'éloquence a été l'admiration des hommes, ait écrit sous l'appréhension de la censure que quelques sophistes soudoyés par l'impure et superstitieuse noblesse de Rome pourraient infliger à ses écrits. Ce fut à cette période où la Grèce était réduite en servitude, et l'Asie rendue tributaire par une République qui elle-même marchait à grands pas à l'esclavage et à la ruine, ce fut à cette époque que l'on vit une multitude de captifs syriens, sectateurs fanatiques de l'obscène Astaroth, et les indignes successeurs de Socrate et de Zénon trouver une subsistance précaire, en servant, sous le nom d'affranchis, les vices et les vanités des grands.

Ces malheureux furent habiles à plaider, avec force sophismes superficiels, mais plausibles, en faveur de ce mépris de la vertu qui est le propre des esclaves, et de la foi aux prodiges (le plus fatal écueil pour la bienveillance dans l'imagination des hommes), de cette foi qui, née dans les communautés d'esclaves de l'Orient, commença pour la première fois à entraîner dans son courant les nations occidentales. Et la désapprobation d'une telle race d'hommes aurait pu inspirer au sage et sublime Lucrèce une salutaire terreur! Les derniers et peut-être les plus infimes de ceux qui suivent ses traces n'accepteraient pas de vivre dans de telles conditions.

La composition de ce poème ne m'a guère coûté que six mois de travail. Mais j'ai consacré à cette tâche une ardeur et un enthousiasme sans repos. A mesure qu'il sortait de mes mains, mon ouvrage était pour moi l'objet d'une critique attentive et ardente. J'aurais voulu ne le lancer dans le monde qu'avec cette perfection qu'un long travail et une longue revision, dit-on, peuvent donner. Mais j'ai trouvé que, si avec cette méthode je pouvais gagner quelque chose en exactitude, je m'exposais à faire perdre à mon ouvrage beaucoup de cette fraîcheur et de cette énergie d'images et de langage, telle qu'elle découlait d'un premier jet de mon esprit. Mais, si la pure composition n'a pas occupé plus de six mois, il faut dire que les pensées qui y sont réunies ont été lentement amassées pendant de nombreuses années.

J'aime à croire que le lecteur voudra bien distinguer soigneusement les opinions qui offrent un caractère dramatique en rapport avec les personnages qu'ils doivent expliquer de celles qui me sont particulièrement personnelles. Ainsi, par exemple, j'attaque l'idée erronée et dégradante que les hommes se sont faite de l'Être suprême, mais non l'Être suprême lui-même. La croyance que quelques personnes superstitieuses que j'ai mises en scène entretiennent de la Divinité, croyance injurieuse à sa bonté, diffère totalement de la mienne. En appelant aussi un grand et radical changement dans l'esprit qui anime les institutions sociales de l'humanité, j'ai évité de flatter ces passions violentes et méchantes de notre nature qui sont toujours aux aguets pour mêler leur alliage impur aux plus bienfaisantes innovations. Il n'y a pas place ici pour la vengeance, l'envie ou le préjugé. Partout l'amour y est célébré comme la seule loi qui doive gouverner le monde moral.

Dans la conduite personnelle de mon héros et de mon héroïne, il y a une circonstance destinée à réveiller le lecteur de l'extase de la vie ordinaire. Je me suis proposé de briser la croûte de ces opinions usées d'où dépendent les institutions établies. J'ai donc fait appel au plus universel de tous les sentiments, et j'ai essayé de fortifier le sens moral en l'empêchant de consumer ses énergies en cherchant à éviter des actions qui ne sont que des crimes de convention. C'est parce qu'il y a trop de vices artificiels qu'il y a si peu de réelles vertus. Les sentiments seuls de bienveillance ou de malveillance constituent l'essence du bien ou du mal. La circonstance dont je parle, toutefois, n'a été introduite que pour accoutumer les hommes à cette charité et à cette tolérance qui doit trouver son encouragement dans l'exhibition d'une pratique tout à fait différente de la leur (1). Rien en vérité ne serait plus funeste que beaucoup d'actions, innocentes en elles-mêmes, qui pourraient attirer sur les individus le mépris superstitieux et la fureur de la multitude.

(1) Les sentiments caractéristiques de cette circonstance ou ceux qui s'y rattachent n'ont aucun rapport personnel à l'auteur (Shelley).

Cette circonstance est celle du lien fraternel qui unit les deux héros du poème, les deux amants, Laon et Cythna ; Shelley dut, bien malgré lui, faire disparaître dans l'édition définitive toute trace de cette fraternité ; nous traduisons ici l'édition primitive, telle qu'elle est sortie des mains du poète, nous contentant d'indiquer en note les variantes qui lui furent imposées dans la nouvelle édition qui a pour titre : la *Révolte de l'Islam*. Voir, à ce sujet, notre *Étude* sur Shelley, qui accompagne cette traduction.

DÉDICACE

A

MARY WOLLSTONECRAFT SHELLEY

« Il n'y a aucun danger pour un homme qui sait ce que c'est que la vie et la mort ; il n'y a aucune loi au-delà de sa science ; il ne lui est pas permis d'en reconnaître aucune autre. »

(CHAPMAN.)

I

Ma tâche de l'été est achevée, Mary, et je reviens à toi, véritable foyer de mon cœur ; comme vers sa reine quelque chevalier de féerie vainqueur, rapportant de brillantes dépouilles à son château enchanté. Et tu ne dédaignes point qu'avant que ma renommée devienne un astre parmi les astres de la mortelle nuit (si toutefois elle peut percer son obscurité native), je veuille unir ses douteuses promesses à ton nom aimé, toi, enfant de l'amour et de la lumière.

II

Le travail qui t'a dérobé tant d'heures est achevé, — le fruit en est à tes pieds. On ne me verra pas plus longtemps là où les bois marient leurs branches entrelacées pour former un berceau, où avec un bruit semblable à mille douces voix les chutes d'eau bondissent à travers de sauvages îles vertes, formant à mon bateau solitaire une solitaire retraite d'arbres moussus et d'herbes... Me voici près de toi, où mon cœur n'a cessé d'être.

III

Des pensées de grandes actions furent les miennes, chère amie, quand pour la première fois passèrent les nuages qui enveloppent ce monde aux yeux de la jeunesse. Je me rappelle fort bien l'heure où se dissipa le sommeil de mon esprit. C'était un frais matin de mai ; je me promenais sur l'herbe étincelante, et je pleurais, sans savoir pourquoi ; lorsqu'il s'éleva de la chambre d'école voisine des voix qui, hélas ! n'étaient que l'écho d'un monde de douleurs, l'âpre et discordante mêlée de tyrans et d'ennemis.

IV

Et alors, serrant les mains, je regardai autour de moi ; mais il n'y avait personne à mes côtés pour se moquer de mes yeux ruisselants, qui versaient leurs gouttes brûlantes sur la terre ensoleillée. Aussi, sans honte, je m'écriai : « Je veux être sage, juste, libre et doux, si ce pouvoir est en moi ; car je suis las de voir l'égoïste et le fort tyranniser toujours sans reproche et sans frein. » Alors je maîtrisai mes larmes, mon cœur se calma, et je fus doux et hardi.

V

Et depuis cette heure, avec une pensée ardente, je me mis à puiser la science aux mines défendues du savoir ; sans me soucier de rien apprendre de ce que savaient ou enseignaient mes tyrans, de ce secret trésor je fis une solide armure pour mon âme, avant qu'elle pût marcher en guerre au milieu des hommes. Ainsi force et espérance s'affermirent de plus en plus en moi, jusqu'au jour où surgit dans mon âme le sentiment de ma solitude, une soif qui me fit languir.

VI

Hélas ! cet amour serait-il un fléau et un piège pour ceux qui chercheraient toutes les sympathies en une seule ? — Je la cherchai autrefois en vain ! Alors un sombre désespoir, l'ombre d'une nuit sans étoiles, se répandit sur le monde où je me mouvais seul... Pas un être qui pour moi ne fût trompeur; partout cœurs durs et froids, semblables à des monceaux de pierre, de glace qui écrasaient et desséchaient le mien... mon cœur ne pouvait être qu'une motte de terre inanimée, jusqu'à ce qu'il fût ranimé par toi !

VII

Amie, dont la présence sur mon cœur flétri par l'hiver est tombée comme un resplendissant printemps sur une plaine sans herbe, que tu étais belle et calme et libre dans ta jeune sagesse, quand tu brisais et faisais voler en éclats la mortelle chaîne de la Coutume, et que tu marchais aussi libre que légère au milieu des nuages, que plus d'un esclave envieux exhalait en vain du fond de son obscure prison ; et mon âme s'élança, pour te rencontrer, du sein des douleurs qui l'avaient si longtemps retenue captive !

VIII

Dès lors je ne voyageai plus seul à travers le désert du monde, où cependant j'ai foulé des sites d'une sublime conception ; je ne visitai plus sans compagnon les lieux où la solitude est comme le désespoir. C'est l'austère satisfaction de la sagessse, quand la Pauvreté peut flétrir de son atteinte le juste et le bon, quand l'Infamie ose se moquer de l'innocent, et que des amis chéris se mettent du côté de la multitude pour le fouler aux pieds.

Ce fut notre sort, et nous tînmes bon, sans être ébranlés.

IX

Maintenant est descendue une heure plus sereine, et, avec la fortune inconstante, les amis reviennent ; quoique celui qui souffre laisse dire à la science et à la force : « Ne paie pas le mépris par le mépris »... Et de ton flanc deux charmants enfants sont nés, pour remplir notre *home* de sourire, et ainsi nous marchons, les plus fortunées des créatures, sous le matin rayonnant de la vie ; et ces délices, et toi-même, telle est la source de ce Chant que je te consacre.

X

Mes doigts inexpérimentés ne vont-ils aujourd'hui qu'essayer le prélude d'accords plus élevés ? Ou bien la lyre où mon esprit repose doit-elle bientôt s'arrêter silencieuse, pour ne plus résonner jamais, quoiqu'elle puisse ébranler le règne anarchique de la Coutume et charmer les esprits des hommes aux accords mêmes de la Vérité, plus sainte que la lyre d'Amphion lui-même ?... Je voudrais bien répondre par des paroles d'espérance. — Mais je suis usé, consumé, et la Mort et l'Amour se disputent leur proie !

XI

Et toi, qu'es-tu ? Je le sais, mais je n'ose le dire ; le temps peut le révéler à ses années silencieuses. Cependant dans la pâleur de ta joue pleine de pensée, dans la lumière où ton large front se consume, dans tes si doux sourires, dans tes pleurs, dans ton gracieux langage, j'entends murmurer une prophétie, qui triomphe de mes craintes les plus folles ; et à travers tes yeux, dans les profondeurs de ton âme, je vois brûler intérieurement une lampe de vestale.

XII

On dit que tu fus digne d'amour dès ta naissance, de parents glorieux ambitieuse enfant (1). Je ne m'en étonne pas. — Elle a quitté cette terre, celle dont la vie fut comme une douce planète qui se couche, et qui te revêtit du pur rayonnement de sa gloire mourante ; sa renommée brille toujours sur toi, à travers les noires et sauvages tempêtes, qui viennent d'ébranler ces derniers jours ; et tu peux réclamer de ton père l'abri d'un nom immortel (2).

XIII

Une voix s'est fait entendre venant de maint esprit puissant, une voix qui était l'écho de trois mille ans ; et le monde tumultueux en l'entendant resta muet, comme un homme solitaire qui dans un désert entend la musique de sa patrie ; — des terreurs inaccoutumées tombèrent sur les pâles oppresseurs de notre race, et Foi, et Coutume, et les bas et vils soucis, comme des dragons frappés du tonnerre, abandonnèrent pour un temps le cœur humain déchiré, leur pâture et leur domicile.

(1) La mère de Mary Shelley était cette fameuse Mary Wollstonecraft, qui prit si chaleureusement en main la cause de l'émancipation des femmes ; elle avait épousé W. Godwin, et était morte en donnant le jour à cette Mary, qui devait devenir la femme bien-aimée de Shelley. Voir notre *Étude* sur Shelley.

(2) William Godwin, l'auteur célèbre de la *Justice politique*.

XIV

L'immortelle voix de la Vérité s'arrête parmi les hommes !... Quand il ne devrait y avoir aucune réponse à mon cri, quand même les hommes devraient se lever et fouler aux pieds, avec une aveugle furie, le pur nom de celui qui les aime, — toi et moi, douce amie, nous pouvons briller dans notre sérénité, comme des lampes dans la nuit orageuse du monde, — deux tranquilles étoiles, au milieu des nuages qui en passant les ravissent à la vue du marin sombrant, deux étoiles rayonnant d'année en année d'une inextinguible lumière.

CHANT PREMIER

I

Quand la dernière espérance de la France écrasée fut tombée comme un court rêve de passagère gloire, fuyant les visions de désespoir, je me levai, et escaladai le sommet d'un promontoire aérien, dont la base caverneuse blanchissait sous la houle agitée ; et je vis l'aube d'or jaillir et réveiller chaque nuage et chaque vague ; — mais le calme ne dura qu'un instant : car tout à coup la terre fut secouée, comme si sa masse était surprise par le dernier cataclysme.

II

Comme je me tenais debout, un coup de tonnerre retentissant éclata en grondements lointains le long de l'abîme sans vagues ; et se réunissant rapides dans toutes les directions, de longues traînées de brumes tremblotantes se mirent à ramper, jusqu'au moment où leurs lignes s'emmêlant plongèrent le soleil levant dans l'ombre ; — on n'entendait pas un son ; un horrible repos régnait sur les forêts et les flots, et, tout à l'entour, des ténèbres plus terribles que la nuit se répandaient sur la terre.

III

Écoutez ! C'est le sifflement d'un vent qui balaie la terre et l'Océan ! Voyez ! les éclairs entr'ouvrent le ciel d'où tombe un déluge d'eau et de feu, pendant qu'au-dessous les abîmes fouettés étincellent et bouillonnent ! La tempête continue de faire rage : impétueux torrent, trombes et vagues bouleversées, éclair et grêle, et ténèbres tourbillonnantes ! — Il se fait une pause. — Les oiseaux de mer, qui s'étaient retirés dans leurs cavernes pour crier, sortent pour voir quel calme est tombé sur la terre, quelle lumière brille dans le ciel !

IV

Car, à l'endroit où l'irrésistible ouragan a déchiré ces ténèbres pleines d'épouvante, on voyait un coin de ciel bleu, découpé d'une multitude de beaux nuages très délicatement entrelacés ; et le vert Océan, sous cette ouverture de bleu pur, frémissait comme une émeraude enflammée. Partout en bas le calme était répandu ; mais bien loin en haut, entre la terre et l'air supérieur, les vastes nuages fuyaient, innombrables et rapides comme les feuilles dispersées par une tempête d'automne.

V

Et toujours, à mesure que la lutte devenait plus furieuse entre les tourbillons et les nuages d'en haut qui fuyaient, l'ouverture devenait de plus en plus sereine ; la lumière bleue perçait la trame de ces nuages blancs, qui semblaient couchés au loin, profonds et immobiles ; pendant qu'à travers le ciel le pâle demi-cercle de la lune passait dans sa lente et mobile majesté; sa corne supérieure était encore revêtue de brouillards, qui bientôt mais lentement s'enfuirent, comme la rosée sous les rayons de midi.

VI

Je ne pouvais m'empêcher de regarder; il y avait une fascination dans cette lune, dans ce ciel et ces nuages, qui entraînait mon imagination, et, dans l'attente de quelque chose que je ne connaissais pas, je restais immobile. La blancheur de la lune, au milieu du ciel si bleu, tout à coup apparut souillée d'ombre; une tache, un nuage, une forme grossissait en s'approchant, comme un grand navire dans la sphère du soleil couchant qu'on aperçoit de loin sur la mer, et fut bientôt tout près.

VII

Comme une barque, qui au sortir d'un gouffre de montagnes sombres, vastes et surplombantes, s'avance sur une rivière réunissant là toute la force de ses sources, et frémit sous la rapidité de sa course à laquelle contribuent voiles, rames et courant; ainsi, de cet abîme de lumière, une forme ailée, portée sur tous les vents du ciel, flottait, approchant toujours, et se dilatant à mesure qu'elle avançait; l'ouragan la poursuivait de ses coups de vent furieux, de ses éclairs rapides et brûlants.

VIII

Une course précipitée, d'une rapidité vertigineuse, suspendant la pensée et la respiration! Un monstrueux spectacle!... Je vis dans l'air un Aigle et un Serpent combattant enlacés... Dans ce moment, relâchant son vol impétueux devant le roc aérien où je me tenais debout, l'Aigle, planant, tournoya à gauche et à droite et, ses ailes étendues, resta suspendu sur les eaux, faisant tressaillir de ses cris la vaste solitude de l'air.

IX

Un trait de lumière descendit sur ses ailes, et chacune de ses plumes d'or étincela — plume et écaille inextricablement confondues. Les mille nuances de la cuirasse du Serpent brillaient à travers les plumes ; ses anneaux se tordaient en mille replis gonflés et noueux ; son cou élevé, mince et souple, rejeté en arrière, supportait sa tête crêtée, qui prudemment s'agitait et lançait des coups d'œil furtifs sous le regard fixe de l'Aigle.

X

Tournant dans des cercles sans fin et faisant retentir l'air du bruit de ses ailes et de ses cris, l'Aigle volait toujours, tantôt dérobant dans les hauteurs ses circuits presque invisibles, tantôt, comme s'il tombait, glissant dans l'air : ses cris étaient de plus en plus déchirants, et rejetant en arrière sa tête ardente, du bec et des serres il harcelait sans relâche le Serpent entrelacé, qui cherchait toujours à faire une blessure mortelle au cœur de son ennemi.

XI

Quelle vie, quelle puissance, quelle ardeur, éclatait dans la sphère de cet effroyable combat ! Du choc de ces prodigieux ennemis, une vapeur se forma et resta suspendue dans l'air, comme sur les flots l'embrun de la mer ; bien loin dans le vide, flottaient les plumes dispersées ; les brillantes écailles jaillissaient sous les atteintes des serres de l'Aigle, comme des étincelles dans les ténèbres ; sur leurs traces le sang tache l'écume de neige du tumultueux abîme.

XII

Les chances se succèdent avec rapidité dans ce combat ; nombreuses alternatives de victoires et de défaites, une noire et sauvage mêlée ! Quelquefois le Serpent parvient à étreindre le cou de son ennemi dans les rigides anneaux de sa corde de diamant, jusqu'à ce que l'Aigle, affaibli par la souffrance et la fatigue, relâche son vol puissant et flotte languissamment près de la mer, désespérant de venir à bout de son adversaire, qui alors lève sa crête rouge et enflammée, rayonnant de sa victoire.

XIII

Alors sur le bord blanchissant de la vague entr'ouverte, où ils sont tombés ensemble, le Serpent voudrait relâcher son étreinte étouffante, et fouetter le vent de ses sauvages anneaux ; et pour briser la chaîne de son tourment, le vaste oiseau voudrait secouer la force de ses invincibles ailes, et, par un effort désespéré de son cou musculeux, rompre d'un choc soudain les anneaux qui l'enchaînent, puis prendre son essor avec la rapidité de la fumée qui s'échappe du volcan.

XIV

La ruse déjouait la ruse, et la force résistait à la force, dans un long, mais indécis combat. Enfin cette lutte prodigieuse trouva son terme. Elle dura jusqu'à ce que la lampe du jour fût tout à fait éteinte ; alors, épuisé, raidi, déchiré, ce puissant Serpent resta suspendu sur l'abîme, puis enfin tomba dans la mer, tandis qu'au-dessus du continent, avec un bruit d'aile et un cri, l'Aigle passait, porté lourdement sur le vent épuisé.

XV

Cependant la tempête s'était enfuie; l'Océan, la terre et le ciel brillaient de nouveau à travers l'atmosphère. Seulement, c'était un spectacle étrange de voir les vagues rouges s'agiter, comme des montagnes, sur la sphère du soleil couchant qui s'enfonçait, et d'entendre leur furieux rugissement au milieu du calme. Je descendis de ce lieu escarpé au rivage de la mer. — Le soir était clair et splendide, et là je trouvai la mer calme comme un enfant au berceau plongé dans un sommeil sans rêve.

XVI

Il y avait là une femme, belle comme le matin, assise au pied des rochers sur le sable de la mer désolée — belle comme une fleur qui pare un désert de glace. Ses délicates mains étaient croisées sur son sein, et le lien qui retenait sa noire chevelure était tombé, et elle était ainsi assise, regardant les vagues. Sur la plage nue à la limite de la mer, une petite embarcation attendait, belle comme elle, semblable à l'Amour abandonné par l'Espérance et désolé.

XVII

Il semblait que cette belle forme avait suivi les péripéties de cet inimaginable combat, et que maintenant ces tendres yeux étaient fatigués du soleil, dont la lumière éclairait brutalement sa douleur; car on voyait son éclat suspendu dans les larmes qui ne cessaient de couler silencieusement. Guettant les festons d'écume tissés par la marée affaiblie sur le sable pailleté, elle gémissait profondément, et à chaque gémissement portait son regard sur la mer.

XVIII

Et, quand elle vit le Serpent blessé plonger dans les vagues, ses lèvres pâlirent, s'entr'ouvrirent et tremblèrent; les larmes cessèrent de couler de ses yeux imperturbables ; aucun accent de plainte ne lui échappa plus ; mais elle se leva et, laissant flotter au gré de la brise sa brillante robe d'étoiles et sa chevelure ombreuse, elle fit entendre sa voix; les cavernes de la vallée qui s'ouvraient sur l'océan la reçurent, et elle remplit de ses sons d'argent les profondeurs de l'air.

XIX

Elle parlait dans un langage dont l'étrange mélodie n'appartient pas à la terre. J'entendais seul — et cette solitude rendait sa musique plus mélodieuse encore — la pitié et l'amour de chacune de ses modulations; mais ces doux accents étaient connus du Serpent, leur langue native à tous deux ; il ne battait plus languissamment l'embrun blanchissant, mais, s'enroulant à travers les vertes ombres des vagues qui battent le rivage, il vint s'arrêter à ses pieds de neige.

XX

Alors la femme s'assit de nouveau sur le sable, elle pleura et serra convulsivement ses mains, tout en reprenant l'inintelligible accent de sa voix mélodieuse et son air éloquent; et elle découvrit son sein, et les ombres vertes et lumineuses de la mer jouèrent dans ces profondeurs marmoréennes — un seul instant aperçue ; car l'instant d'après le Serpent obéit à sa voix, et, doucement replié, se reposa dans son embrassement.

XXI

Alors elle se leva et me sourit avec des yeux sereins, quoique tristes, semblable à une belle planète, qui, pendant que la lumière du jour s'attarde encore dans les cieux, fend l'air rouge sombre de ses perçants rayons ; puis elle dit : « Il est sage de s'affliger ; mais vain et faible était le désespoir qui du sein du sommeil t'a conduit ici. Tu apprendras cela, et bien plus encore, si tu oses nous accompagner moi et ce Serpent sur l'abîme... un étrange et divin voyage. »

XXII

Sa voix avait l'accent si étrange et si triste, et cependant si doux, de quelque voix aimée qu'on n'a pas entendue depuis longtemps. Je pleurai. « Cette femme si belle aller toute seule sur la mer avec ce terrible Serpent ! Sa tête repose sur son cœur, et qui peut savoir le peu de temps qu'il lui faut pour dévorer sa faible proie ? » — Telles étaient mes pensées, quand la marée commença à monter ; et cet étrange bateau, comme l'ombre de la lune, glissa sur les flots, au milieu des étoiles réfléchies par les eaux.

XXIII

Un bateau d'un rare dessin, qui n'avait d'autre voile que sa propre proue recourbée de mince pierre de lune, travaillée comme un tissu d'une trame fine et légère, pour emprisonner ces aimables brises qu'on n'entend pas souffler, et qui se devinent seulement à la vitesse soutenue avec laquelle le bateau fend la mer étincelante. — Maintenant, nous voilà embarqués ;... les montagnes pendent et sourcillent sur l'abîme étoilé qui luit dans les profondeurs d'une vaste et sombre étendue, pendant que nous voguons sur les flots.

XXIV

Et, comme nous voguions, cette femme raconta une étrange et terrible histoire, semblable à un de ces songes mystérieux, qui rendent la joue du dormeur pâle de stupeur. — Il était minuit et, tout autour de nous, un courant sans rivages, un immense océan roulait, quand ce thème solennel enchâssé dans son cœur trouva son expression, et elle fixa son regard sur le mien; ces yeux dardèrent dans mon esprit un rayon perçant de divin amour et, avant même que ses lèvres se fussent ouvertes, rendirent l'air éloquent.

XXV

« Ne me parle pas, mais écoute ! Il y a beaucoup de choses que tu apprendras, beaucoup de choses qui doivent rester inaccessibles à la pensée, et encore plus à la parole, dans l'urne à jamais flottante de l'obscur avenir. — Sache donc que dans la profondeur des vieux âges, deux Pouvoirs établirent leur empire sur les choses mortelles, se partageant le gouvernement du monde, immortels, présents partout, différents l'un de l'autre, mais Génies jumeaux, également Dieux. —Quand la vie et la pensée naquirent, ils surgirent de la matrice du néant sans essence.

XXVI

« Le premier habitant de ce monde, seul, se tenait

debout sur le bord du chaos. Voilà qu'au loin sur l'immense et sauvage abîme brillèrent deux météores jaillissant de la profondeur de sa tempêtueuse mêlée : une Comète rouge-sang et l'Étoile du Matin, mêlant leurs rayons pour le combat. Comme il se tenait debout, toutes ses pensées dans son esprit guerroyèrent l'une contre l'autre dans une effroyable sympathie, — quand sur les flots tomba cette belle Etoile, il se retourna et versa le sang de son frère.

XXVII

« Ainsi le Mal triompha et l'Esprit du Mal, un Pouvoir aux mille formes que personne ne peut connaître, une Forme aux mille noms ; le Démon s'ébattit dans la victoire, régnant sur un monde de douleurs ; la nouvelle race de l'homme s'agita en tous sens, affamée et sans abri, détestée et détestant, sauvage, et haïssant le bien; car son immortel ennemi avait changé sa forme d'étoile, belle et douce, en la forme d'un horrible Serpent, irréconciliable avec l'homme et la bête.

XXVIII

« Les ténèbres qui s'étendirent sur l'aurore des choses furent le souffle et la vie du Mal ; il y puisa des forces pour planer bien haut avec ses ailes qui obscurcissent tout de leur ombre ; le grand Esprit du Bien fut réduit à ramper au milieu de l'espèce humaine, et toute langue le maudit et le blasphéma quand il passait ; car personne ne distingua le bien du mal, quoique leurs noms fussent suspendus en dérision au front du temple, où sous le nom de Roi, Seigneur et Dieu, le Démon conquérant régna sur les gémissements de ses nombreuses victimes.

XXIX

« Le Démon, dont le nom fut légion : Mort, Ruine, Tremblements de terre, Fléau, Détresse, et la pâle Folie, et les Maladies ailées et blêmes, une armée aussi nombreuse que les feuilles que disperse le vent d'automne ; Poison, un serpent dans les fleurs, cachant sa tête homicide sous le voile des aliments et de la Joie ; et le reste, sans quoi tous ces maux seraient impuissants : Crainte, Haine, Foi et Tyrannie, étendant les subtils filets où se prennent les vivants et les morts.

XXX

« Son Esprit est leur pouvoir, et eux, ses esclaves, habitent l'air, la lumière, la pensée, le langage ; ils tiennent leur cour, du palais jusqu'au tombeau, dans toutes les réunions d'hommes : invisibles, excepté quand, dans un miroir d'ébène, le farouche Cauchemar leur ordonne d'apparaître, pour un tyran ou un imposteur, formes de démons noires et ailées, que, du fond de l'enfer, son royaume et son séjour sous des cieux inférieurs, il déchaîne pour leurs sombres et funestes besognes.

XXXI

« Pendant la jeunesse du monde son empire fut aussi ferme que ses fondements. Bientôt l'Esprit du Bien, quoique sous l'apparence d'un abject ver, surgit des vagues de l'informe débordement qui finit par se retirer et s'enfuir, et recommença l'incertaine guerre avec ce Démon de sang. Les trônes alors pour la première fois furent ébranlés ; l'immense multitude humaine, foulée aux pieds, commença à jeter un regard d'espérance sur sa propre force ; et la Crainte, ce pâle démon, abandonna son sanctuaire ensanglanté.

XXXII

« Alors la Grèce apparut ! Les Génies aux ailes d'or visitèrent en songe ses poètes et ses sages, endormis au sein de la nuit des âges ; ils trempèrent leurs cœurs dans les divines flammes allumées par ton souffle, ô toi, Pouvoir, le plus sacré des noms ! Et souvent, dans les âges qui suivirent, quand les ténèbres donnaient de nouvelles forces à ton ennemi, leur gloire, comme un soleil, rayonna sur le champ de bataille, — une lumière de salut, comme un paradis qui se déroule au delà des ombres du tombeau.

XXXIII

« Tel est ce conflit ! Quand l'humanité engage avec ses oppresseurs une mêlée de sang ; ou quand des pensées libres, comme des éclairs, deviennent vivantes, et que, dans chaque poitrine de la foule, la justice et la vérité déclarent une guerre silencieuse à la couvée sans cesse renaissante de la coutume ; quand les prêtres et les rois déguisent en sourires ou en colères leur féroce inquiétude ; quand autour des cœurs purs se rassemble une armée d'espérances ; quand le serpent et l'aigle se rencontrent... alors les fondements du monde tremblent !

XXXIV

« Tu as vu ce combat ! — Quand tu retourneras à ton foyer, ne l'inonde pas de pleurs ; quoiqu'on puisse te dire que la terre est devenue maintenant la curée du tyran, qu'il veut la partager à ses complices, comme la vile récompense de leur vie déshonorée. —

Le Démon victorieux, le tout-puissant de jadis, aujourd'hui faiblit, et craint que son triomphe si chèrement acheté ne soit bientôt le signal assuré de sa fin qui approche.

XXXV

« Écoute, ô étranger, écoute ! Ma forme est une forme humaine, semblable à celle que tu portes. Touche-moi sans crainte ! Ma main que tu sens n'est pas celle d'un fantôme, mais elle est chaude de sang humain. — Bien des années se sont écoulées depuis le jour où pour la première fois mon âme altérée aspira à connaître les secrets de ce monde prodigieux, quand mon cœur fut profondément pénétré de sympathie pour des malheurs qui ne pouvaient être les miens, et que ma pensée, en rêve, veilla mystérieusement sur le sommeil d'un enfant.

XXXVI

« Les douleurs humaines ne pouvaient être les miennes, depuis le jour où habitant bien loin des hommes, libre et heureuse orpheline, près du rivage de la mer, un vallon dans la profondeur de la montagne, j'errais près des vagues et à travers les sauvages forêts, réconciliée avec l'ouragan et les ténèbres ; car j'étais calme tout à l'heure quand la tempête ébranlait le ciel ; mais lorsque les cieux apaisés sourirent dans leur beauté, je versai de douces larmes, trop tumultueuses cependant pour la paix, et, serrant mes mains, je les levai vers le ciel dans l'extase.

XXXVII

« Voici quels furent les présages de mon destin. — Avant qu'un cœur de femme battît dans ma poitrine de vierge, je fus nourrie dans la plus divine des sciences ; un poète mourant me donna des livres et calma par d'étranges, mais saintes paroles, la douce inquiétude dans laquelle je le veillais à l'approche de sa mort ; — un jeune homme avec des cheveux blancs, un étranger errant dans nos solitaires montagnes ; et cette science envahit mon esprit comme un ouragan, absorbant toutes les facultés de mon âme.

XXXVIII

« C'est ainsi que je connus la sombre légende que développe l'histoire, mais non, ce me semble, comme les autres la connaissent ; car ils n'en pleurent pas... et la Sagesse déroula devant moi les nuages qui recouvrent l'abîme des malheurs humains (elle ne montre qu'à un petit nombre cette salutaire vision) — car j'aimais toutes choses d'une affection intense ; aussi, quand la profonde source de l'espérance coule à pleins bords, et que, comme un tremblement de terre, elle soulève le stagnant océan des humaines pensées, la mienne ressent le choc de la plus puissante émotion.

XXXIX

« Quand pour la première fois le sang de la vie alluma dans ces veines le feu de la pensée, la grande France se leva ; elle saisit, comme pour les briser, ces pesantes chaînes qui enserrent dans le malheur les nations de la terre. Je vis, et je tressaillis auprès de mon foyer ; dans ma confiante joie je criai aux nuages et aux vagues, pour leur faire partager mon incommensurable joie ; je ris dans la lumière et la musique ; bientôt une douce démence, une tendre et pénétrante tristesse inonda mon cœur.

XL

« Un profond sommeil s'empara de moi. Mes rêves étaient de feu ; de douces et délicieuses pensées s'arrêtaient et voltigeaient comme des ombres sur mon cerveau ; et un étrange désir, la tempête d'une passion bouillonnant dans mon âme tranquille, inonda de lumière ses profondeurs. Cette tempête passa ; le calme et l'ombre revinrent bien plus doux ; — alors j'aimai, mais non un amant humain ! Car, lorsque je me réveillai, l'Etoile du Matin brillait à travers les chèvrefeuilles qui tapissaient ma demeure.

XLI

« C'était comme un œil qui semblait me sourire. Je l'observai jusqu'à ce que, s'effaçant devant le soleil, elle disparût sous les vagues de la mer soulevée ; mais à la source de ses rayons mon esprit but un profond amour, et dans ma cervelle le monde infini se résuma en une seule pensée, une seule image... oui, pour toujours ! Et comme le point du jour se résout en humides vapeurs, les rayons de cette unique Etoile jaillirent et frissonnèrent à travers mon esprit enveloppé de ténèbres,...pour ne plus s'éteindre jamais.

XLII

« Ainsi le jour passa. Pendant la nuit, il me sembla voir apparaître en songe une forme d'une indicible beauté ; elle se tenait devant moi semblable à la lumière sur un rapide courant de nuages d'or qui ont ébranlé l'atmosphère ; c'était une jeune forme ailée. Son front rayonnant éclipsait l'Étoile du Matin ; à son approche, je sentis comme un souffle d'étrange bonheur dissoudre tout mon être ; elle inclina ses yeux d'ardente tendresse près des miens, et sur mes lèvres imprima un long baiser

XLIII

« Puis elle dit : Un Esprit t'aime, vierge mortelle ; comment prouveras-tu que tu en es digne ? — Alors la joie et le sommeil s'enfuirent à la fois ; mon âme était profondément accablée, et j'allai sur le rivage rêver et pleurer. Mais, comme je marchais, je sentis entrer dans mon cœur une joie moins tendre, mais plus profonde et plus forte que mon doux rêve, et qui m'empêcha de suivre le sentier du bord de la mer ; il me semblait que cette langue d'Esprit murmurait dans mon cœur, et portait mes pas au loin.

XLIV

« Comment, arrivée à cette cité vaste et peuplée, qui était alors le champ d'une bataille sainte, je marchai à travers les mourants et les morts et participai à des actions intrépides en compagnie d'hommes mauvais, calme comme un ange dans l'antre du dragon ;... comment je bravai la mort pour la liberté et la vérité, repoussant la paix, le pouvoir et la renommée... et comment, lorsque ces espérances eurent perdu la gloire de leur jeunesse, je m'en retournai tristement ?... il y aurait là de quoi exciter la pitié de celui qui entendrait ce récit.

XLV

« Des larmes brûlantes se pressent et se précipitent ! Je ne puis raconter cette histoire ! Sache qu'alors, quand j'eus surmonté ce chagrin, je ne restai pas, comme les autres, froide et morte. L'Esprit que j'aimais dans la solitude soutint son enfant ; la forêt agitée par la tempête, les vagues, les sources, le calme de la nuit, tout cela était sa voix ; et je comprenais bien son divin sourire, quand la mer paisible reflétait la lumière des étoiles silencieuses, et que je goûtais les délices d'un ciel sans brises.

XLVI

« Dans les vallons solitaires, au milieu du mugissement des rivières, par de profondes nuits sans lune, j'ai connu des joies qu'aucune langue ne peut dire ; ma pâle lèvre frissonne quand ma pensée les revoit. — Sache, toi seul, qu'après bien des années prodigieuses écoulées, je fus réveillée par un grand cri de douleur ; et sur moi un mystérieux manteau fut jeté par des mains invisibles, et une brillante étoile brilla devant mes pas. — Alors le Serpent rencontra son mortel ennemi. »

XLVII

— « Ne crains-tu donc pas ce Serpent sur ton cœur? » — « Le craindre ! » dit-elle en poussant un cri rapide et passionné, et elle se tut. Ce silence me fit tressaillir. Je regardai autour de moi ; nous voguions gracieusement, aussi rapides qu'un nuage entre la mer et le ciel, sous la lune qui se levait bien loin devant nous ; des montagnes de glace, comme des saphirs, entassaient leurs sommets, ourlant l'horizon, et s'étendaient en silence au-dessus des eaux paisibles ; nous nous en rapprochions peu à peu.

XLVIII

Le mouvement du navire devenait de plus en plus

rapide ; si rapide qu'un accès de vertige saisit ma cervelle. Une étrange musique me réveilla ; nous avions dépassé l'Océan qui ceint le pôle, le plus lointain royaume de la Nature, et nous glissions rapidement sur une plaine liquide transparente, azurée par la lumière de midi. Des montagnes aériennes étincelaient tout autour, et au milieu s'élevait un temple entouré d'une ceinture d'îles vertes couchées sur l'abîme bleu et ensoleillé, resplendissant au loin.

XLIX

C'était un temple tel qu'une mortelle main n'en a jamais bâti, tel que n'en a jamais élevé l'extase ou le rêve dans les cités d'une terre enchantée. Il était l'exacte image du ciel, avant que le courant de pourpre du jour ne reflue sur la forêt occidentale, tandis que la lueur de la lune qui va se lever gagne déjà les nuages, quand avec leurs mille rayons d'or les innombrables constellations s'élancent en chœur, pavant de feu le ciel et le marbre des eaux.

L

Il réalisait ce qui peut être conçu de ce vaste dôme, quand des profondeurs que la pensée peut à peine sonder le Génie le voit s'élever (sa demeure native, ceinte des déserts de l'Univers) ; cependant ni la lumière de la peinture, ni le vers plus puissant, ni la langue de marbre de la sculpture, ne peuvent représenter cette forme au sens mortel, si profondes sont les mystérieuses obscurités au sein desquelles est plongée cette inexprimable vue, et qui accablent la cervelle laborieuse et la poitrine oppressée.

LI

Tournant à travers les belles îles unies comme des pelouses, dont les forêts fleuries étoilaient l'abîme ombragé, le bateau sans ailes s'arrêta devant un escalier d'ivoire qui trempait ses ornements en relief dans la mer de cristal enveloppant la vaste masse aérienne du temple. Nous descendîmes et nous passâmes sous un immense portail, dont la voûte, de pierre de lune sculptée, jetait une faible lueur sur les formes qui se trouvaient de chaque côté, sculptures semblables à la vie et à la pensée, immuables, aux yeux profonds.

LII

Nous arrivâmes à une vaste salle, dont la glorieuse voûte était de diamant, qui avait bu la splendeur de l'éclair dans les ténèbres, et maintenant la versait à travers la trame de nuages charmés, suspendus là pour amortir son éclat aveuglant. A travers ce voile on apercevait un travail d'un art infini, rare et divin; orbe sur orbe, et, dans les intervalles, des formes d'étoiles, et des lunes cornues, et des météores étranges et beaux, et, en équilibre sur des colonnes noires comme la nuit, un hémisphère creux.

LIII

Dix mille colonnes se détachaient sous cette lumière frémissante ; entre leurs fûts tournaient au loin les longues ailes semblables à des labyrinthes, plus brillantes de leur propre rayonnement que le ciel de celui du jour. Et sur les murailles de jaspe on voyait tout autour des peintures, la poésie d'une très puissante pensée qui y avait développé l'histoire de l'Esprit ; une histoire de péripéties passionnées, divinement enseignée, exécutée par des génies inconscients dans leurs danses ailées.

LIV

Au-dessous étaient assises sur de nombreux trônes de saphir les grandes figures venues de l'humanité, un imposant Sénat : les uns, dont les blanches chevelures brillaient comme la neige des montagnes, doux, beaux, et aveugles ; d'autres, des formes de femmes, dont les traits rayonnaient d'âme ; d'ardents jeunes gens, de beaux et brillants enfants... Quelques-uns avaient des lyres dont les cordes étaient entremêlées de pâles et enlaçantes flammes, faisant entendre éternellement de faibles, mais pénétrants accords qui perçaient l'air de cristal.

LV

Un siège était vide au milieu, un trône élevé sur une pyramide semblable à une flamme sculptée, entouré de marches circulaires, reposant sur leur propre abîme de feu. Aussitôt que la femme fut entrée dans cette salle, elle prononca en criant le nom de l'Esprit, tomba et s'évanouit lentement hors de la vue. Des ténèbres s'élevèrent de sa forme dissoute, et se réunissant remplirent le dôme d'une lumière tissée, mêlant à ses sphères d'étoiles une nuit surnaturelle.

LVI

On vit alors deux lumières étincelantes se glisser en cercles sur le parquet d'améthyste, petits yeux de serpents, allant de côté et d'autre, comme des météores sur le bord herbu d'une rivière. Elles roulèrent l'une autour de l'autre, se dilatant de plus en plus ; puis elles s'élevèrent, se confondant en une seule, une claire et puissante planète qui se suspendit sur un nuage d'ombre très profonde jeté en travers des marches incandescentes et du trône de cristal.

LVII

Le nuage qui reposait sur ce cône de flamme se fendit ; sous la planète s'assit une forme plus belle que la langue ne saurait le dire ou la pensée l'imaginer. Le rayonnement de ses membres roses et incandescents ondoya au dehors,et de sa très douce lumière anima le dôme plein d'ombre, les sculptures et l'ensemble des formes réunies autour d'elle,d'un charme pénétrant qui envahit leurs cœurs et leurs traits. Elle était assise majestueuse, et cependant douce ; calme, et pourtant pleine de pitié.

LVIII

L'étonnement et la joie jetèrent un abattement passager sur mon front.Une main me soutint,dont le toucher était d'une force magique ; un œil bleu regarda dans le mien, caressant comme un rayon de lune, et une voix dit : « Tu dois aujourd'hui te contenter d'écouter. Deux puissants esprits reviennent, comme des oiseaux de paix, de la mer orageuse du monde ; ils puisent une fraîche lumière à l'urne immortelle de l'espérance. C'est une histoire de la puissance humaine ; ne désespère pas ! Écoute et apprends ! »

LIX

Je regardai !... L'attitude de l'un était pleine d'éloquence. Ses yeux étaient noirs et profonds, et le front limpide qui les ombrageait était comme le ciel du matin, le ciel sans nuages du Printemps, quand, dans leur cours à travers l'air brillant, les douces brises de leur souffle réveillent le monde verdoyant ; ses gestes obéissaient à l'esprit infaillible qui faisait rayonner ses traits, et, à travers ses lèvres recourbées à peine entr'ouvertes, un courant de divine passion se frayait un impétueux passage.

LX

Sous l'ombre de sa chevelure déployée, il était dans toute sa beauté. Une autre forme vint s'asseoir à côté de lui, qui semblait son ombre... mais beaucoup plus gracieuse. Elle lui prit la main. Sa beauté ne se révéla alors que par un petit nombre de lignes, qui seules, à travers ses boucles flottantes et son manteau ramené, brillèrent, comme les éclairs d'une gloire qui dissout l'âme... Personne ne vit ses yeux ; ils éveillèrent en lui des souvenirs qui trouvèrent une langue aussitôt qu'il eut rompu le silence (1).

(1) Ces dernières strophes (LVI-LX) figurent l'apothéose anticipée de Laon et Cythna.

Ce premier chant n'est, comme le dit Shelley dans sa Préface, qu'une pure Introduction symbolique au Poème.

CHANT II

I

Les sourires des enfants radieux comme des astres, les doux regards des femmes, le beau sein qui m'a nourri, le murmure incessant des ruisseaux et les rayons de lumière verte et changeante tamisés sur ma tête par quelque berceau de vignes entrelacées, les coquilles sur le sable de la mer, les fleurs sauvages, et la lumière de la lampe jouant gaiement à travers les poutres et sur le lin qui s'enroule : — telles furent, aux jeunes heures de ma vie, les visions et les harmonies qui nourrirent les facultés en germe dans mon âme.

II

En Argolide, près de la mer pleine d'échos, telles furent les impulsions qui se firent jour dans ma trame mortelle, et elles furent chères à ma mémoire, comme le souvenir des morts ; — mais bientôt il en vint d'autres, et d'une autre forme : les prodigieux récits du monde passé, les paroles et les actions de vie des esprits que ni le temps ni le changement ne peuvent dompter, sombres et vieilles traditions, d'où surgirent les mauvaises croyances, et dont l'ombre épaisse alimente un courant de pâture empoisonnée.

III

J'entendis, comme tous l'ont entendue, l'histoire variée de la vie humaine, et je pleurai d'involontaires larmes. Faibles historiens de sa honte et de sa gloire, discoureurs mensongers de ses espérances et de ses craintes, victimes adorant la ruine, chroniqueurs du mépris quotidien, esclaves ayant horreur de leur propre condition, et qui cependant, flattant le Pouvoir, avaient donné à ses ministres un trône pour juger même la tombe; — c'est au milieu de pareils êtres que le destin condamnait ma jeunesse à chercher sa compagne.

IV

Le pays où je vivais était consumé par un cruel poison. Les tyrans demeuraient côte à côte, et parquaient dans nos maisons, — jusqu'à ce que la chaîne étouffât le cri des captifs, et que pour endurer cette flétrissante malédiction les hommes n'eussent plus de honte. Tous rivalisaient dans le mal, esclave et despote; la crainte et la convoitise, unies par une mutuelle haine, avaient contracté une étrange association, comme deux sombres serpents entrelacés dans la poussière, qui répandent leur venin confondu sur le sentier des hommes.

V

La terre, notre brillante demeure, ses montagnes et ses eaux, et les formes éthérées suspendues sur sa verte étendue, et les Nuées, ces filles si belles du Soleil et de l'Océan, qui fondirent les couleurs de l'air le jour où s'étendant pour la première fois il berça le jeune

Monde, personne ne sortait ou n'errait pour les voir ou les sentir ! Une sombre nuit était descendue dans tous les cœurs. La lumière, pour manifester son éclat, a besoin de naître au milieu des pensées nobles et intrépides.

VI

Ce monde vital, cette demeure d'heureux esprits, fut comme un cachot pour ma race flétrie. Tout ce que le Désespoir hérite de l'Espérance assassinée, elle le recherchait et, dans sa misère aveugle et sans soutien, trouvait une prison toujours plus profonde, et des chaînes plus pesantes, et des tyrans plus impérieux ; — devant elle, un gouffre noir, le royaume d'un maître impitoyable, s'ouvrait béant ; par derrière, la terreur et le temps la poussaient à l'envi, et emportaient sur leur cours tempêtueux les malheureux criant éperdument loin du rivage,

VII

De ces épaves de l'Océan, le Crime et le Malheur avaient formé une ténébreuse demeure pour leur pensée sans abri, et, tressaillant à la vue des spectres qui çà et là glissent sur son obscur et sombre rivage, avaient institué désormais le culte qu'ils s'étaient enseigné l'un à l'autre. Les hommes alors purent bien haïr leur vie ! Ils purent bien retourner à ces maux mêmes contre lesquels ils cherchaient un refuge tel quel dans la mort ! Ils purent bien apprendre à regarder ce monde si beau avec une indifférence sans espoir !

VIII

Ils languirent tous dans la servitude ; corps et âme,

tyran et esclave; victime et bourreau plièrent devant le Pouvoir; en lui abandonnant par leur propre faiblesse le suprême contrôle sur leur volonté, ils rendirent tous ses noms, si nombreux, tout-puissants, tous symboles du mal, tous divins! Et les hymnes de sang ou de dérision, qui s'élevaient de tous ses temples en déchirant l'air, tendirent les filets impies de l'imposture autour de chaque sanctuaire discordant.

IX

J'entendis, comme tous l'ont entendue, l'histoire variée de la vie, histoire qui n'est écrite dans aucun cœur insouciant; mais des railleries des hommes blanchis dans la honte et le mépris, des gémissements des foules blêmes de faim, des sanglots désolés d'une mère sur son enfant souillé du sang innocent versé sur la terre, des fronts anxieux et pâles des angoisses du cœur, je me fis une pâture pour nourrir mes nombreuses pensées, — une multitude indomptable!

X

J'errai à travers les débris des jours écoulés bien loin sur le rivage désolé, même alors que sur la mer silencieuse et les flots dentelés jaillissait la lumière de la lune levante; au nord dans le ciel, parmi les nuages traînant sur l'horizon, les montagnes s'étendaient sous une planète pâle; autour de moi des tombes brisées et des colonnes fendues se perdaient dans un lointain crépuscule; et la brise affligée faisait entendre dans ces mornes ruines son éternelle plainte.

XI

Je ne savais pas quels hommes avaient élevé ces prodiges, je n'avais pas entendu l'histoire de leurs actions; mais les demeures d'une race d'hommes plus puissants, les monuments de croyances moins cruelles racontent leur propre légende à celui qui est sagement attentif au langage qu'ils parlent; et alors pour moi, la lumière de lune pâlissant les herbes en fleurs, les brillantes étoiles rayonnant sur la mer sans brise, interprétèrent ces grimoires du mortel mystère.

XII

L'homme a été tel et il peut être tel encore! Oui... il peut y avoir des hommes plus sages, plus grands, plus nobles, que ceux mêmes qui sur les débris de ce dôme fracassé là-bas ont imprimé le sceau de leur pouvoir! Je sentais la force du vaste courant des âges emporter mes flottantes pensées, mon cœur battre fort et vite; et, comme un ouragan déchaîné sous le rayon de la lune silencieuse, mon esprit allait toujours au-delà sous les fermes rayons de la vérité éclairant son agitation.

XIII

« Non! il n'en sera plus ainsi! Trop longtemps, trop longtemps, fils des glorieux morts, vous êtes restés enchaînés dans les ténèbres et dans la ruine! L'Espérance est forte, la Justice et la Vérité ont trouvé leurs enfants ailés! Réveillez-vous! Levez-vous! Que le terrible bruit de vos pas éparpille dans sa rafale les trônes des oppresseurs, et que le sol recouvre la dernière poussière dédaignée de l'autel, dont l'idole a si longtemps trahi votre confiance impie!

XIV

« Il doit en être ainsi! J'éveillerai et soulèverai la multitude et, comme un sommet sulfureux qui soudain a secoué de ses neiges l'engourdissement des âges, elle éclatera, et remplira le monde d'un feu purificateur ; cela doit être ! cela sera ! rien ne peut l'empêcher ! — Et qui se tiendra debout au milieu de la terrible secousse, toujours inébranlable, sinon Laon dominant la terre déserte de la liberté comme une tour dont les murs de marbre résistent aux ouragans ligués ? »

XV

Une nuit d'été, en compagnie de l'espérance ainsi profondément nourrie, je veillais, au milieu des ruines grisâtres, sous l'obscure voûte étoilée du ciel ; et toujours, depuis cette heure, le fardeau de cette espérance pesa sur moi, et nuit et jour, en vision et en rêve, s'attacha à ma poitrine. Parmi les hommes, ou quand, loin d'eux, j'errais sur les plages ou les montagnes solitaires, c'était un hôte qui me suivait partout où j'allais et veillait pendant que je reposais.

XVI

Ces espérances trouvèrent des paroles à l'aide desquelles mon esprit chercha à tisser un lien de sympathie capable de répondre à la pensée qui désormais gouvernait ma vie ; — et, comme les vapeurs s'étendent brillantes dans le large rayonnement du matin, ainsi ces pensées furent pénétrées de la lumière du langage : et une réponse sortit de toutes les poitrines, réponse qui porta son éclat partout où elle put, à travers les vastes et profondes ténèbres, passionner les esprits extasiés.

XVII

Oui, bien des yeux s'obscurcirent de larmes affolantes ; et souvent je crus avoir rencontré le frère de mon propre cœur, quand je pouvais sentir le sens de l'auditeur ravi, et entendre son haleine étouffer ses propres soupirs précipités à mesure que mes paroles les faisaient naître ; et plus d'un, je le crus follement, — sentit que nous étions tous les fils d'une seule grande mère ; et la froide réalité sembla un bien triste retour, comme si elle nous réveillait, dans le chagrin, de quelque songe délicieux.

XVIII

Oui, souvent, près du labyrinthe en ruine qui longe les cavernes blanchissantes du vert abime, Laon et son ami, assis le soir sur un pan de mur grisâtre, pendant qu'autour de sa base rongée les vagues sauvages sifflent et sautent, entretinrent une attachante conversation ; et maintenant on peut dire avec calme que cet ami était faux ; c'est-à-dire que, comme les autres hommes, il pouvait verser des larmes qui étaient des mensonges, qu'il pouvait trahir et tendre des pièges à ce cœur sans artifice qui avait saigné pour le sien.

XIX

Alors, si une grande pensée n'eût contre-balancé mon chagrin, j'aurais cherché un sombre répit à son étreinte dans un repos sans rêve, dans un sommeil qui ne connaît pas de lendemain : car il est dur de marcher dans le désert désolé de la vie sans un sourire pour vous saluer, une voix pour vous bénir, au milieu des pièges et des railleries de l'humanité ; mais je ne me trahis point, et avec un amour qui rougissait de revenir sur ses pas, je n'en cherchai pas moins à dissiper les nuages dont le tissu rendait aveugle sa sagesse.

XX

Mon âme entretint un commerce intime avec ces immortels esprits qui ont laissé partout où ils ont passé un sillon de lumière ; jusqu'à ce qu'enfin de cette glorieuse intimité, comme d'une mine de magique trésor, je pusse tirer des mots qui fussent des armes ; autour de mon cœur grandit l'armure de diamant de leur force, et de mon imagination des ailes d'or poussèrent. Cependant ces ailes ne portèrent pas le jeune Laon tout seul, ministre de la vérité, hors de la tour de la sagesse.

XXI

J'avais une petite sœur (1), dont les beaux yeux étaient des étoiles polaires de délices, qui m'attiraient à la maison, quand j'aurais pu m'en éloigner ; et, de toutes les choses humaines qui sont sous le puissant dôme du ciel, aucune ne valait à mes yeux cette enfant. Aussi quand vinrent les tristes heures, et que l'espérance déçue s'attacha obstinément à moi comme la glace, quand les parents furent froids, et les amis sans cœur et sans foi, je quittai tout pour être, Cythna, la seule source de tes larmes et de tes sourires.

XXII

Qu'étais-tu alors ? Une créature tout à fait enfantine, et cependant s'aventurant bien au-delà de cet âge innocent, attentive à tout excepté à ses doux regards et à son divin visage. Déjà même, me semblait-il, ton jeune cœur engageait avec la rage tyrannique du monde une patiente guerre, quand ces yeux, mollement imprégnés

(1) Dans la *Révolte de l'Islam* à ce vers a été substitué celui-ci : « Une orpheline vivait avec mes parents... »

de pensée à peine consciente, se remplissaient de pleurs au récit d'un conte ou à tes propres fantaisies, ou qu'une conversation passionnée illuminait leurs profondeurs de sa fugitive lumière.

XXIII

Elle marchait sur cette terre comme une forme radieuse, une force qui n'empruntait à ses objets presque rien des impulsions de son être ; tout à fait semblable, dans sa légèreté, à un nuage rayonnant de rosée matinale, errant dans les vastes espaces bleus de l'air pour aller désaltérer quelque lointain désert ; elle semblait, près de moi, sa beauté grandissant avec elle, comme l'ombre brillante de quelque rêve immortel, marchant, pendant que la tempête sommeille, sur la ague du sombre courant de la vie !

XXIV

Elle était pour moi, cette enfant, comme ma propre ombre, un second moi-même, bien plus cher et bien plus beau, revêtant d'un impérissable rayonnement tous ces sentiers escarpés que la tristesse et le désespoir des choses humaines avaient rendus si sombres et si nus, mais que je foulais seul ! Et jusqu'à ce que je fusse privé d'amis, accablé de solitaires soucis, je ne savais pas quelle consolation m'était réservée pour cette perte, quoique mon cœur confiant fût déchiré d'une amère blessure.

XXV

Auparavant elle m'était chère ; maintenant elle était tout ce que j'avais à aimer dans l'humaine vie... cette douce petite camarade de jeux, cette enfant de douze ans ! C'est ainsi qu'elle devint mon unique compagne, et volontiers ses pas erraient avec les miens aux lieux où se rencontrent la terre et l'Océan, au delà des aériennes montagnes dont les vagues sans repos ne cessent de battre les vastes cavernes, à travers les immenses et antiques forêts, et les vallées gazonnées, où des rameaux d'encens pleurent sur des sources d'émeraude.

XXVI

Plein d'ardeur et léger, je sentais sa main s'enlacer dans la mienne et la serrer ; elle me suivait partout où j'allais, à travers les solitaires sentiers de notre immortelle terre. Celle-ci n'avait point de désert qui ne me livrât quelque souvenir capable d'enflammer mon cœur à sa tâche, quelque monument vivant pour l'esprit ; alors Cythna voulait demeurer à mon côté jusqu'à ce que les brillants rayons du jour s'éteignissent, ses regards me suppliant de rester, trop ardents et trop doux pour jamais leur rien refuser.

XXVII

Aussitôt que je le pouvais, j'écoutais ses désirs. Ainsi pour toujours, jour et nuit, nous étions tous deux unis, sans nous séparer jamais que pour les courts instants du sommeil ; et, quand les pauses berçantes de l'air de midi près de la mer avaient préparé un abri à ses sens calmés, elle dormait dans mes bras ; et je veillais alors sur son sommeil, pendant qu'au gré des visions changeantes qui l'effleuraient, dans son innocent repos, elle souriait et pleurait tour à tour.

XXVIII

Et dans les murmures de ses rêves, on entendait quelquefois le nom de Laon. Tout à coup elle se levait, et, comme l'oiseau caché qu'éveille le lever du soleil, elle remplissait le rivage et le ciel de ses doux accents, — une étrange mélodie, des hymnes que mon âme avait consacrés à la liberté, capables de créer la passion d'où ils étaient sortis ; triomphants accords, qu'à l'instar d'une langue d'esprit, cette enfant de gloire chantait aux vagues charmées.

XXIX

Ses bras blancs s'élevaient dans le sombre courant de sa chevelure dénouée. Oh ! alors, qu'elle me semblait excellente et sublime, mon inspiration, le vaste thème de ces chants passionnés ! quand Cythna s'asseyait dans le calme que produit l'enthousiasme, après qu'il est tombé ; son cœur vibrant, son âme s'élançant de ses yeux profonds pour errer au loin sur la surface flottante de l'Océan, sur l'aile de visions qui étaient les miennes, au delà de son dernier essor.

XXX

Car, avant que Cythna l'aimât, mon chant avait peuplé de pensées l'univers sans bornes, une puissante foule, qui avait été assez forte, partout où elle avait rencontré les ténèbres, pour dissiper le nuage de cette inexprimable malédiction qui s'attache à l'espèce humaine ; toutes choses furent asservies à mon vers héroïque et sacré, terre, mer et ciel, planètes, vie et renommée, et destin, tout ce qui enchaîne la prodigieuse trame du monde.

XXXI

Et cette enfant aimée sentit ainsi l'influence de mes conceptions, comme un nuage recueillant le vent même sur lequel il roule et s'enfuit. Toutes mes pensées étaient siennes, avant que, revêtues de musique et de lumière, elles se résolussent en poésie ; et son silencieux et ardent visage, pâle des sentiments qui brûlaient si vivement en elle, se tournait vers le mien avec une inexprimable grâce, épiant les espérances dont son cœur avait appris à suivre la trace.

XXXII

En moi l'union avec cet être si pur alluma un zèle plus intense, et me rendit sage dans une science qui, en me montrant mon propre esprit dans le sien, laissa pour moi peu de mystères dans le monde humain. Comme Cythna était pure de crainte, de mal, de déguisement ! Quel esprit fort et doux, capable de mépriser la mort, la peine et le danger, et cependant se fondant en tendresse ! Quel étrange et puissant génie se trouvait renfermé dans une simple enfant !

XXXIII

Voici quelle était cette science nouvelle pour moi : la vieillesse, avec ses cheveux gris, et ses légendes ridées de choses insignifiantes, et ses railleries glacées, n'est rien. Elle ne peut oser briser les chaînes que la vie jette pour toujours sur les ailes ambitieuses de l'âme en proie à ses perplexités : tant elle est froide et cruelle, tant elle se fait l'esclave insouciante de ce sombre pouvoir répandant le mal, comme un fléau, sur l'homme, qui, toujours trahi, finit par rire sur le tombeau où gisent ses vives espérances.

XXXIV

Non, ce n'est pas aux forts et aux sévères qu'est

réservé l'empire du monde. Voilà ce que m'apprit Cythna jusque dans les visions de son sommeil éloquent, inconsciente du pouvoir avec lequel elle travaillait à la trame de cette pensée révélatrice ; pendant que, dans la force tranquille que berçait son repos peuplé de sourires, mon esprit cherchait pourquoi le menteur et l'esclave avaient triomphé des divins hérauts du jour naissant de la vérité.

XXXV

Dans cette admirable forme d'un esprit de femme, que n'avaient point souillé les nuages empoisonnés étendus sur le sombre monde, je trouvai un *home* sacré ; tandis que, du vaste sein maternel de la terre, le Mal victorieux, destructeur de tout naturel instinct, avait arraché ces enfants si belles, pour en faire des esclaves propres à charmer ses viles passions, à assouvir ses joies désespérées, jusqu'à ce qu'elles apprissent à respirer l'atmosphère du mépris.

XXXVI

Je n'avais que froidement senti cette misère, jusqu'au jour où Cythna devint mon unique amie, et élargit les sympathies de mon cœur. Alors elle pleura avec moi sur la servitude où croupissait la moitié de l'humanité, victime de la convoitise et de la haine, les esclaves des esclaves ; elle pleura sur cette grâce et ce charme jetés en pâture à la hyène Luxure, qui au milieu des tombeaux, riant dans l'agonie, dévore avec fureur sa dégoûtante proie.

XXXVII

Et moi, les yeux toujours tournés vers cette glorieuse

enfant, pendant que ces pensées rayonnaient sur elle: « Douce Cythna, lui disais-je, te voilà irréconciliable avec le monde ; et jamais la paix et l'humanité ne se rencontreront, jusqu'à ce que la liberté et l'égalité entre l'homme et la femme assurent la paix du foyer domestique ; et, avant que cette force puisse établir dans les cœurs humains son règne calme et saint, cet esclavage doit être brisé ! » Et comme je parlais, des yeux de Cythna sortait une lumière triomphante.

XXXVIII

Elle répliqua avec feu : « Ce sera ma tâche, oui, la mienne, Laon ! — Tu as assez d'autres conquêtes à faire, et tu ne seras pas jaloux de la gloire de la pauvre Cythna, si un jour elle t'amenait une heureuse armée de femmes pour se joindre à toi dans la plaine enthousiasmée, quand mille légions à ta voix se presseront autour de la Cité d'Or ! » — Alors l'enfant serra mon bras sur son cœur tremblant, et enroula le sien autour de mon cou, jusqu'à ce qu'elle trouvât une autre réplique.

XXXIX

Je souriais sans parler. — « Pourquoi souris-tu à ce que je dis ? Laon, je ne suis pas faible ; et quoique ma joue puisse toujours pâlir, avec toi, si tu le désires, je veux essayer, à travers les rangs de bataille de leurs esclaves enrôlés, de travailler à la ruine des tyrans. J'avais pensé qu'il me serait trop dur d'exposer au mépris et à la honte mon front inexpérimenté, et de quitter sans murmurer cet asile aimé et toi, ô le plus cher des amis !

XL

« Comment suis-je devenue ce que je suis ? Tu sais, Laon, comment rendre une jeune fille intrépide : il me semble que c'est une faculté que tu m'apportes en mariage, qui me pousse, en cherchant ta parfaite ressemblance, à devenir tout à fait bonne et grande et libre; cependant au delà des derniers rugissements de l'Océan, il y a dans les villes et les chaumières beaucoup de femmes comme moi, qui, si elles pouvaient voir tes yeux, ou en recueillir la science qu'ils m'ont apprise, comme moi ne craindraient plus rien au monde.

XLI

« Penses-tu que je parlerai inhabilement, et que personne ne se souciera de m'écouter ?... Je me souviens comment un jour un esclave condamné à mourir dans les tortures fut sauvé; comme on le menait à la mort, il chanta d'un accent doux et bas une chanson que son juge avait autrefois aimée. — Tous ceux qui m'entendront s'attendriront; les larmes couleront, comme ont coulé les miennes ; les cœurs battront comme bat maintenant le mien, avec une résolution capable de renouveler le monde, une volonté toute-puissante !

XLII

« Oui, je veux fouler les palais d'or de l'orgueil, je veux descendre dans les huttes sans toiture et les sordides cabanes de la pauvreté, partout où dans l'abjection une femme habite avec quelque vil esclave, son tyran ; là, la musique de tes doux enchantements rompra le charme des captifs, et des réservoirs de cristal de ton profond esprit versera à ceux qui désespèrent le puissant breuvage de la raison : leurs forces renaîtront, et l'espérance luira encore une fois.

XLIII

« L'homme peut-il être libre si la femme est esclave ? Enchaîne un vivant qui respire cet air sans bornes à la corruption d'un tombeau fermé ! Peuvent-ils, ceux dont les compagnes sont des bêtes condamnées à porter un mépris plus lourd mille fois que la fatigue ou l'angoisse, avoir le courage de fouler aux pieds leurs oppresseurs? Dans leur maison, au milieu de leurs enfants, tu sais quel anathème poursuit et consume la femme. — A l'abri de cet anathème, le Crime blanchi par l'âge voudrait se cacher et le Mensonge rebâtir le dôme chancelant de la Religion.

XLIV

« Je suis une enfant ! Je ne voudrais pas encore me séparer de toi... Cependant, quand j'irai seule, portant bien haut la lumière que tu as allumée dans mon cœur, des millions d'esclaves, du fond de mille humides cachots, bondiront de joie, en sentant l'étreinte glaçante des âges abandonner leurs membres. Aucun mal ne peut plus atteindre Cythna désormais ; la Vérité a imprimé, comme un charme invulnérable, son sceau radieux sur le front de son enfant, pour désarmer le noir Mensonge.

XLV

« Attends encore quelque temps le jour marqué. Tu partiras alors, et moi je me tiendrai tout en larmes sur le rivage, regardant ta voile sombre côtoyer le gris océan ; je resterai seule au milieu des habitants de cette terre solitaire. — A ta voix, l'angoisse sans repos du monde se dissipera, et, aussi nombreuses que le sable du désert porté sur l'ouragan, ses multitudes marcheront en avant, se pressant autour de toi, la lumière de leur délivrance.

XLVI

« Alors (comme les forêts de quelque montagne inexplorée, que du fond des plus lointains vallons deux vents se faisant la guerre enveloppent de flammes que ne pourrait éteindre le plus large courant d'un torrent déchaîné) toutes les formes du mal attireront sur elles l'étincelle sortie de nos esprits unis qui doit les consumer; — alors Cythna rompra les liens de l'impuissance qui enchaînent aujourd'hui son enfance, et elle marchera dans les sentiers des hommes, comme un oiseau charmé qui se sent attiré vers la caverne du serpent.

XLVII

« Nous séparer ! — O Laon, aurai-je le courage, sans trembler, de ne plus rencontrer tes regards ? O coup terrible ! Doux frère de mon âme, puis-je déguiser l'agonie où cette pensée me jette ? » — Comme elle parlait ainsi, les sanglots étouffèrent sa voix tremblante, et elle cacha dans mes bras sa tête palpitante. Je restai silencieux et laissai couler mes larmes. Soudain elle s'éveilla comme on s'éveille du sommeil, et pressa violemment ma poitrine, tout son corps agité d'une secousse impétueuse.

XLVIII

« Nous nous séparons, dit-elle, pour nous retrouver encore. Mais ni l'abîme bleu, ni l'immense et profond désert, ne recèlent aucune retraite où, dans un heureux silence ainsi embrassés, nous puissions survivre à tous les maux dans une seule caresse, — ni le tombeau !... je crains qu'il ne connaisse plus de passion, — ni ce froid ciel vide ! — Nous nous rencontrerons encore dans les esprits des hommes, dont les lèvres béniront notre mémoire, et dont les espérances garderont sa lumière, quand ces os dispersés seront foulés aux pieds dans la plaine ! »

XLIX

Je ne pouvais parler, quoiqu'elle se soit tue ; maintenant les sources de son sentiment, si rapides et si profondes, semblaient suspendre le tumulte de leur cours. Nous nous levâmes, et par l'escarpement éclairé des étoiles nous retournâmes vers notre demeure, — sans parler et sans pleurer, — mais pâles et calmes sous la passion intérieure. Ainsi subjugués, comme les ombres du soir qui rampent sur les montagnes, nous reprîmes le chemin de notre *home*, et là, dans les dispositions d'esprit où nous étions, nous nous séparâmes l'un de l'autre, pour chercher un refuge dans la solitude.

CHANT III

I

Quelles pensées visitèrent cette nuit-là le sommeil solitaire de Cythna, je ne sais; mais le mien me sembla plus long que dix mille ans de veille, rempli des visions d'un rêve où le courant troublé de mon esprit s'engouffra dans un obscur abîme; un chaos sauvage et sans bornes, dont les limites défient tous les efforts de la mémoire; et pendant que ces tourbillons passaient, j'étais haletant, tantôt malade d'extase, tantôt hagard de douleur.

II

Deux heures, dont le cercle embrassa plus de temps qu'il n'en faudrait pour faire du monde enfant un vieillard grisonnant, passèrent ainsi, une éternité de fatigue et de tumulte. Quand vint la troisième, comme un brouillard ondoyant sur les brises, de mon sommeil troublé une ombre se dégagea. Il me sembla que j'étais assis avec Cythna sur le seuil d'une caverne; une bryone languissante, emperlée de gouttes de rosée qu'éparpillaient les vagues turbulentes d'un petit ruisseau, pendait sur le siège où nous étions assis goûtant les joies que donne la Nature.

III

Notre vie ce jour-là ressemblait à notre vie de tous les jours ; mais la Nature avait un manteau de gloire, et sur chaque forme l'air brillant répandait des couleurs plus intenses, si bien que la pierre sans herbe, le rameau sans feuilles, solitaire au milieu du feuillage, revêtaient une nature supérieure à la leur ; et dans cette étrange vision, la pure et rayonnante Cythna me semblait si divine que, si jusqu'alors je l'avais aimée, en ce moment l'amour était une agonie.

IV

Le matin s'enfuit, midi vint ; le soir, puis la nuit descendirent, et nous prolongions notre calme promenade sous la sphère de la calme lune, — quand soudain un inexprimable sentiment de crainte se mêla à notre quiétude ; et du fond de la caverne il me semblait entendre des sons qui montaient, accents inachevés et cris étouffés, — puis, se rapprochant de plus en plus, un tumulte et un fracas précipité de pas nombreux, battant les profondeurs secrètes de la caverne sous la terre.

V

La scène changea, et toujours en avant, en avant, en avant, à travers l'air et sur la mer nous volions, et Cythna était couchée sur mon sein qui l'abritait, et les vents m'emportaient : au milieu des ténèbres environnantes, la terre s'entr'ouvrant ne cessait de vomir des légions de formes horribles et spectrales, suspendues sur mon vol, et, pendant que nous fuyions, elles essayaient de m'arracher Cythna. Bientôt un profond sentiment des choses réelles me pénétra au milieu de ces monstrueux rêves.

VI

Et je me débattais violemment dans l'impuissance du sommeil, pendant qu'au dehors la vie éclatait déchaînée; et cependant, toujours sous l'illusion, mon esprit torturé s'efforçait de rattacher à ces affreuses divagations les bruits qui, dans la lumière du matin, se répandaient autour de notre demeure. Hors d'haleine, pâle, ne me doutant de rien, je me levai ; et toute la campagne se trouvait couverte d'hommes armés, dont les épées nues étincelaient, et dont les membres dégradés portaient la livrée du tyran.

VII

Et, avant que mes lèvres rapides et mon front assombri pussent demander la cause, un faible cri, un murmure affaibli, lointain et bas, m'arrêta. Mon visage devint calme et doux, et, saisissant un petit poignard, je m'avançai pour chercher cette voix parmi la foule. — C'était le cri de Cythna ! — Sous le calme le plus résolu l'agonie assouvit sa rage tourbillonnante. Je restai impassible, jusqu'à ce que je visse où gisait dans les fers cette enfant bien-aimée.

VIII

Je tressaillis en la voyant ; le bonheur et l'exultation, une joie libre, solennelle, sereine et sublime, remplissait la lumière du calme sourire avec lequel elle me regardait; si bien que je craignis que son malheur amer n'eût frappé de démence sa cervelle égarée ... « Adieu, adieu ! » dit-elle, quand je fus près d'elle ; tout d'abord ma paix fut troublée par cet étrange tumulte : maintenant je suis calme comme la vérité, son ministre choisi.

IX

« Ne me regarde pas ainsi, Laon ; — dis-moi adieu dans l'espérance ; ces hommes de sang ne sont que des esclaves qui portent leur maîtresse aux lieux où sa tâche doit s'accomplir. C'était mon rêve de partager l'esclavage où ils me traînent aujourd'hui, et de porter volontairement les chaînes de la captivité jusqu'au jour... Tu sais le reste ! Retourne, cher ami ! Que notre premier triomphe foule aux pieds le désespoir qui voudrait maintenant nous tendre des pièges ; car à la fin, nos espérances et nos craintes doivent se fondre dans la victoire ou dans la mort. »

X

Ces paroles tombèrent dans mon oreille distraite, pendant que j'examinais les mouvements de la foule d'un regard en apparence insouciant ; il n'y avait pas beaucoup d'hommes autour d'elle ; leurs compagnons s'étaient retirés pour garder quelque autre victime. — Je tirai donc mon poignard, et d'un seul élan soudain, sans qu'ils s'y attendissent, j'en poignardai trois du nombre, puis j'en saisis un quatrième à la gorge, et avec un cri retentissant j'appelai mes compatriotes à la mort ou à la liberté.

XI

Ce qui se passa ensuite, je l'ignore ; — car un coup s'abattit sur mon bras levé et ma tête nue, remplissant mes yeux de sang. — Quand je m'éveillai, je sentis qu'ils m'avaient lié pendant mon évanouissement, et qu'ils me portaient par un sentier escarpé sur un rocher suspendu au-dessus de la ville ; en bas la plaine était remplie de carnage, les vignes et les moissons saccagées, et la lueur des toits en flammes brillait au loin sur la blanche étendue de l'océan.

XII

Sur ce rocher se dressait une puissante colonne, dont le chapiteau semblait sculpté dans le ciel, et qui pendant de longs âges écoulés avait servi de fanal aux voyageurs errant sur la solitude des mers lointaines ; c'est à peine si le nuage, le vautour ou le vent peuvent atteindre sa hauteur de leur vol, et quand les ombres du soir s'étendent sur la terre et l'Océan, son faîte découpé reflète encore au loin dans le désert aérien la lumière du jour disparue.

XIII

Ils me portèrent dans une caverne sur la hauteur, au bas de cette colonne, et là me délièrent. L'un me dépouilla complètement ; un autre remplit un vase à une mare putride ; un autre portait une torche allumée, pendant que quatre autres guidaient brutalement mes pas à travers les sinuosités de la caverne. Puis nous gravîmes un escalier escarpé, noir et étroit, jusqu'à ce que la langue farouche de la torche languît pâle et sans rayons au milieu du jour étincelant.

XIV

Ils me firent monter jusqu'à la plate-forme de l'édifice, au sommet vertigineux de la colonne ; la grille d'airain, par laquelle ils me poussèrent, resta ouverte, pendant qu'à sa masse pesante et suspendue ils attachèrent mes membres nus avec des chaînes dont les anneaux d'airain, hélas ! rongent les chairs ! La grille, à leur départ, tomba avec un horrible fracas, et au loin le bruit de leurs pas qui s'éloignaient s'étouffa dans la profondeur de l'ombre.

XV

Le plein midi était calme et brillant; autour de la colonne le ciel suspendu et la mer environnante, dans un profond et solennel silence, jetèrent sur moi les ténèbres d'un court délire, si bien que je ne connus pas ma propre misère. Les îles et les montagnes reposaient au loin dans le jour, comme des nuages; et je pouvais voir la ville couchée en bas au milieu des forêts et les sombres rochers qui enchaînaient la baie brillante et unie.

XVI

Il régnait un tel calme qu'à peine on entendait le brin d'herbe, léger comme une plume, semé par quelque aigle sur le plus élevé des rochers, bruire dans l'air; le ciel était si brillant que la lumière de midi ne laissait tomber aucune ombre à côté de la mienne, — de la mienne, seule avec l'ombre de ma chaîne. Au-dessous de moi, la fumée des toits, enveloppés de flammes, s'étendait lourdement comme la nuit; tout le reste apparaissait lumineux dans cette large clarté — et je n'entendais aucun bruit que celui du sang vivant qui circulait dans mes veines.

XVII

Le calme de la démence s'évanouit trop tôt, hélas! Un vaisseau était couché sur la mer ensoleillée; ses voiles pendaient mollement dans le midi sans haleine, son ombre dormait à ses côtés. Cette vue réveilla dans mon cerveau extasié l'aiguillon d'un chagrin connu, aigu et froid; je compris que ce vaisseau portait Cythna sur la plaine liquide vers l'affreux esclavage pour lequel elle était vendue ; et j'y songeai avec des pensées telles, qu'elles ne doivent pas être dites.

XVIII

J'y songeai, jusqu'au moment où les ombres du soir enveloppèrent la terre comme une exhalaison. Alors l'embarcation se mit en mouvement; le coucher du soleil avait rompu le calme. Elle se mouvait comme un point sur le sombre Océan : bientôt les pâles étoiles apparurent, et je ne vis plus ses traces. Je cherchai à fermer mes yeux, mais, comme les prunelles, leurs paupières étaient dures et raides ; j'aurais voulu me lever; mais avant de pouvoir me lever, ma peau brûlante était déchirée par les pointes de l'agonie.

XIX

Je mordais ma chaîne d'airain, et cherchais à briser ses anneaux de diamant sans pouvoir mourir ! O Liberté ! pardonne cette lâche faiblesse, pardonne si un instant, réservé pour la victoire, le champion de ta foi a cherché à s'enfuir ! — Cette nuit étoilée, avec son lumineux silence, fit naître en moi une résolution intrépide qui se riait de la misère dans mon âme ; — l'enchaînement de mes souvenirs rendit à mon âme cette force, et à moi cette austère volupté.

XX

Respirer, être, espérer... ou désespérer et mourir ! ce ne fut plus une question pour moi ; et soit que le soleil dardât sur moi ses traits d'agonie enflammés dans l'air, soit que, à la tombée du soir, ou quand les étoiles s'élancent dans leur course visible, ou au matin, l'immense univers répandit autour de moi son formidable calme, je ne songeai plus à esquiver sa présence, ni à chercher avec les morts un refuge dans une faible espérance dont la fleur distille le poison.

XXI

Deux jours passèrent ainsi. Je ne délirai pas, je ne mourus pas ! La soif dans mon sein exerçait sa rage, comme un nid de scorpions construit dans mes entrailles; j'avais renversé du pied le vase d'eau, alors que le désespoir possédait mes pensées, et maintenant il n'y restait plus une goutte. Avec le troisième soleil levant vint la faim ; mais la croûte de pain qui m'avait été laissée, dans ma poitrine insatiable, ne fit qu'alimenter la faim sans la rassasier. Je mangeai l'amère poussière, je mordis mon bras exsangue et je léchai la rouille d'airain.

XXII

Ma cervelle commença à défaillir quand le quatrième matin brilla sur les îles d'or. Un sommeil rempli de terreurs, qui, à travers les sombres et sinistres cavernes de mon âme déchirée, envoya ses hideux cauchemars la balayer de leurs rapides tourbillons, — une chute lointaine et profonde, un gouffre, un vide, la sensation de l'absence de sensations, — toutes ces choses firent leur séjour en moi, comme les ombres qui établissent leur domicile dans l'obscure solitude d'un charnier — une mer sans rivages, un ciel sans soleil et sans planètes !

XXIII

Les formes qui peuplaient ce terrible délire sont parfaitement restées dans ma mémoire. Comme un chœur de démons, elles entrelaçaient autour de moi une danse vertigineuse ; des brouillards de l'Océan, des légions semblaient se réunir pour remplir les vides de ces bacchanales sans fin, hideux fantômes sans repos ; la pensée ne pouvait distinguer le monde réel de cet enchevêtrement d'ombres, qui se jouaient d'elles-mêmes, au point que toutes ces formes aussi bien que mon propre être me semblaient hideusement multipliées.

XXIV

Le sentiment du jour et de la nuit, du faux et du vrai, était mort en moi. Cependant deux visions surgirent de ces ténèbres. L'une, comme je l'ai reconnu depuis, n'était pas un des fantômes de ces royaumes maudits, où mon esprit alors habitait... Je ne sais pas encore, quant à l'autre, si c'était un rêve ou non. — Toutes deux, sans être plus distinctes, étaient enveloppées de nuances qui, maintenant qu'elles flottent dans le désert de la mémoire, rendent leur cours divisé plus brillant et plus rapide.

XXV

Il me sembla que la grille était levée, et que les sept hommes qui m'avaient amené dans ce lieu y apportaient quatre cadavres raidis, et qu'à la frise ils les pendaient aux quatre vents du ciel par les tresses de leur chevelure ; trois étaient basanés, le quatrième était très beau. Comme ils se retiraient, la lune d'or surgit, et aspirant avidement dans l'air délirant quelque chose à manger, j'étendis les mains, étreignant la profondeur sans forme où ces cadavres pendaient.

XXVI

Une forme de femme, maigre et froide et bleue, séjour des vers aux mille couleurs, était pendue, j'attirai sa joue pâle et creuse sur mes lèvres desséchées. — Quel rayonnement transforma ces yeux insensibles ? A qui appartenait cette forme défigurée ? Hélas ! Hélas ! Il me sembla que l'ombre de Cythna riait dans ces yeux, et que sa chair était chaude sous mes dents ! — Un tourbillon aigu comme la gelée secoua alors mon esprit accablé et l'entraîna dans les profondeurs de son

XXVII

Alors il me sembla qu'un formidable ouragan s'élevait et m'entraînait dans sa sombre carrière au delà du soleil, au delà des étoiles qui s'évanouissent sur le bord de l'espace sans forme ; puis il s'apaisa, et mourut, laissant un silence solitaire et terrible, plus horrible que la faim même. Dans l'abîme, la forme d'un vieillard m'apparut alors imposante et belle ; ses célestes sourires dissipèrent ce sommeil plein d'épouvante, et je pus me réveiller et pleurer.

XXVIII

Et, quand les larmes aveuglantes furent tombées, je vis cette colonne, et ces cadavres, et la lune, et je sentis les dents empoisonnées de la faim ronger ce qu'il y avait encore de vital en moi ; j'en ressentis de la joie comme si bientôt la faveur de la mort insensible m'allait enfin être accordée; — quand tout à coup, de cette obscurité sépulcrale, une voix s'éleva, solennelle et douce, comme lorsque les vents accordent tout bas les pins à minuit ; la grille s'ouvrit, et la lumière de la lune s'arrêta sur cette apparition vénérable.

XXIX

Il brisa mes chaînes, me parla doucement et me sourit; et pendant que le vieil ermite me délivrait, mes yeux, à moitié remis de leur démence, ne pouvaient qu'imparfaitement répondre à ses regards pleins de bonté. Il m'entoura de ses bras géants pour soutenir mon corps épuisé; il enroula mes membres calcinés dans le linge humide et balsamique, aussi frais que la rosée pour les feuilles altérées; la chaîne, avec un bruit semblable à celui d'un tremblement de terre, alla bondir dans le gouffre du rapide escalier.

XXX

Ce que j'entendis ensuite, ce furent les vagues sautant sur la jetée et le bruit aigu du vent de mer, dont le souffle agitait doucement ma chevelure; je regardai devant moi, et je vis une étoile brillant à côté d'une voile, et bien loin cette montagne et cette colonne, fanal connu de ceux qui errent sur le vaste abîme, — et je craignis que quelque génie cruel et sombre ne m'eût encore, dans le délire, transporté dans une barque diabolique.

XXXI

En effet, maintenant sur la vague salée je voguais... sans oser toutefois regarder la forme de celui qui dirigeait le gouvernail (quoique ma tête allégée reposât sur son sein, et que son manteau enveloppât mes membres nus) dans la crainte que ce ne fût un démon. Enfin, il pencha sur moi sa vénérable tête, comme pour dissiper ces pensées de crainte, et son sourire caressant descendit au plus profond de mon âme.

XXXII

De temps en temps il portait à mes lèvres un doux et salutaire breuvage; tantôt il levait les yeux au ciel pour observer si le géant étoilé plongeait sa ceinture dans la sombre mer ; tantôt, bien qu'il dît peu à la fois, il me parlait gaiement : « Tu as un ami près de toi ; tiens-toi en joie, pauvre victime, te voilà maintenant en liberté ! » En entendant ces accents humains, je me réjouissais, comme ceux qui ont langui de longues années dans la solitude d'un profond cachot.

XXXIII

Une obscure et faible joie, dont les lueurs souvent s'éteignirent dans l'égarement de nouveaux rêves ! Cependant il me semblait toujours que nous voguions, jusqu'au moment où dans le ciel les étoiles de la nuit pâlirent, et les rayons du matin descendirent sur les courants de l'Océan ; et toujours ce grand et doux vieillard me veillait, de même qu'une mère abîmée dans la douleur se penche dans l'espérance sur son enfant mourant, jusqu'à ce que les ténèbres s'amoncelassent de nouveau dans l'est azuré.

XXXIV

Puis le vent de la nuit, s'exhalant du rivage, envoya des parfums qui venaient doucement mourir le long de la mer, et les petites vagues qui portaient le rapide bateau furent coupées en biais par sa quille tranchante ; bientôt je pus entendre les feuilles soupirer, et je pus voir les fleurs du myrte étoilant l'obscur bosquet, et au delà de la grève caillouteuse, le bateau s'enfuit sur un vent oblique dans une crique silencieuse, où les pins d'ébène entremêlaient leurs ombres sous la lumière des étoiles.

CHANT IV

I

Le vieillard prit les rames, et bientôt la barque toucha la grève à côté d'une tour de pierre. C'était une masse s'effritant en poussière, dont le sombre portail était tapissé par les ondulations du lierre en fleur ; sous ce portail le sol était parsemé de sables pailletés et de très rares coquilles marines que le flux éternel, esclave de la mère des mois, avait jetées sous les murs de cette grise tour, qui se dressait là comme un enfant supposé de l'art humain nourri parmi les enfants de la Nature.

II

Quand le vieillard eut mis à l'ancre son embarcation, il me prit dans ses bras avec une tendre sollicitude ; il m'adressa peu de paroles, mais des paroles de bonté, et me porta dans la tour au bas d'un escalier dont les marches polies, usées sous des pas incessants depuis de longues années, tombaient en ruine. Enfin nous arrivâmes à une petite chambre tapissée de mousses rares, où ses douces mains me déposèrent sur une couche d'herbes et de feuilles de chêne entrelacées.

III

La lune dardait à travers les treillis sa jaune lumière, aussi chaude que les rayons du jour, si chaude que, pour laisser passer la brise humide de rosée, le vieillard les ouvrit; la lumière de la lune s'étendait sur un lac dont les eaux venaient entremêler leurs jeux jusqu'au seuil de cette charmante demeure; à l'intérieur on voyait, à l'obscure clarté du rayon ondoyant, l'antique plafond sculpté et de nombreux volumes, où ce sage avait puisé la science qui l'avait fait tout ce qu'il était devenu.

IV

La barrière de rochers de la mer était bien loin, et j'étais sur le bord d'un lac, un lac solitaire, au milieu de vastes forêts et de montagnes neigeuses. Mon esprit s'éveillait-il de ce sommeil aussi nuancé que le serpent qui ceint l'éternité? Mon cœur ne pouvait-il pas étancher dans la vie et la vérité l'ardeur de ses désirs? Cythna était-elle donc un rêve, un rêve toute ma jeunesse, toutes ces espérances et ces craintes, toute cette joie et cette pitié?

V

Ainsi la démence recommençait, mais une démence plus douce, qui n'obscurcissait rien que le cours sans repos du temps des ombres surnaturelles d'une cuisante tristesse. Dans mon malheur désespéré, le bon ermite allait et venait affairé autour de ma couche douloureuse, comme un esprit de force au service du bien. Quand je fus guéri, il me fit sortir pour me montrer les merveilles de sa sylvestre solitude, et nous nous assîmes ensemble près du flot qui battait le rivage de l'île.

VI

Il savait adroitement trouver des paroles caressantes, empruntées aux préoccupations de ma démence ; comme mon propre cœur, il m'entretenait volontiers de Cythna, jusqu'à ce que ce nom palpitant eût cessé de me faire tressaillir, en sortant de ses lèvres familières. Ce n'était pas de l'art, quand il parlait de sagesse et de justice, quand ses doux regards de pitié me pénétraient d'une lueur aussi vive que l'est le trait de l'éclair, lorsqu'il fend les rameaux noueux de quelque chêne séculaire.

VII

Ainsi lentement les ténèbres s'enfuyaient de mon cerveau ; mes pensées reprenaient leur cours régulier sous les enchantements du vieil ermite. Alors je compris le glorieux destin de ceux qui emploient énergiquement tous leurs efforts à rallumer la lampe de l'espérance sur les égarements de l'homme ; et assis près des eaux dans le crépuscule du soir, je dis à ce cœur d'ami toute ma pensée, — à ce cœur qui avait pu vieillir, mais sans jamais se corrompre.

VIII

Cet homme blanchi par les ans avait passé sa longue vie à converser avec les morts, qui laissent sur plus d'une page le sceau de pensées toujours rayonnantes alors qu'ils sont descendus dans l'insensible humidité du tombeau : son esprit était ainsi devenu un flambeau de lumière, comme ceux dont il se nourrissait. A travers les agglomérations d'hommes, camps et cités, une profonde soif de science avait conduit ses pas, et il savait lire dans toutes les voies des hommes à travers l'humanité.

IX

Mais la coutume rend aveugles et endurcit les cœurs les plus hauts ; il avait vu les malheurs qui enchaînaient l'espèce humaine ; mais il jugeait que le destin qui l'avait condamnée à cette abjection la maintiendrait dans cet état ; et dans une telle conviction, pour goûter quelque solide joie, il avait cherché cette retraite. Cependant, quand le bruit se répandit qu'un homme en Argolide souffrait la torture pour la liberté, et que la foule avait entendu et compris les hautes vérités qui sortaient de ses lèvres inspirées.

X

Quand il apprit que les multitudes s'ébranlaient, son esprit tressaillit dans son vieux corps ; il ne pouvait plus vivre dans une douce paix ; il vint sur la terre où la fureur du vainqueur s'était assouvie, sur ma terre natale. Là tout cœur était un bouclier, toute langue une épée... de vérité ; le nom du jeune Laon ralliait leurs secrètes espérances, pendant que les tyrans chantaient des hymnes de triomphante joie au milieu de nos tribus dispersées.

XI

Il arriva à la colonne solitaire sur le rocher, et sa douce et puissante éloquence put attendrir les cœurs de ceux qui la gardaient, et faire couler de leurs yeux les larmes du repentir. Ils le laissèrent entrer librement pour m'emporter. — « Depuis lors, dit le vieillard, sept ans se sont écoulés, pendant lesquels la vérité a pénétré lentement ton sens enténébré ; l'espérance qui l'égarait m'a en même temps communiqué la force d'un sublime dessein.

XII

« Oui, de tous les souvenirs de ma première jeunesse, de la science des anciens bardes et sages, de toutes les créations que ma pensée réveillée a tirées des espérances de tes hardies aspirations, je me suis fait un langage capable de révéler la vérité à mes concitoyens; de rivage en rivage mes paroles ont proclamé les doctrines de la puissance humaine; elles ont été entendues et aujourd'hui les hommes aspirent à de plus grandes conquêtes que toutes celles qu'ils ont jamais faites ou perdues jusqu'ici.

XIII

« Dans le secret de leurs chambres, les parents lisent en pleurant mes écrits à leurs enfants, qui ont cessé d'être aveugles; les jeunes hommes se réunissent quand leurs tyrans dorment; et se lient l'un à l'autre par de fidèles serments; les vierges nubiles, qui avaient langui d'amour jusqu'à ce que la vie semblât fondre dans leurs regards, ont trouvé maintenant un zèle plus ardent, une plus noble espérance; et chaque poitrine est agitée et emportée dans le ravissement, comme des myriades de feuilles d'automne sur un torrent gonflé.

XIV

« Les tyrans de la Cité d'Or tremblent au son des voix qui s'entendent dans les rues; les ministres de la fraude peuvent à peine dissimuler les mensonges de leur propre cœur; mais, quand ils se rencontrent dans le sanctuaire, ils savent bien intérieurement, quoiqu'ils ne disent rien, que la vérité est connue; les meurtriert pâlissent devant le tribunal; l'or devient vil même pour la vieille femme opulente; les rires emplissent le temple, et les malédictions ébranlent le trône.

XV

« Les bonnes pensées, les fortes espérances, et les louables actions abondent; car l'intrépide amour, et la loi pure de douce égalité et de paix succèdent aux dogmes qui ont si longtemps maintenu le monde dans la crainte, le mensonge, la froideur et le sang. Comme les tourbillons entraînent dans leur gouffre tous les débris de l'Océan, ainsi l'essor de ton puissant génie, ô Laon, qui a prévu cette espérance, force tous les esprits à obéir et à se presser en immenses rangs de bataille autour de ta secrète puissance.

XVI

« Je n'ai été que ton passif instrument. » — Pendant que le vieillard parlait ainsi, sa face rayonnait sur moi comme celle d'un esprit: — « C'est de toi que m'est venu, qu'est venu à tous, le pouvoir de s'acheminer vers cette délivrance non prévue de nos chaînes séculaires; .... oui, c'est toi qui as élevé cette lampe d'espérance que le temps ni le hasard ni le changement ne peuvent éteindre; et ce bien m'était réservé de projeter ses rayons condensés sur le monde.

XVII

« Mais, hélas! je suis à la fois inconnu et âgé; et, quoique je sache bien revêtir le tissu de la sagesse des teintes du langage, j'ai des apparences froides, et mon extérieur indique que j'ai longtemps repoussé les espérances abritées dans mon âme; mais le nom de Laon a été pour la foule tumultueuse l'étoile dont les rayons soulèvent les vagues et les tempêtes, et sa langue victorieuse des âmes a été comme une lance qui a abattu le cimier armé du crime.

XVIII

« Peut-être le sang n'aurait pas besoin de couler, si enfin tu voulais te lever ; peut-être les esclaves mêmes voudraient épargner leurs frères et eux-mêmes. Grande est la puissance de la parole, — car naguère une belle vierge, qui dès son enfance avait appris à porter le joug le plus pesant de la tyrannie, se leva et révéla à son sexe la loi de la vérité et de la liberté ; avec ces simples mots : « pour l'amour de toi, de grâce, épargne-moi, » elle sut si bien émouvoir de pitié.

XIX

« Tous les cœurs, que le bourreau même qui avait lié son corps doux et calme, au moment même du supplice, fut ébranlé et pleura ; et il ne se trouva pas une main humaine pour lui faire du mal. Elle se promène en toute sécurité à travers la grande cité, voilée dans l'éloquence incorruptible de sa vertu, triplement cuirassée contre le mépris, la mort et la souffrance, unissant en elle, dans les sourires qui la défendent, le serpent et la colombe, la sagesse et l'innocence.

XX

« Les femmes aux yeux farouches se pressèrent autour de ses pas ; de leurs somptueuses prisons, des réduits des derniers esclaves, du sein de l'opulence de l'oppresseur, ou des caresses de sa luxure assouvie, elles accourent en foule ; elles mettent en elle toute leur confiance. Les tyrans envoient leurs esclaves armés pour abattre son pouvoir ; ceux-ci, comme un coup de tonnerre étouffé dans quelque forêt, s'inclinent sous le charme des discours de la jeune vierge, et se révoltent contre leurs chefs.

XXI

« Ainsi elle enseigna l'égalité et la justice à la femme si longtemps outragée et souillée, recueillant le plus doux fruit qu'il soit donné à l'homme d'atteindre dans ces belles mains maintenant libres, pendant que le crime armé, malgré sa force, tremble devant son regard. Ainsi elle abrite près d'elle des milliers de femmes, vierges brillantes, et matrones avec leurs enfants, une imposante multitude ; les amants renouvellent les engagements qu'ils ont jurés dans un premier serment, et des cœurs longtemps séparés sont maintenant unis.

XXII

« Près d'elle les orphelines sans abri trouvent un oyer ; ainsi que ces pauvres victimes de l'orgueil... belles épaves, sur qui le monde souriant fait peser à grand fruit le rachat de sa perversité. Dans ses hideux repaires, ou dans ses palais la Luxure trône seule, pendant que sur la terre retentit sa voix, dont la douceur redoutable réprime tout mal ; et ses ennemis attendris reviennent et jettent le suffrage de l'amour dans l'urne abandonnée de l'espérance.

XXIII

« Ainsi, dans la cité populeuse, une jeune vierge a arraché à la Destruction la proie que celle-ci regarde comme sienne, partout où, surchargés de chaînes, les hommes s'en sont fait des armes pour jeter à bas la tyrannie, arbitre mensonger entre l'esclave et l'homme libre; et sur la terre, dans les hameaux et dans les villes, la multitude se rassemble en tumulte et vole aux armes, pendant que la tyrannie repousse les revendications du droit et ramasse ses forces autour de ses trônes tremblants.

XXIV

« Bientôt l'homme libre ne peut s'empêcher, quoique bien malgré lui, de verser le sang. La reine des esclaves, l'ange aux yeux bandés des aveugles et des morts, la Coutume, de sa masse de fer, indique les tombeaux, où son étendard désolé flotte sur la poussière des prophètes et des rois. Elle compte pourtant bien des hommes dans ses rangs, elle pave son sentier de cœurs humains, et sur lui jette la lueur égarante de ses incommensurables ailes.

XXV

« Il y a une plaine au-dessous des murs de la cité, enlacée de montagnes brumeuses, étendue et vaste; là des millions d'hommes élèvent à l'appel frémissant de la Liberté dix mille grands étendards; ils remplissent le vent, qui porte mille voix ne formant qu'un son en passant, et fait frémir sur son trône leur ennemi couronné. Il est assis frappé de stupeur au milieu de sa vaine pompe, et il ne sait pas que son pouvoir n'est plus. Pourquoi les épées victorieuses hésitent-elles à sceller sa ruine?

XXVI

« Les gardes du tyran soutiennent la résistance; hardis, farouches et durs comme des bêtes de sang ils forment un point au milieu de la foule qui couvre la plaine. Dès l'enfance, le carnage et la ruine ont été leur pâture, le mal a été leur bien, et c'est pour le haineux amour de ce mal que leur volonté a forgé les chaînes qui rongent leurs cœurs. La multitude qui les enveloppe essaye, avec des paroles d'amour humain, de fléchir au nom de leur propre salut leurs esprits obstinés.

XXVII

« Sur la plaine il se fait un calme soudain, pendant que nuit et jour, autour de ces bandes sans pitié, se monte la garde de l'amour — une extase qui frappe la pensée d'une terreur mêlée d'espérance. De même, quand le fracas du tourbillon, dont les souffles furieux confondent les vagues et les nuages, subitement s'apaise, le marinier terrifié sent le silence tomber sur son cœur; ainsi enchaînés les vainqueurs s'arrêtèrent. Oh ! puissent les hommes libres ne jamais embrasser les genoux impitoyables de la Terreur, ce meurtrier !

XXVIII

« Si le sang est versé, ce n'est plus qu'un échange de chaînes, un passage de l'esclavage à la lâcheté... une lamentable chute!... Élève ta voix inspirée! Verse sur ces hommes méchants l'amour qui voltige dans ces yeux enchanteurs! Debout, mon ami! Adieu !... » Et quand il eut parlé ainsi, je me levai légèrement sur la terre verdoyante, comme quelqu'un qui se réveille d'un sombre rêve, et je regardais la profondeur du lac paisible.

XXIX

J'y vis mon image réfléchie, et alors ma jeunesse se présenta à moi avec l'impétuosité du vent, qui descend sur des eaux tranquilles. Ma mince chevelure était prématurément grise ; ma face était traversée de ces rides que laisse après elle la souffrance, non l'âge ; mon front était pâle ; mais sur ma joue et mes lèvres un afflux de feu dévorant trouvait sa nourriture ; pendant que par mes yeux pouvait parler un esprit subtil et fort dans un corps si faible.

XXX

Et, quoique leur éclat fût alors évanoui, cependant dans mes regards creux et sur mes traits amaigris se voyait toujours la ressemblance d'une forme pour laquelle avait été tissée la plus brillante étoffe du génie, forme disparue, me semblait-il, de la scène de ce monde qu'elle avait laissée vide ; c'étaient les traits de son frère (1), ils pouvaient ressembler aux siens. Ils avaient été autrefois le miroir de ses pensées, et la grâce jetée par l'ombre de son esprit y laissait toujours quelque trace.

XXXI

Qu'étais-je alors ? Elle sommeillait avec les morts. Gloire et joie et paix étaient venues et parties. Le nuage périt-il quand les rayons qui baignaient d'or sa lisière se sont enfuis ? ou, noir et solitaire, porté inconnu à travers les sentiers de la nuit sur les ailes déployées de son propre vent ne verse-t-il plus de pluie sur la terre ? Les étoiles se montrent, quand la froide lune aiguise sa corne d'argent sous la mer, et viennent peupler la vaste nuit.

XXXII

Raffermi dans mon cœur, et cependant triste, je

(1) Dans la *Révolte de l'Islam*, on lit : « De son amant. »

quittai ce vieillard, non sans échanger des regards et des larmes, et un long adieu ; puis je m'acheminai vers le camp. Mon esprit porta mon corps sur bien des chaînes de montagnes, élevant bien haut leurs mille crêtes, à travers bien des vallées et bien des bruyères : et en ce moment la terre sereine semblait jouir avec délices de la brillante investiture du Printemps en fleurs, une vision qui empruntait quelque chose de triste à ma propre tristesse.

XXXIII

Mes forces revivaient en moi, et j'allais, comme quelqu'un que portent les vents sur l'herbe courbée, à travers mainte vallée de ce large continent. La nuit, quand je reposais, de beaux rêves passaient devant mon oreiller. Ma Cythna s'y trouvait toujours mêlée, mais non plus semblable à un enfant de la mort ; quand je me réveillais de mon repos, une masse terrifiante semblait séparer de ma vie ce délicieux sommeil, comme si la lumière de la jeunesse n'avait pas disparu pour toujours.

XXXIV

Et toujours, pendant que j'allais, cette vierge qui avait élevé si haut la torche de la vérité, dont l'ermite dans son pèlerinage avait entendu raconter les hauts faits, hantait mes pensées. Ah ! l'espérance repaît son mal de tout ce qu'elle trouve, fleurs ou mauvaises herbes ! Cette vierge pouvait-elle être Cythna ? Ce cadavre que j'avais vu n'était-il qu'une forme telle que la pensée qui se torture elle-même en enfante dans son délire ? Cependant elle faisait autour de mes pas comme une lumière qui ne devait jamais s'évanouir.

CHANT V

I

J'arrivai enfin sur le dernier sommet, un escarpement de neige. La lune pendait bas sur les montagnes de l'Asie, et au dessous s'étendaient la plaine, la cité et le camp, bordés des flots de l'Océan faiblement illuminés de la lueur de minuit ; les sommets de la cité éclairés par la lune et des myriades de lampes brillaient comme des étoiles dans un ciel sublunaire, et des feux flambaient au milieu des camps disséminés, comme des jets de flamme qu'allume le rapide Tremblement de terre partout où il pose le pied.

II

Tout dormait, excepté ceux qui veillaient debout sous les armes, ou ceux qui gardaient assis la lumière du phare ; les légers bruits qui sortaient de cette vaste multitude rendaient encore le silence plus profond. Et cependant quelle puissance de pensée humaine était bercée dans cette nuit ! Combien de cœurs impénétrablement voilés battaient sous son ombre ? Quel secret combat le Mal et le Bien, sous l'armure de mille passions entremêlées, se livraient dans cette foule silencieuse ! une guerre éternelle !

III

En ce moment le pouvoir du Bien remportait la victoire. C'est ainsi que j'arrivai plein d'enthousiasme à travers ce labyrinthe d'innombrables tentes, au milieu de ces millions d'hommes silencieux livrés à un innocent sommeil. Alors la lune avait laissé le ciel désert; mais la première lueur matinale de l'orient me montra un jeune homme armé, la tête courbée en avant sur sa lance : « Un ami ! » criai-je bien fort ; et en un clin d'œil, en hommes libres animés des mêmes espérances, nous nous comprîmes.

IV

Je m'assis à côté de lui, pendant que le rayon du matin se frayait lentement un chemin à travers le ciel, et causai avec lui de ces immortelles espérances, un thème glorieux, qui nous occupa jusqu'au moment où les étoiles s'obscurcirent; et tout ce temps il me semblait que sa voix nageait dans le souvenir de ces pensées qui font déborder les yeux humides; enfin, lorsque le jour commença à remplir l'air de sa lumière, il me regarda, et frappé de stupeur, s'écria : « Toi ici ! »

V

Alors, soudain, je reconnus le jeune homme, en qui mon esprit avait trouvé ses premières espérances; mais des langues envieuses avaient terni sa sincérité, et un orgueil irréfléchi avait enchaîné son amour dans le silence; et la honte et le chagrin avaient cruellement blessé le mien, tandis que lui était innocent, et que j'étais le jouet d'une illusion. La vérité m'apparut alors; des larmes de repentir et de joie montèrent soudain à mes yeux, et en jaillirent violemment sur le sol; et nos âmes confondues savourèrent leur paix.

VI

Pendant que nos lèvres sans repos et nos yeux ardents s'entretenaient ainsi, un bruit d'impétueux conflit, comme sorti de la terre, s'éleva soudain. De chaque tente, réveillés par cette terrible clameur, nos gens s'élancèrent, saisissant leurs armes. Nous nous hâtâmes du côté du bruit; nos bandes se réunissaient au loin. Ces esclaves de sang, au milieu de dix mille morts poignardés dans leur sommeil, foulaient au pied, dans une lâche trahison, les nobles cœurs qui avaient cherché à épargner leurs vies.

VII

Comme des serpents furieux piquant quelque charmant enfant qui leur apporte leur nourriture, quand l'hiver trompeur et beau les attire au dehors de ses froids sourires, aussi sauvages ils exercent leur rage dans le camp; ils écrasent l'armée patriote; la confusion, le désespoir descendent comme la nuit, quand un cri retentit : « Laon ! ». Comme un brillant fantôme venu du ciel, ce cri épouvanta les esclaves, et s'élargissant à travers la voûte céleste, il semblait comme un cri envoyé de la terre au ciel en signe de victoire.

VIII

Ces traîtres meurtriers, saisis d'une soudaine panique, s'enfuirent comme des légions d'insectes devant le vent du nord; mais toujours plus rapides, nos armées enveloppèrent leurs rangs brisés, et les enfermèrent dans une vallée rocheuse, où leur farouche désespoir ne pouvait leur être d'aucun secours. Alors la vengeance et la terreur firent défaillir la haute vertu des patriotes ; l'un d'eux allait atteindre son ennemi de la pointe de sa mortelle lance ; je m'élançai entre eux, et criai : « Arrête ! Arrête ! »

IX

La lance traversa mon bras brusquement levé pour supplier, et le sang jaillit autour de la pointe. Je souris, et m'écriai dans la joie : « Oui, coule avec ton irrésistible éloquence, ô sang vital, jusqu'à ce que mon cœur soit à sec, avant que la cause dont tu étais digne soit vaincue ! Ah ! vous pâlissez ! vous pleurez ! vos passions s'apaisent ! C'est bien ! vous sentez la vérité des douces lois de l'amour !

X

« Soldats, nos frères et nos amis sont massacrés ; vous les avez tués, je crois, pendant qu'ils dormaient ; Hélas ! qu'avez-vous fait ? Ces yeux, prêts à pleurer la plus légère peine que vous auriez pu souffrir, vous les avez éteints ; — ces sourires, qui devaient répandre le baume dans vos cœurs, se sont évanouis dans la douleur ; ceux dont l'amour veillait autour de vos tentes pour vous donner la liberté de la vérité, vous les avez poignardés pendant qu'ils dormaient !... Eh bien, ils vous pardonnent maintenant.

XI

« Oh ! pourquoi le mal devrait-il toujours sortir du mal, et la peine engendrer toujours une peine plus poignante ?... Nous sommes tous des frères ! Oui, les esclaves mêmes qui sont payés pour tuer sont des hommes ; et pour venger le crime sur le coupable, la Misère devra-t-elle toujours se repaître de son propre cœur brisé ! O terre ! O ciel ! et toi, redoutable nature, qui a donné l'être à toute ton action, à tout ce qui vit et est, c'est pour toi que ceux-ci ont commis le mal, et c'est pour toi qu'ils sont pardonnés !

XII

« Unissez donc vos mains et vos cœurs, et que le passé soit pour les pensées mauvaises comme un tombeau qui ne rend plus ses morts ! » Alors, comme le sang coulait de ma récente blessure, un nuage ténébreux obscurcit mes sens et des ombres rapides couvrirent mes yeux. Quand je me réveillai, j'étais étendu au milieu de frères et d'ennemis, je voyais autour de moi des attitudes empressées, des regards ardents qui me questionnaient, pendant que l'un d'eux pansait ma blessure avec des herbes embaumées, et d'une voix caressante m'invitait au repos.

XIII

Et celui dont la lance m'avait blessé se penchait près de moi, les lèvres tremblantes et les yeux humides ; et tous semblaient être des frères partis pour un lointain voyage, réunis dans une étrange assemblée sur une terre étrange autour de celui qu'ils pouvaient appeler leur ami, leur chef, leur père, victime maintenant du courage avec lequel il s'est exposé au péril pour les sauver de l'esclavage de la mort. Ainsi en ce jour fut réconciliée la vaste armée de ces bandes fraternelles.

XIV

Faisant retentir le tonnerre de ses acclamations, cette multitude, et moi avec elle, nous nous acheminâmes avec joie vers la ville ; une nation affranchie par l'amour, une puissante confraternité qu'enchaînait la jalouse rivalité du bien ; un glorieux cortège, plus magnifique que les esclaves royaux parés d'or et de sang, quand ils reviennent du carnage et sont pompeusement conduits en triomphe sous les murs couverts de peuple.

XV

Au loin, les murs de la cité regorgeaient de spectateurs : aux flancs vertigineux de chaque tourelle étaient attachés mille grappes vivantes, et sur chaque aiguille s'effaçant au loin peu à peu dans le ciel, de brillants étendards étaient suspendus sur les vents charmés. Comme nous approchions, un cri d'allégresse éclata à la fois de toute la multitude, comme si la vaste et populeuse terre avait jeté dans ses cieux sans bornes la clameur soudaine de sa joie, après qu'un ouragan universel a passé sur sa face.

XVI

Nos armées se répandirent à travers les cent portes de la cité, comme les ruisseaux pendant l'orage se précipitent du haut des montagnes vers l'abri rocheux de quelque lac dont le silence les attend ; et pendant que nous passions au milieu du calme de l'air ensoleillé, mille couronnes de fleurs pleuvaient sur nous, fleurs emblèmes de la vérité et de la belle liberté ; les plus belles mains les attachèrent sur plus d'un front ; c'étaient les anges du ciel de l'amour, étendu maintenant sur toutes choses.

XVII

J'allais comme un homme ravi dans quelque extatique vision. Ces hommes de sang, si fraîchement réconciliés, sous l'influence du repentir, sentaient la colère se changer en amour; ils étaient désenchantés du mal, et leurs sourires avaient d'autant plus de charmes qu'ils avaient fait plus de mal; la douce crainte de ces si suaves regards adoucissait leurs propres cœurs, et attirait délicieusement leurs esprits vers l'amour des lois de l'égalité et de la liberté.

XVIII

Tous ensemble, dans une symphonie retentissante, ils élevaient mon nom confondu avec celui de la liberté, me proclamant « l'ami et le sauveur des hommes libres, le père de cette joie ! »... De beaux yeux, empreints de ces sentiments inspirés par celle qui avait fait briller la lumière d'un grand esprit, rayonnèrent autour de moi ; et tout l'appareil de cette grande scène disparut à mes yeux comme les nuages sans repos devant le soleil immobile. — Où était cette vierge ? Je le demandai, mais personne ne la connaissait.

XIX

Laone était le nom que son amour avait choisi ; car elle était sans nom, et personne ne connaissait sa naissance. Où donc était Laone ? -- La crainte glaçait mes paroles sur mes lèvres. Mais je devais à ma grande entreprise de triompher de cette espérance pleine de terreur; et quand enfin on m'apprit qu'elle apparaîtrait le lendemain, alors je me retirai pour songer aux besoins de cette grande multitude : les étoiles en ce moment apparaissaient pressées au-dessus de la mer crépusculaire.

XX

Et cependant il n'y avait à s'inquiéter d'aucun besoin pour le repos et la nourriture d'une si grande multitude, depuis que tous pouvaient attendre l'un de l'autre tous les secours de la bonté. — Je passai donc devant la porte du Palais Impérial, maintenant désolé, et je vis plongé dans la stupeur, seul, le tyran tombé! — Silencieux il était assis sur les marches de son trône d'or, qui, étoilé de pierres étincelantes, brillait dans son éclat solitaire.

XXI

Il était seul..... avec une enfant qui devant lui exécutait une gracieuse danse; le seul être vivant de toute cette foule qui hier se pressait dans ces lieux pour l'adorer, essayant de lui apporter une consolation dans son abandon. — Elle savait que le roi avait aimé autrefois sa danse; et maintenant elle entremêlait ses cercles, pleurant et murmurant, dans la triste tâche de son amour dédaigné, de ce que sa muette tristesse ne pouvait lui arracher un sourire.

XXII

Elle vola vers lui et embrassait follement ses pieds, quand des pas humains se firent entendre... Lui, resta immobile sans parler, sans changer de couleur, sans lever ses regards pour rencontrer les yeux des étrangers. — Le bruit de notre entrée réveilla les échos de la salle, qui en circulant brisèrent le calme de ses retraites ; comme une tombe, ses murs sculptés répondirent dans le vide au bruit des pas qui tombaient, et la lueur du crépuscule s'étendit comme la brume d'un charnier dans le dôme rayonnant.

XXIII

L'enfant se leva quand nous approchâmes. Ses lèvres et ses joues paraissaient pâles et blêmes ; mais sur son front et dans ses yeux rayonnait cette beauté qui rend les cœurs qui s'en nourrissent malades d'un excès de douceur ; elle s'appuya sur le trône. Le roi, le front contracté, et les lèvres plissées par l'habitude d'un long mépris, eut un ricanement intérieur et un froncement de sourcils ; la teinte de son visage devint semblable à celle que quelque grand peintre compose quand il trempe son pinceau dans la lueur du tremblement de terre et de l'éclipse.

XXIV

Elle se tenait debout près de lui comme un arc-en-ciel entrelacé dans quelque orage, lorsqu'à peine ses vastes ombres se sont évanouies des bleus sentiers du rapide soleil. Un sourire doux et solennel, comme celui de Cythna, jeta un éclair de lumière, qui fit battre violemment mon cœur, sur les lèvres entr'ouvertes de cette enfant, un rayon de bonheur, une ombre des jours évanouis..... — Quand les larmes qui enveloppaient ce sourire furent passées, d'un baiser de père je pressai ses doux yeux dans une tendresse frémissante.

XXV

Je voulus alors tirer de sa solitude ce malheureux roi, et, plein de compassion pour ce changement, j'essayai, par de tristes paroles, de caresser son humeur chagrine. Mais lui, pendant que l'orgueil et la crainte se livraient un violent combat, avec la lugubre astuce d'une haine mal dissimulée, il lança sur moi un regard semblable à celui du serpent édenté. Je sentis de la pitié, non du mépris, pour cet homme aujourd'hui désolé après avoir été le désolateur, et qui ne s'apercevait pas que les malédictions dont il se moquait l'avaient saisi aux cheveux.

XXVI

Je le fis sortir de ce lieu qui semblait maintenant un somptueux tombeau ; nous passâmes à travers des portiques profondément sculptés de figures belles comme un rêve, et nous laissâmes les ombres qui président au sommeil faire leur garde silencieuse sur son or dédaigné. — L'enfant marchait avec abattement et, à mesure qu'elle marchait, les larmes qu'elle pleurait brillaient sous la lumière des étoiles ; elle semblait égarée et, quand je lui parlais, les sanglots l'empêchaient de me répondre.

XXVII

Enfin le tyran cria : « Elle a faim, esclave ! Poignarde-la ou donne-lui du pain ! » Il dit cela d'un accent tel que des imaginations malades pourraient en entendre dans une tombe nouvellement creusée. Je tremblai, car la vérité m'était connue ; on l'avait laissé seul avec cette enfant ; ni l'un ni l'autre n'étaient sortis pour se procarer de la nourriture; lui, partagé entre l'orgueil et la crainte, était resté blotti près de son trône, et elle, nourrisson de la captivité, ne connaissait rien au delà de ces murs, et ne se doutait pas qu'un tel changement pût s'accomplir.

XXVIII

Il était troublé comme si un charme se fût soudainement dissipé; les sceptres ne gouvernaient plus; elle venait de l'or, cette forme redoutable qui avait jadis tout soumis à son pouvoir. Un tel étonnement s'empara de lui, qu'on eût dit qu'heure par heure le passé reparaissait devant lui; et la chute rapide d'un homme si grand et si puissant, comme un prodige frappait et émouvait jusqu'à la désolation les cœurs de tous ceux qui assistaient à ce terrible changement.

XXIX

Une puissante multitude, comme celle que la vaste terre peut verser en mille ans, était maintenant réunie autour du tyran déchu; leurs innombrables pas tombaient comme le fracas des averses de grêle au printemps, frappant de coups redoublés la terre; on n'entendait pas d'autre bruit dans cette immense multitude. Cet homme abandonné connut alors tout le poids de son changement, et il cacha dans la poussière son visage blême, pour se mettre à l'abri des regards perçants qui fouillaient sa poitrine.

XXX

Et en même temps il s'affaissa. Je m'assis près de lui sur la terre, et je pris cette belle enfant d'entre ses bras affaiblis, pour qu'il ne pût leur arriver aucun mal. Quand on leur eut apporté la nourriture, l'enfant approcha sa part des lèvres dédaigneuses du roi, puis, quand elle vit qu'il en avait assez, elle se mit à manger, tout en pleurant; le désespoir de l'homme abandonné l'emporta sur la faim et, oubliant son état, il s'assit dans la poussière, comme dans une espèce de léthargie.

XXXI

Lentement le silence des multitudes passait, comme lorsqu'on entend au loin dans quelque vallée solitaire le rassemblement des vents à travers la forêt. — « Il est tombé ! » criaient-elles, « celui qui fit habiter la famine, la peste ou quelque fléau plus cruel encore, dans nos demeures, il est tombé ! Le meurtrier qui étanchait la soif de son âme, comme à un puits de sang et de larmes, dans la ruine ! Le voilà ! Le voilà précipité dans un gouffre de mépris, d'où personne ne peut le tirer ! »

XXXII

Puis on entendit : « Que celui qui jugeait soit mis en jugement ! Du sang pour du sang ! tel est le cri de la terre profondément souillée de ses crimes ! Les attentats d'Othman seul resteraient-ils sans vengeance ? Ceux-là seuls qui, broyés sous l'effort d'un travail écrasant, arrachaient de la terre indignée l'aliment de ses somptueuses convoitises, périront-ils comme des coupables, quand son sang immonde peut a son aise bouillonner et circuler dans ses veines ? — Levez-vous, et faites à la haute Justice le sacrifice qu'elle demande ! »

XXXIII

« Que prétendez-vous ? Que craignez-vous », m'écriai-je alors, m'élançant soudain, « pour vouloir verser le sang d'Othman ? Si vos cœurs sont trempés dans le véritable amour de la liberté, cessez de redouter un homme seul, un pauvre abandonné ! Sous ce ciel qui étend sur vous tous sa pure lumière, à travers la terre, la maternelle terre, qui verse pour tous ses doux sourires, laissez-le aller en liberté, jusqu'à ce que la dignité de la nature humaine y puise une seconde naissance.

XXXIV

« Qu'appelez-vous Justice ? Y a-t-il un seul d'entre vous qui dans le secret de sa pensée n'ait jamais désiré le mal d'un autre ?... Êtes-vous tous purs ? Que ceux qui m'entendent sans trembler se présentent ! Pourront-ils insulter ou tuer, s'ils sont ce que je dis ? Leurs doux yeux peuvent-ils se remplir de la fausse colère de l'hypocrite ? Hélas ! Non, de tels hommes ne seraient pas purs ! La volonté éprouvée de la vertu voit que la Justice est la lumière de l'amour, et non la vengeance, la terreur et la haine ! »

XXXV

Le murmure de la multitude, expirant lentement, s'arrêta, pendant que je parlais. Alors ceux qui étaient près de moi tournèrent des regards bienveillants du côté où l'homme abandonné était étendu, voilant sa tête, que cette belle enfant pressait en silence sur son sein ; puis on entendit dans l'air des sanglots ; un grand nombre baisaient mes pieds dans un transport de pitié, et ceux qui tout à l'heure maudissaient cet homme, ses propres victimes, apportaient maintenant à son désespoir une douce consolation : des regards attendris et de touchantes paroles.

XXXVI

Alors la foule silencieuse l'accompagna à la demeure qui lui était assignée pour son repos ; et là, pour adoucir son esprit envenimé, on l'entoura de tout ce qui pouvait lui rappeler son ancien état. Et, si son cœur avait pu être innocent, comme le cœur de ceux qui lui pardonnaient, il aurait pu achever ses jours en paix ; mais ses lèvres tendues se contractèrent, dit-on, en un sourire qui présageait la trahison ; à cette vue l'enfant ressentit une impression mêlée d'espérance et de crainte.

XXXVII

Il était minuit, la veille de ce grand jour où les nombreuses nations, à la voix desquelles les chaînes de la terre fondaient comme le brouillard, avaient décrété de célébrer une fête sacrée, une cérémonie qui devait attester l'égalité de tout ce qui vit. Tous se retirèrent dans leurs demeures pour rêver ou veiller. Le silence sans sommeil rappela Laone à mes pensées, avec des espérances qui font reculer le courant où elles cherchent à étancher leur soif.

XXXVIII

L'aube flottait, et à ses fontaines de pourpre je buvais ces espérances qui font languir l'esprit, lorsque j'arrivai tout pâle à la plaine qui s'étend entre les montagnes brumeuses et la grande cité. C'était un spectacle capable de faire couler des yeux des hommes des larmes de triomphe, quand pour la première fois le voile redoutable qui cachait le pouvoir humain était déchiré, de voir la Terre vomir partout de ses entrailles les essaims de ses fils pour un destin fraternel ;...

XXXIX

De voir au loin éclatant dans la brume du matin les étendards de cette innombrable armée ; d'entendre un son formé d'une infinité de sons, le cri de la terre au ciel jeté par ses enfants libres ; pendant que les sommets éternels, que la mer perdue dans la lumière ondoyante, et les myriades d'aiguilles d'or de la cité étoilant le ciel bleu, animés d'une joie presque humaine, s'associaient par leur muet témoignage aux générations à venir ;...

XL

De voir, comme une vaste île émergeant de l'Océan, l'autel de la Fédération dresser sa masse au milieu de la plaine, — ouvrage élevé en une nuit par la dévotion de millions d'hommes, aussi soudainement que lorsque le lever de la lune fait apparaître d'étranges nuages à l'Orient : une pyramide de marbre entourée de gradins. — Cette puissante forme a consumé la lumière du génie ; son ombre silencieuse cachait au loin les navires ; les brumes du matin empêchaient de mesurer sa hauteur —

XLI

D'entendre les multitudes sans repos s'agiter pour toujours autour de la base de ce grand autel, semblables aux vagues atlantiques qui éclatent et se brisent sur quelque îlot montagneux ;... de sentir, selon que le vent les apporte ou les emporte, les accents solennels et lents de cette musique semblable à un rêve, qui vient de ce mystérieux autel, nageant comme les rayons à travers les nuées qui flottent sur les vagues, et expirant en pauses, pendant que des langues au son d'argent exhalent un hymne aérien ;...

XLII

Oui, entendre, voir, vivre, ce matin-là, c'était une joie Léthéenne ! si bien que tous ces hommes assemblés chassaient la mémoire d'un passé anéanti. Deux poitrines seulement (et la mienne en était une) tremblaient pour leur propre vie, et nous avions tous deux dissimulé. Mon cœur battait pendant que je marchais, et je ressemblais à un homme qui, ayant déjà beaucoup, désire plus encore, un bien perdu et cher, sans lequel il marche dans les ténèbres solitaires sous le soleil de midi.

XLIII

J'arrivai à la grande pyramide. Ses gradins étaient couverts de chœurs de femmes, les plus belles des femmes libres, groupées au milieu de ses merveilleuses sculptures. Comme j'approchais, la brume d'or du matin, que baisaient maintenant de leurs froides lèvres les brises stupéfaites, s'enfuit, et le sommet de la pyramide resplendit, comme l'Athos vu de Samothrace par les vendangeurs paré de la lumière matinale. Et une forme de femme s'y assit sur un trône d'ivoire.

XLIV

Une forme tout à fait semblable à l'habitant rêvé de ces exhalaisons d'argent nées de l'aurore sur les vents qui se nourrissent des rayons du soleil levant, pour enchanter l'imagination des hommes. Tous les yeux mortels se sentirent attirés, — comme des mariniers mourant de faim, errant sur d'étranges mers, regardent le fanal d'une tour d'observation, — par la lumière de ces divins linéaments. Seul, avec des pensées que personne ne pouvait partager, à cette belle vue, je me sentis défaillir, car un voile enveloppait son éclatant visage.

XLV

Et je n'entendis pas les acclamations qui, du sein d'un court silence, éclatèrent et remplirent l'air de son étrange nom et du mien, poussées par toutes les nations que nous avions, disait-on, réunies en ces lieux, arrachées au sommeil de l'esclavage; et je ne vis pas la belle vision de cette brillante pompe; mais j'allais aveugle et silencieux comme un cadavre vivant, appuyé sur mon ami, jusqu'au moment où, comme un vent sur une joue enfiévrée, une voix flotta sur mon esprit troublé.

XLVI

Cette voix fut pour moi comme la musique de quelque ménestrel inspiré du ciel pour un homme en proie aux démons; c'est à peine si je désirai voir tomber son voile, tant j'étais calme et joyeux. — Je pus voir alors la plate-forme où nous étions, les trois statues, dont le marbre veillait sur ce sublime autel, les multitudes, les montagnes, et la mer, de même qu'après qu'une éclipse a passé, toutes choses apparaissent aux yeux étonnés des hommes plus claires et plus transparentes.

XLVII

D'abord Laone parla en tremblant, mais bientôt sa voix reprit le calme qu'elle répandait, et : « Tu es celui que j'ai cherché à voir », dit-elle : « J'ai eu autrefois un frère (1) bien cher, mais il est mort ! et de tous ceux qui respirent sur la vaste terre, tu es le seul qui lui ressemble.

(1) Variante de la *Révolte de l'Islam* : « un ami ».

J'ai mis ce voile entre nous deux, afin que derrière lui tu puisses imaginer celle qui depuis longtemps pourrait avoir disparu dans la mort.

XLVIII

« Ne me pardonneras-tu pas? Oui, mais ces joies qui récompensent si bien le silence interdisent la réplique. Pourquoi les hommes m'ont-ils choisie pour être la prêtresse de ces rites sacrés, je le sais à peine; mais je sais que les flots de lumière qui inondent le monde m'ont apportée ici pour te rencontrer, toi, de beaucoup le plus cher des hommes. Et maintenant, unis ta main à la mienne, et puisse toute jouissance se flétrir dans nos deux cœurs qui battent maintenant ensemble dans la joie.

XLIX

« Si jamais nous voulions faire de notre propre volonté la loi d'autrui, si jamais l'infâme culte que nous craignons relevait la tête et si nous cessions jamais d'aimer l'humanité! » — Elle s'arrêta et me fit signe de regarder en haut. Trois formes sculptées apparaissaient autour de son trône d'ivoire. L'une était un Géant semblable à un enfant, endormi sur un rocher détaché, dont la main broyait, comme en rêve, des sceptres et des couronnes. Et quelqu'un veillait près de lui, ne sachant s'il devait sourire ou pleurer.

L

Puis une femme assise sur le disque sculpté de la large terre et nourrissant d'un même sein un enfant et un jeune basilic; ses regards étaient aussi doux que ceux du ciel, aux plus beaux soirs d'automne. La troisième image portait des ailes blanches aussi rapides que les nuages dans un ciel d'hiver ; sous ses pieds, au milieu des formes les plus spectrales, gisait la foi vaincue, un ver obscène qui essayait de se lever, pendant que calme elle tournait vers le soleil ses yeux de diamant (1).

LI

Je m'assis à côté de cette image, pendant qu'elle se tenait debout, au milieu des multitudes qui refluaient et s'agitaient toujours, comme la lumière au milieu des ombres de la mer, projetée d'un astre sans nuages, communiquant à la foule cette commotion qu'on ne peut oublier quand on l'a sentie. Et tant que le soleil rayonna sur le ciel, renvoyant le regard fixe de la grande image la cérémonie dura ; elle cessa quand la flamme du soleil couchant incendia les îles. — Tous étaient dans la joie et une profonde admiration, quand dans le silence de tous les esprits, la voix de Laone se fit entendre, et ses gestes saisissants parlèrent, avec la plus éloquente beauté.

1

« Tu es calme comme là-bas le soleil couchant ; douce et forte comme des aigles nouvellement ailés, beaux et jeunes, qui flottent au milieu des rayons aveuglants du matin ; et sous tes pieds se tordent la Foi et la Folie, la Coutume, l'Enfer et la mortelle Mélancolie. Écoute ! la Terre tressaille en entendant le puissant avertissement

(1) Ces trois figures représentent l'Égalité, la Nature et la Sagesse que Laone, dans les strophes suivantes, va apostropher à son tour.

(*Note du traducteur.*)

de ta voix sublime et sainte! Ses libres esprits ici assemblés te voient, te sentent, te connaissent enfin! Leurs cœurs ont tremblé à ta voix, comme dix mille nuages emportés sur le courant d'un seul vent immense. O Sagesse! tes irrésistibles enfants se lèvent pour te saluer; ils enchaînent les éléments et leur propre volonté pour grossir la gloire de ton cortège!

2

« O Esprit profond et vaste comme la nuit et le ciel: Mère et âme de tout ce qui a reçu la lumière de la vie la beauté de l'être! C'est toi qui relèves le cœur humain, le trône de ton pouvoir; toute-puissante, comme lorsque tu visitais les rêves des vieux poètes qui pâlissaient en voyant seulement ton ombre! ... Aujourd'hui des millions d'hommes tressaillent, en sentant tes éclairs les pénétrer de leur flamme! Nature, ou Dieu ou Amour, ou Plaisir, ou Sympathie, changeant les tristes larmes en mutuels sourires, un intarissable trésor, descend parmi nous! Mépris et Haine, Vengeance et Égoïsme, sont abattus, désolés! Cent nations jurent qu'il n'y aura plus que pitié, paix et amour, au milieu des hommes bons et libres!

3

« Et toi, la plus ancienne des choses, divine Égalité! La Sagesse et l'Amour ne sont que les esclaves, les anges de ton pouvoir, versant autour de toi des trésors de tous les réservoirs de la pensée humaine, des étoiles et de l'Océan! Le dernier des cœurs vivants dont les battements te font bondir, le puissant et le sage ont travaillé à ta venue; et toi, descendant dans la lumière sur la vaste terre qui t'appartient en propre, comme le Printemps dont le souffle concentre en un seule toutes les exhalaisons parfumées, tu marches dans les sentiers des hommes! La Terre entière découvre son sein sous ton regard, et tous ses enfants se rencontrent dans la gloire pour se nourrir de tes sourires et embrasser tes pieds sacrés!

4

« Mes frères, nous sommes libres! Les plaines et les montagnes, le gris rivage de la mer, les forêts et les fontaines sont les rendez-vous des plus heureux hôtes; homme et femme, affranchis de leur commun esclavage, peuvent librement emprunter à l'amour sans lois la consolation de leur chagrin; — car, tant que nous serons hommes, il nous faudra encore souvent pleurer. — Le lendemain très serein d'une nuit d'orage, dont les pluies ne sont plus que de douces larmes de pitié, dont les nuages ne sont plus que les sourires de ceux qui meurent comme des enfants sans espérances et sans craintes, un lendemain dont les rayons sont les joies qui vivent dans les cœurs unis, va régner désormais! L'aurore de l'esprit qui, portée sur une aile aussi rapide que le soleil levant, illumine au loin l'espace et étreint ce monde pesant dans son lumineux embrassement!

5

« Mes frères, nous sommes libres! Les fruits étincellent sous les étoiles, et les brises de la nuit ondoient sur les blés mûrs, les oiseaux et les bêtes rêvent; jamais plus le sang des oiseaux et des bêtes ne souillera de ses flots empoisonnés une fête humaine, et ne fumera plus vers le pur ciel pour accuser les hommes ; les poisons vengeurs cesseront de nourrir la maladie, la crainte et la folie ; les habitants de la terre et de l'air accompagneront en foule nos pas dans l'allégresse, cherchant près de nous leur nourriture ou leur abri ; notre industrie empruntera à la pensée les plus glorieuses formes pour embellir cette terre, notre demeure ; la Science, et sa sœur, la Poésie, revêtiront de lumière les champs et les cités des hommes libres !

6

« Victoire ! Victoire aux nations prosternées ! Soyez témoins, nuit, et vous, muettes constellations, qui de vos chars de cristal jetez les yeux sur nous ! Les pensées ont surgi, et leurs pouvoirs ne s'endormiront plus ! Victoire ! Victoire ! les rivages les plus reculés de la Terre, les régions qui gémissent sous les étoiles antarctiques, les vertes landes bercées dans le rugissement des vagues occidentales, et les déserts vastes et peuplés qui bordent les océans où le Matin colore ses tresses d'or, partageront bientôt nos sublimes émotions. Les rois pâliront de stupeur ! La Crainte toute-puissante, ce Dieu-Démon, quand il entendra notre nom enchanté, s'évanouira, comme l'ombre, de ses mille temples, tandis que la Vérité, trônant avec la Joie, régnera sur son empire perdu. »

LII

Avant qu'elle eût fini, les brouillards de la nuit, entrelaçant leur sombre trame, flottaient sur l'immense multitude. Elle, comme un esprit rayonnant à travers les ténèbres, répandait le plus intime de son âme en accents dont la douceur prolongeait le silence, comme s'ils avaient appartenu aux vents charmés ; un langage passionné, entremêlé de pauses étranges et frémissantes ; en l'entendant, on restait muet ; car il apprenait à tous les cœurs qui prêtaient l'oreille à s'élever à un ravissement semblable au sien.

LIII

Sa voix était comme un torrent des montagnes qui balaie jusqu'au lac les feuilles dispersées de l'automne, et s'endort ensuite au sein de quelque baie profonde et étroite dans l'ombre du rivage. Comme les feuilles mortes se réveillent sous la vague, dans les fleurs et les herbes qui embellissent ces vertes profondeurs sous le ciel bleu ; ainsi la multitude immobile prenait part à ce vivant changement, et d'ardents murmures voltigeaient, en même temps que sur ce calme sans voix grandissaient la jouissance et l'extase.

LIV

Les foules se dispersèrent à travers la plaine en groupes autour des feux, qui, de la mer jusqu'à l'entrée du vallon de la montagne prochaine, flamboyaient au loin. Le banquet des hommes libres était dressé sous une multitude de noirs cyprès ; couchés sous leurs aiguilles qui se balançaient dans la rouge lumière, tout en mangeant, les enfants de la Terre conversaient avec bonheur de liberté, de justice et du nom de Laon.

LV

Leur fête ressemblait à celle que la mère universelle, la Terre, épanche de son beau sein, quand elle sourit dans l'embrassement de l'Automne. Quand une mère réconcilie tendrement l'un avec l'autre ses enfants qui se font la guerre, elle s'interpose et trompe leur colère, eux s'attendrissent et pleurent — telle fut cette fête, à laquelle pouvait prendre part de ses îles, de ses continents, de ses vents, de ses océaniques profondeurs, tout ce qui vole, marche ou rampe.

LVI

Oui, prendre sa part dans la paix et l'innocence ! car aucun sang, aucun poison ne souilla cette fête; on y voyait accumulés des monceaux de grenades et de citrons, les plus beaux fruits, melons, dattes et figues, mainte racine douce et nourrissante, et brillantes grappes, avant qu'un feu étranger se mêlant à leur doux jus ne l'ait changé en un mortel poison, et du pain bis dans les corbeilles; de purs courants désaltéraient les lèvres.

LVII

Laone était descendue de son sanctuaire; les regards les plus profonds, et les esprits les plus saints se repaissaient de sa beauté, quoique maintenant les accents divins se fussent tus en elle. Elle ôta son voile, pour se mêler avec la foule de ses semblables. Une secrète impulsion détourna mon cœur de la suivre cette nuit-là; je me retirai au milieu d'un groupe, à l'extrémité de la plaine, où un grand feu de fête flambait à côté de la mer sombre !

LVIII

Et notre fête fut pleine de joie; conversations émues

ou égayées par l'esprit, harmonieux concerts de voix, pendant qu'au loin Orion se promenait sur les vagues qui coulent autour des îles, nous retenaient dans les chaînes d'une douce captivité qu'on ne saurait dédaigner, une fois qu'on l'a sentie ; mais quand leur zone s'obscurcit dans le brouillard qui recouvre le sein de l'Océan, les multitudes regagnèrent leurs demeures sur la plaine pour y prendre leur repos, que ce jour délicieux charma de son ombre.

CHANT VI

I

Longtemps sur le bord de la mer aux lueurs sombres, dans une rapide conversation sur des thèmes passionnés, je m'entretins avec cet ami si cher, qui m'avait été rendu si tard, sous la clarté des étoiles d'argent; — et toujours nos imaginations charmées retombaient dans ces doux rêves d'amour et de paix à venir; jusqu'au moment où les pâles rayons du dernier bivouac cessèrent de briller, où les ténèbres enveloppèrent les vagues, et où s'éteignit la brillante chaîne des feux flottant sur la rive.

II

Nous étions arrivés près des murs de la cité et de la grande porte. Alors, sans qu'on sût ni pourquoi ni comment, l'alarme se répandit dans les multitudes; tout d'abord, un homme pâle et haletant passa près de nous, les regards fixes et sans parler; puis avec un cri perçant, une troupe de femmes aux yeux hagards, entraînées par les cris de leur propre terreur, les joues pâles, se précipitèrent en tumulte, cherchant chacune un refuge soudain contre la crainte d'un danger inconnu.

III

Puis retentirent des cris de ralliement signalant la trahison et le danger : Les voici ! Aux armes ! aux armes ! Le tyran est au milieu de nous, et l'étranger vient nous asservir en son nom ! aux armes ! » Mais en vain ; poussées par la Panique, ce pâle démon qui amène la force à abjurer ses propres droits, ces millions d'hommes fuyaient comme les vagues devant une tempête. Ces alarmes étaient à peine venues jusqu'à moi, que pour en connaître la cause je m'élançai sur la tourelle de la porte, et de rage, de chagrin et de mépris, je pleurai.

IV

Vers le nord je vis la ville en feu, et sa rouge lumière faisait maintenant pâlir le matin, qui se levait sur la vaste Asie. De plus en plus retentissants, éclatants, j'entendis s'approcher les hurlements de triomphe et les cris de douleur, et je vis la foule s'écouler à travers les portes comme des chutes d'eau écumantes nourries de mille orages, la lueur effrayante des bombes briller sur les têtes, et par intervalles la foudre de la rouge artillerie tomber au milieu de la foule en la déchirant.

V

Puis les cavaliers arrivèrent — et tout cela se fit en moins de temps que je n'en ai mis à le dire. Je vis leurs rouges épées étinceler aux premiers rayons du soleil. Je me précipitai au milieu de la foule, pour essayer d'arrêter cette misérable fuite. Un moment ébranlés par ma voix, mes regards et mon éloquent désespoir, comme si le reproche de leurs propres cœurs retenait leurs pas, ils s'arrêtèrent ; mais bientôt le flot de nouvelles multitudes survenant emporta ces bandes ralliées.

VI

Je luttais, comme peut lutter, emporté sur quelque cataracte par d'irrésistibles courants, un naufragé qui entend son fatal rugissement ; je fus submergé par le flot compact, qui parvint par un effort suprême à franchir la porte, pendant que chaque boulet faisait dans les rangs une trouée plus sanglante ; enfin morts et vivants dégorgèrent dans la plaine en une seule énorme masse bientôt dispersée, et sous le mortel acier une pluie de sang ne cessa de tomber sur la plaine.

VII

Maintenant la meute du despote, sur une proie désarmée et surprise, pouvait assouvir à longs traits sa soif de mort ; les escadrons de cavalerie lâchés sur la vaste plaine la balaient en tuant, et avec un éclat de rire retentissant moissonnent pour leur tyran une récolte semée avec d'autres espérances ; en même temps de la Propontide, bien loin par dessus les têtes, les vaisseaux font pleuvoir une pluie de feu meurtrière, pendant que les vagues sourient ; on dirait de soudains tremblements de terre allumant mainte île volcanique.

VIII

Alors une fête inattendue fut servie aux oiseaux de proie du ciel. J'ai vu ce spectacle ! et je me mouvais, et je vivais... tout en foulant les monceaux de morts dont les yeux de pierre étincelaient dans la lumière du matin ! Il ne me vint alors aucune idée de fuite ; mais je poussai de si grands cris de mépris, que ceux qui redoutaient la mort sentirent, en les entendant, couler dans leurs veines l'élan d'une honte vertueuse ; ainsi je remuai la foule, et fis rentrer dans beaucoup de cœurs l'espoir que donne le désespoir.

IX

Une bande de frères se réunissant autour de moi, quoique désarmés, opposèrent à l'ennemi un front inébranlable ; et, toujours battant en retraite avec leurs regards terribles sous leurs sourcils farouches, firent trembler les vainqueurs dans leur propre victoire. Une volonté déterminée inspirait notre troupe grossissante : sans être entamée, elle put gagner l'abri d'une colline gazonnée. — Et cependant pour toujours silencieux, nos compagnons étaient abattus, et leurs membres sans défense semés sous nos pas.

X

Nous tînmes bon, inébranlables. Avec quelle joie je retrouvai près de moi, ferme comme un pin géant au milieu des vapeurs de la montagne amoncelées autour de lui, le vieillard que j'aimais. Ses yeux divins répondirent aux miens avec un doux regard de courage ; mon jeune ami était aussi près de moi, et je sentis un instant sa main étreindre ardemment la mienne. Maintenant à notre cri de ralliement la ligne de bataille s'étendait, et des myriades d'hommes se réunissaient dans l'amour et la fraternité pour mourir.

XI

Tant que le soleil s'éleva dans le ciel, les cavaliers abattirent à leur aise nos multitudes désarmées, mais, entraînés trop près de nous par la soif du carnage, ces esclaves furent rapidement mis en déroute par quelques centaines d'hommes qui fondirent sur eux. Bientôt la chair et les os nous firent de spectrales barrières ; l'artillerie du côté de la mer tonnait plus rapide et plus meurtrière, et les vainqueurs riaient d'orgueil d'entendre le vent leur apporter nos cris de douleur.

XII

Car la colline n'offrait d'abri que d'un seul côté, abri suffisant pour la phalange des hommes invaincus ; et là les vivants nageaient dans le sang des morts et des mourants, qui, dans ce vert vallon, comme des torrents étouffés, formait sous les pieds un bourbeux marécage. Ainsi la boucherie dura tant que le soleil fit son ascension orientale ; mais quand il commença à descendre, un plus furieux combat se livra, et les armées s'engagèrent dans une mêlée plus douteuse.

XIII

Dans une caverne, sur la colline, nous trouvâmes un amas de grossières piques, l'arme de ceux qui ne combattent que sur le sol natal pour la défense de leurs droits naturels ; un cri de joie, sorti de nos cœurs, déchira l'air immense, pendant que les plus braves et les meilleurs s'emparaient de ce petit nombre d'armes ; et chaque sixième homme ainsi armé présenta une ligne qui couvrait et soutenait le reste, une phalange pleine de confiance que les ennemis investirent de tous côtés.

XIV

Notre résistance faillit déterminer les ennemis à prendre la fuite. Mais bientôt ils reconnurent qu'ils étaient les plus forts, et, prévoyant que la nuit qui approchait donnerait la victoire à notre armée résolue, ils descendirent la colline, et massèrent leurs lignes étincelantes. Alors le combat devint inégal, mais tout à fait horrible ; — et toujours nos multitudes, hachées par le rapide projectile ou la rouge épée, tombaient comme un torrent de la montagne qui se précipite en écumant pour disparaître à jamais dans les sables.

XV

O douleur, ô honte, de voir des humains nos frères en venir aux mains avec leur propre espèce, comme des bêtes de sang, pour s'égorger entre eux, armés par un homme, qui reste par derrière à l'écart, et rit ! — Cet ami si doux, si bon, qui s'était tenu près de ma jeunesse comme son ombre, tomba percé ! La blanche chevelure de mon vieux sauveur, des lambeaux de chair attachés à ses racines, était semée sous mes pieds ! Je perdis tout sentiment, tout souci, et, comme le reste, je tombai dans l'abattement et le désespoir.

XVI

La bataille devint plus lugubre. Je m'arrêtai au milieu de la mêlée, et je vis combien tu es horrible et féroce, ô Haine ! même quand tu sacrifies ta vie pour l'amour ! Le sol se brisait en de nombreuses petites vallées, dont les anfractuosités amenaient tour à tour la victoire et la défaite ; et là les combattants s'acharnaient avec la plus horrible rage ; dans leurs yeux frémissaient des regards meurtriers, et leurs langues impuissantes pendaient dans l'air.

XVII

Flasques et écumantes, comme celles d'un chien enragé. La détresse, la folie lunatique, et le rapide poison de la peste, dont les traits frappent quand son arc ne fait que de siffler, ont chacun leur marque et leur signe, une tache spectrale ; et telle était la tienne, ô Guerre, toi l'horrible esclave de la haine et de la douleur ! Je vis toutes les formes de la mort, et j'assistai beaucoup de victimes, pendant que sur la plaine le carnage bouillonnait dans la chaleur des rayons de soleil, jusqu'au moment où le crépuscule étendit sur l'est son voile le plus serein.

XVIII

Le petit nombre d'hommes qui survivaient, résolus et fermes, combattaient autour de moi. Au déclin du jour, flottant sur les sommets neigeux de la montagne, brillèrent de nouvelles bannières ; elles tremblaient dans le rayon de l'orbe du soleil qu'on ne voyait plus. Avant la nuit de fraîches troupes en rangs de bataille nous enveloppèrent. De ces braves bandes, je fus bientôt le seul qui survécût ; j'étais étendu, épuisé et vaincu, je sentais l'étreinte de mains sanglantes, et je voyais en haut la lueur des épées qui tombaient...

XIX

Quand tout à coup mes ennemis saisis d'une terreur soudaine s'enfuirent en désordre. — Avec une vitesse effrénée, un noir cheval tartare, aux formes gigantesques, accourt, foulant aux pieds les morts ; les vivants saignent sous les sabots de ce formidable coursier, qui porte un cavalier semblable à un ange, vêtu de blanc, brandissant une épée. Les armées reculent et fuient, pendant qu'avec une terrible puissance ce fantôme rapide et brillant balaie leurs rangs avec l'ombre du soir.

XX

Sur son passage se fait une solitude. — Je me levai et examinai son approche. Il ralentit sa course à mesure qu'il approchait de moi, et le vent qui flottait dans la nuit apporta à mon oreille des accents dont la force pouvait faire naître des sourires dans la mort. Le cheval tartare s'arrêta et je vis la forme qui dirigeait son impétuosité, et j'entendis ses palpitations musicales, semblables au doux bruit d'une source dans le désert ; elle me disait : « Monte avec moi, Laon ! » J'obéis à l'instant.

XXI

Alors « En avant ! En avant ! » cria-t-elle, et elle étendit son épée comme un fouet sur la tête du coursier, et secoua légèrement les rênes. — Nous ne prononcions pas une parole ; mais comme la vapeur de la tempête, elle volait sur la plaine ; sa noire chevelure flottait épandue comme la chevelure d'un pin sur le souffle du vent engourdi ; ses tresses ombreuses inondaient capricieusement mes yeux, et collines et torrents fuyaient avec rapidité, pendant que sur leurs formes à peine entrevues la large ombre du coursier passait.

XXII

Et ses sabots faisaient jaillir des rocs broyés le feu et la poussière ; sous la pression de ses flancs puissants, l'eau des torrents volait en écume; un tumulte semblable à la rafale d'un tourbillon nous environnait ;— et toujours en avant, en avant, à travers la nuit déserte nous volions, pendant qu'elle avait toujours les yeux tournés vers une montagne dont nous approchions, et dont la crête, couronnée d'une ruine de marbre, jetait une lueur dans le rayon des obscures étoiles. — Le coursier réprima sa rude poitrine, et arrêta enfin son essor.

XXIII

C'était un sommet rocheux pendu sur l'Océan ; de cette ruine solitaire, quand le coursier palpitant se fut arrêté, on put entendre le murmure du mouvement des eaux (comme dans les lieux pour toujours hantés par les vents les plus choisis du ciel, vents à la voix enchantée par la baguette de la Solitude, cette sorcière sauvage) et l'on put voir au loin les tentes plantées sur la plaine et le sombre rivage du flot recourbé de l'Océan.

XXIV

En un instant, tout cela fut entendu et vu ; l'instant d'après, les deux êtres qui étaient là debout, sous la nuit, n'entendirent plus, ne virent plus, ne sentirent plus que la présence l'un de l'autre. A peine descendue de son haut coursier, Cythna (c'était bien en effet ma douce sœur (1) qui me regardait de ces yeux dont la profonde lumière d'amour et de tristesse faisait pâlir mes lèvres sous l'étrange impression de la plus douloureuse volupté) Cythna s'évanouit de joie et sentit toute sa force fondre dans les larmes de l'humaine faiblesse.

XXV

Et quelque temps elle resta dans mon embrassement,

(1) On lit « Cythna » dans la *Révolte de l'Islam*.

sa tête reposant sur mon cœur inquiet, pendant que mes bras affaiblis enveloppaient son corps languissant. Enfin, elle me regarda et, ouvrant à moitié ses lèvres tremblantes, elle dit : « Ami, tes bandes perdaient la bataille, pendant que j'étais devant le roi dans les chaînes. Alors, je les brisai, et saisissant rapidement le moment favorable je m'emparai de l'épée d'un Tartare, m'élançai sur son cheval, et rapides comme sur l'aile d'un tourbillon,

XXVI

Toi et moi nous avons échappé aux poursuites, et nous voici réunis. » — Alors, se tournant vers le coursier, elle pressa de ses lèvres pures et semblables à des roses la blanche lune sur son front, et cueillit dans la ruine verdoyante des herbes parfumées pour son repas : — moi, je fis asseoir la vierge sur une pierre, et baisant ses beaux yeux, je lui dis : « Tu as besoin de repos » ; puis, dans un coin verdoyant tapissé de mousse, je fis au coursier un lit avec les fleurs de la montagne.

XXVII

Dans l'intérieur de cette ruine, où un portail brisé regarde du côté des étoiles de l'orient (abandonné maintenant par l'homme, pour être la demeure de choses immortelles, de souvenirs qui vont et viennent comme de terribles spectres, et doivent hériter de tout ce qu'il bâtit ici-bas, une fois qu'il est parti) une salle s'élevait ; sur sa voûte de belles herbes grimpantes croissaient avec le pâle lierre, recouvrant ses grises fissures d'un tapis verdoyant, un dôme de feuilles suspendu, un dais impénétrable à la lune.

XXVIII

Les vents d'automne, comme sous le charme, avaient fait une couche naturelle de feuilles dans cette retraite, qu'aucune saison ne troublait ; — mais, à l'ombre des parasites fleurissants, le printemps aimait à parer de leurs douces fleurs l'hivernale solitude de ces feuilles mortes, semant leurs étoiles partout où le vent errant pouvait caresser ses nourrissons, dont les doigts entrelacés faisaient éternellement une musique sauvage et douce qui remplissait l'air attentif.

XXIX

Nous ne savons pas où nous allons, ou quel doux rêve peut nous piloter à travers les cavernes étranges et belles d'une passion lointaine et sans chemins, tandis que le courant de la vie emporte notre barque sur ses tourbillons, déployant comme des voiles ses ailes rapides au souffle de l'air obscur ; et nous ne devrions pas chercher à le savoir, tant l'ardeur de l'amour et les douces pensées se font entendre toujours plus retentissantes du fond de l'océan de la vie universelle, harmonisant sa commotion.

XXX

Tout est pur pour les purs. L'oubli enveloppait nos esprits, et le terrible renversement de l'espérance publique avait disparu de notre être, quoique bien des années il y eût été attaché ; car alors une force, une soif, une science, qui (semblable à cette lumière d'au delà de l'atmosphère qui revêt ses nuages de grâce) coule toujours sous toutes pensées, vint en nous, pendant que nous étions assis là en silence, sous les étoiles d'or du clair azur du ciel...

XXXI

Dans ce silence qui suit une conversation où le cœur déconcerté ne peut parler qu'avec des soupirs et des larmes, quand la passion égarée accapare les pauses d'un langage inexpressif. Les jeunes années que nous avions passées ensemble, leurs espérances et leurs craintes, le commun sang (1) qui coulait dans nos veines, cette ressemblance de traits qui rend chères les pensées qu'ils expriment, nos noms mêmes, et toutes les heures ailées que rappelle la mémoire muette,

XXXII

Avaient trouvé une voix ; — et, avant que cette voix se fût tue, la nuit devint humide et épaisse, et, à travers une déchirure de la ruine où nous étions assis, il vint du marécage un météore errant envoyé par quelque vent sauvage ; il se suspendit au haut du dôme vert, où il répandit une pâle et faible lueur, tandis que le chant des vents, dans lesquels ondoyait en tremblant sa chevelure bleue, semait parmi les feuilles agitées les plus étranges sons ; c'était une prodigieuse lumière, un son semblable à celui d'une langue d'esprit.

XXXIII

Le météore éclairait les feuilles sur lesquelles nous étions assis, et les bras étincelants de Cythna, et les nœuds épais de sa soyeuse chevelure qui pesait sur mon cou et l'inclinait près du sien ; ses yeux noirs et pro-

(1) Variante de la *Révolte de l'Islam* : « le sang lui-même ».

fonds, qui — semblables aux fantômes jumeaux d'une étoile couchée sur une source obscure, toujours en mouvement quoique l'étoile reste immobile — nageaient dans nos muettes et pures extases : son front de marbre et ses lèvres ardentes, pareilles à des roses avec leurs pâles parfums, que le printemps n'a qu'à moitié ouvertes.

XXXIV

Le météore retourna à son lointain marécage. Le battement de nos veines demeura un instant silencieux ; et alors je sentis le sang qui brûlait dans son corps se mêler avec le mien, et tomber autour de mon cœur comme du feu ; et sur toutes choses un brouillard s'étendit, l'angoisse d'un évanouissement de joie profond et muet, tel qu'en pourraient éprouver deux esprits séparés, quand ils s'élancent l'un vers l'autre et s'unissent au sortir de l'obscur et fugitif sommeil de cette terre.

XXXV

Ce moment confondit-il en nous toute pensée, toute sensation, tout sentiment en une seule ineffable faculté qui, nous mit à l'abri même de nos propres froids regards, alors que nous tombâmes dans cet immense et sauvage oubli de tout bruit, de toute tendresse ? ou bien était-ce que les âges, tels que les font la lune et le soleil, les saisons et les générations humaines avec leurs révolutions connues, laissaient pour nous seuls ici-bas la crainte et le temps insensibles ?

XXXVI

Je ne sais. Que sont les baisers dont la flamme étreint dans la langueur le cœur défaillant ? ou les membres enlacés aux membres ? ou les rapides soupirs mourants de deux vies qui se rencontrent, quand les yeux évanouis nageant à travers les larmes d'un épais et infini brouillard, dans une seule caresse ? Qu'est-ce que cette force irrésistible qui pousse le cœur à gravir ce vertigineux escarpement, où bien loin sur le monde roulent ces vapeurs qui confondent deux êtres sans repos dans la paix d'une seule âme ?

XXXVII

C'est l'ombre qui flotte sans qu'on la voie, mais non sans qu'on la sente, sur l'aveugle race mortellé ; sa divine obscurité ne quitta pas cette verte et solitaire retraite, où la paix enveloppait nos corps enchaînés, avant que cette nuit, puis un autre jour, eussent disparu du ciel changeant ; et alors je vis et sentis... La lune était haute, et les nuages, avant-coureurs d'un ouragan, étaient disséminés sous son orbe ; les vents s'amoncelaient en rugissant sur nos têtes.

XXXVIII

Les douces lèvres de Cythna semblaient livides dans la clarté de la lune ; ses beaux membres frissonnaient sous le vent de la nuit ; et ses noires tresses étaient mollement éparses sur son sein pâle ; tout à l'intérieur était silencieux, et la douce paix de joie remplissait presque la profondeur de son impénétrable regard ; et nous restâmes assis dans le calme, pendant que le sommet rocheux était secoué par les vagues qui s'agitaient dans ses cavernes ; elles pressentaient l'orage, et la grise ruine en était ébranlée.

XXXIX

Nous restions assis insoucieux de tout, dans la communion des serments échangés, qui, dans un rite de foi douce et sacrée, scellaient notre union. — Ils furent peu nombreux les cœurs vivants, qui purent s'unir comme les nôtres, ou célébrer une nuit de noces dans d'aussi étroites sympathies ; car de sublimes et solennelles espérances, la douce force d'un premier amour, et toutes les pensées qui étouffent le froid pouvoir du mal, maintenant enchaînaient une sœur et un frère l'un à l'autre (1).

XL

Et telle est la modestie (2) de la nature, que ceux qui grandissent ensemble ne peuvent vouloir que s'aimer, si la foi, et la coutume ne s'y opposaient pas et si l'esclavage commun ne défigurait pas ce qui autrement pourrait être la source de toutes les plus suaves pensées. De même que, dans le bosquet sacré qui ombrage les sources du Nil éthiopien, cet arbre vivant, lorsque le ramier rapide comme une flèche l'a frappé de son ombre, se retire de frayeur, mais embrasse étroitement ses propres feuilles sœurs pendant que sourient les rayons du soleil.

XLI

Et s'attache à elles, alors que les ténèbres peuvent briser les secrètes caresses des plantes plus insensibles qui fleurissent sur la vaste terre ; — ainsi pour toujours nous étions unis ; car l'amour nous avait nourris dans

(1) Variante de la *Révolte de l'Islam* :
« Car ces sympathies étaient nées d'une jeunesse unie, et de la douce énergie d'un premier amour, longtemps interrompu et caressé, que des espérances et des craintes communes avaient rendu aussi fort que la tempête. »

(2) *Rév. de l'Islam* : « la divine loi de la nature. »

les retraites, où la science, de sa source secrète, enchante les jeunes cœurs avec la fraîche musique de son jaillissement, même avant que ses eaux grossies ne nourrissent les besoins humains, — comme le grand Nil nourrit l'Égypte, jetant toujours sa lumière sur les rameaux entrelacés qui se balancent sur ses vagues.

XLII

Les intonations de la voix de Cythna étaient comme les échos de ces courants qui murmurent au loin ; elles s'élevaient et tombaient, mêlées avec les miennes dans l'air tempétueux. Et ainsi nous restâmes assis, jusqu'à ce que, notre conversation arrivant à la dernière catastrophe, rapide et horrible, nous nous demandâmes comment on pouvait semer ces semences d'espérance, dont le fruit est le poison mortel du mal. Heureusement pour nous cette ruine nous faisait une tour d'observation solitaire. Mais les yeux de Cythna étaient fatigués ; deux jours étaient passés,

XLIII

Depuis qu'elle n'avait pris de nourriture. J'allai donc réveiller le coursier tartare, qui, dès qu'il eut secoué le sommeil de sa crinière d'ébène, inclina sa fine tête au-devant du frein d'airain, me suivant docilement. Avec une souffrance de cœur si profonde qu'une caresse, alors que les lèvres et le cœur refusent de se séparer jusqu'à ce qu'ils aient tout dit, pouvait à peine exprimer l'angoisse de sa tendresse muette et alarmée,

XLIV

Cythna me regarda partir, et monter ce coursier docile. La tempête et la nuit qui protégeaient mes pas, pendant que je chevauchais à travers les rocs de la ravine, unirent bientôt l'obscurité et le bruit de leur puissance portée sur tous les vents. — Bien loin déjà, flottant à travers la pluie ruisselante, les vêtements blancs de Cythna jetaient une lueur par intervalles, et sa voix encore une fois parvint jusqu'à moi sur la rafale : bientôt j'atteignis la plaine.

XLV

Je n'avais pas peur de la tempête, pas plus que celui qui me portait ; mais ses prunelles dilatées et rouges se tournaient triomphalement vers le sillon de l'éclair, et, quand la terre sous son pied intrépide ressentait la secousse de l'effroyable tonnerre, il ouvrait ses narines au souffle du vent, et avec de joyeux hennissements se moquait de ses grondements furieux ; — ainsi nous volions sur la plaine illuminée, et bientôt je pus découvrir le champ où la Mort et le Feu s'étaient gorgés des dépouilles de la Victoire.

XLVI

Il y avait un village désolé dans un bois dont les feuilles entrelacées de fleurs, dispersées au vent, nourrissaient maintenant l'ouragan affamé : c'était un lieu de sang, un monceau de murs sans âtre ; maintenant les flammes étaient mortes dans ces demeures, maintenant la vie s'était enfuie de ces cadavres ; mais le ciel immense, inondé d'éclairs, était rayé de poutres noircies, et tout autour étaient étendus des femmes, des enfants et des hommes massacrés pêle-mêle.

XLVII

Je descendis vers la fontaine, sur la place du marché, et je vis ces cadavres, leurs yeux rigides grands ouverts fixés sur la face l'un de l'autre, et sur la terre et sur l'air vide, et sur moi-même, tout près de la fontaine où je me penchai pour étancher ma soif. — Je reculai en la goûtant, elle avait l'amertume salée du sang; j'attachai près d'elle mon coursier, et cherchai en toute hâte s'il y avait encore quelque vivant dans ce spectral désert.

XLVIII

Il n'y avait rien de vivant, qu'une femme que je rencontrai errant dans les rues; quelque étrange misère avait changé en démon cette apparence humaine. Aussitôt qu'elle entendit mes pas, elle sauta sur moi, et colla ses lèvres brûlantes aux miennes, poussa un long, retentissant et frénétique éclat de rire et de joie, et cria: « Maintenant, mortel, tu es profondément abreuvé des bleus baisers de la Peste... bientôt des millions d'autres baisers te feront raison !

XLIX

« Mon nom est la Peste ! Ce sein desséché nourrit autrefois deux enfants, une sœur et un frère... Quand je rentrai à la maison, l'un était couché dans le sang de trois mortelles blessures; les flammes avaient dévoré l'autre !... Depuis lors je n'ai plus été une mère : je suis la Peste!... Je voltige de côté et d'autre, afin de pouvoir étouffer et tuer! Toute lèvre que j'ai baisée doit sûrement se flétrir, excepté celles de la mort !... Si tu l'es, allons travailler ensemble!

L

« Que cherches-tu ici ?... La lumière de la lune fait éclater ses rayons, l'humide rosée s'élève de la vallée; elle va faire sentir sa moiteur!... et tu verras les balafres sur le corps de mon doux petit garçon, maintenant plein de vers!... Mais dis d'abord ce que tu cherches. » — « Je cherche à manger. » — « C'est bien, tu auras à manger. La Famine, mon amante, nous attend à la fête; elle est cruelle et féroce, la Famine, mais elle ne repousse pas de sa porte ceux que ces lèvres ont baisés ceux-là seuls... Plus jamais! Plus jamais!!...»

LI

Quand elle eut ainsi parlé, elle m'empoigna avec la violence de la folie, et me fit marcher à travers maint foyer ruiné, et sur mille cadavres. Enfin nous arrivâmes à une hutte solitaire; là sur la terre, qui lui servait de plancher, dans sa joie de spectre, elle avait réuni de tous ces foyers maintenant désolés, et empilé trois monceaux de pains, faisant ainsi la disette chez les morts... Autour de ces monceaux elle disposa en cercle les petits enfants froids et raidis par la mort; ils étaient assis immobiles et silencieux!...

LII

Elle sauta sur un monceau, et levant vers l'éclair ses

regards en démence, elle cria : « Mangez ! prenez votre part de la grande fête ; demain nous devons mourir ! » Puis de son pied pâle elle poussa les pains vers les hôtes exsangues... Ce spectacle déchira mes yeux et mon cœur, et si celle qui m'aimait n'avait, de ses regards absents, prévenu mon désespoir, j'aurais pu par sympathie tomber aussi dans le délire ; mais je pris la nourriture que cette femme m'offrait ;

LIII

Et, après avoir vainement lutté avec sa folie, pour essayer de la décider à venir avec moi, je partis. Dans les régions orientales du ciel, l'éclair maintenant pâlissait ; rapidement le noir coursier m'emporta le long du rivage de la mer tempêtueuse : et bientôt la grise montagne retentit sous ses sabots, et je pus voir Cythna parmi les rocs, où elle était restée assise, ses yeux inquiets fixés sur le jour tardif.

LIV

Nous nous retrouvâmes avec joie. Elle était très pâle, affamée, mouillée, épuisée ; je passai mes bras autour d'elle pour l'empêcher de tomber pendant que nous regagnions notre retraite ; et ainsi embrassée, son cœur plein sembla goûter une joie plus profonde que n'en a jamais connu le bonheur. Le coursier allait paisiblement au pas derrière nous le long de la montagne déserte. Nous atteignîmes notre abri avant que le Matin ait pu détacher le dernier voile de la Nuit, et nous nous étendîmes sur notre couche nuptiale.

LV

Quand elle eut réchauffé dans mon sein son cœur frissonnant, après les plus doux baisers, nous partageâmes notre paisible repas. Comme une fleur d'automne après de froides averses étend ses feuilles flétries ainsi que des arcs-en-ciel dans l'air ensoleillé, ainsi sur ses lèvres et sur ses joues s'étendit l'esprit vital et dans ses yeux une atmosphère de santé et d'espérance; près d'elle le chagrin s'assoupit, ainsi que la crainte, et tout le cortège du sombre découragement.

CHANT VII

I

Ainsi nous étions assis, joyeux comme le rayon du matin nourri des débris de la nuit et de l'ouragan maintenant endormi sur les vents; des brises légères jouaient à travers les herbes pleines de rosée, le soleil était chaud, et nous étions assis enchaînés dans le charme entrelacé de conversations et de caresses douces et profondes, — caresses muettes, conversations qui pouvaient désarmer le temps, quoiqu'il brandît les traits de la mort et du sommeil, et ces flèches trois fois mortelles trempées dans son propre poison.

II

Je lui racontai mes souffrances et ma folie, et comment, réveillé de cet état de rêve par l'appel de la liberté, je sentis la force de la joie pénétrer mon esprit dans ma solitude; et tout ce que j'étais maintenant; pendant que les larmes ne cessaient de couler le long de ses belles joues attentives, aussi rapides que les pensées qui les alimentaient, comme un courant des vallées étincelantes de soleil; quand j'eus cessé de parler, l'air s'arrêta pour écouter ses doux et suaves accents.

III

Elle me raconta une étrange histoire, d'étranges souffrances, comme les souvenirs brisés de beaucoup de cœurs, réunis en un seul; souvenirs si invraisemblables que la plus intrépide assurance ne saurait y ajouter foi. Elle dit que pas une larme n'osa sortir de sa cervelle gonflée; que ses pensées furent fermes, quand elle dut renoncer à toute espérance mortelle, emportée par ces esclaves jusqu'aux limites de l'océan; et qu'elle toucha le port sans une crainte,sans une faiblesse.

IV

Elle était seule au milieu d'une multitude, les esclaves des cruelles convoitises du froid tyran; eux riaient lugubrement dans les salles souillées; mais elle, elle était calme et triste, rêvant toujours la plus sublime entreprise, jusqu'au jour où le tyran l'entendit chanter sur son luth un air sauvage, triste et pénétrant l'âme, comme les vents qui meurent dans les déserts: —un instant ce chant rendit muettes les pensées mauvaises qui souillaient sa poitrine.

V

Puis, quand il vit sa merveilleuse beauté, un instant il s'inclina sous le sacré pouvoir de la grande Nature, et ressentit quelque passion. Mais quand il la fit transporter dans sa chambre secrète pour y être une victime sans amour, qu'elle s'arracha les cheveux dans son désespoir, et que ses paroles de flammes, ses regards puissants furent inutiles, alors il reprit le fardeau de son esclavage, et redevint un roi, une bête sans cœur, un fantôme de gloire, un nom.

VI

Elle me dit quelle affreuse agonie l'on endure, quand l'égoïsme se moque des délices de l'amour, assez monstrueux pour s'ébattre, comme dans le plus épouvantable délire du rêve, avec des morts animés. Cette nuit-là, toute de torture, de crainte et d'horreur, fit apparaître une lumière que l'âme seule peut rêver ou connaître; et quand le jour brilla sur son abominable frénésie, en la voyant se débattre comme un esprit dans les chaînes de la chair, hagard et pâle le tyran s'enfuit.

VII

Sa folie fut un rayon de lumière, un pouvoir qui rayonna dans son âme déchirée; elle fit naître des paroles, des gestes et des regards tels, qu'ils emportèrent dans leurs tourbillons irrésistibles tous ceux qui approchaient de leur sphère, comme une calme vague entraînée dans le tourbillon des gouffres invisibles. La sympathie fit de chacun des esclaves asservis un homme sans crainte et libre; et ils commencèrent à exhaler de profondes malédictions, comme la voix de flammes souterraines.

VIII

Le roi pâlit sur son trône brillant comme le jour de midi. A la nuit, il envoya deux esclaves à la chambre de Cythna. L'un était un eunuque vert et ridé, une forme humaine devenue l'instrument docile de toutes les choses mauvaises, que l'on tord, incline et ploie à volonté ; l'autre, un misérable, que dès son enfance le poison avait rendu muet, qui ne savait qu'obéir ; il venait des îles du feu ; c'était un plongeur maigre et fort de la mer de corail d'Oman.

IX

Ils la portèrent à une barque, et le rapide coup d'aviron de rameurs silencieux fendit les mers bleues éclairées par la lune, jusqu'à ce que le matin éclatât sur leur chemin. Alors ils jetèrent l'ancre à l'endroit où par le calme ou la brise, la plus sombre des lugubres Symplegades est battue d'une houle sans sommeil ; — là, l'Éthiopien l'enlaça de ses longs bras, étreignit ses pieds entre ses genoux comme dans un étau de fer, et plongea avec elle dans les secrètes profondeurs des vagues, loin de l'air infini.

X (1)

« Rapide comme un aigle fondant de la plaine lumineuse du matin dans quelque bois ombreux, il plongea dans le vert silence de l'Océan, à travers maintes cavernes que le flot éternel a creusées pour être les sombres repaires de ses couvées de monstres ; parmi des formes puissantes qui fuyaient épouvantées, et des ombres plus puissantes encore qui suivaient ses talons, il roula... jusqu'à ce que, sous les noirs rochers, il eût touché une chaîne d'or... un bruit éclata semblable au tonnerre...

XI

« Un bruit étourdissant de massifs verrous, réper-

(1) Ici Laon prête la parole à Cythna elle-même pendant presque trois chants.

cuté dans l'abîme, une explosion de vagues, comme arrachées des racines de la mer, bouillonnant avec furie. Dans cette voûte de rochers une ouverture était pratiquée, par où brillaient les rayons d'émeraude du ciel, dardés à travers les lignes de mille vagues entrelacées, comme la lumière du soleil le soir à travers les bois d'acacia; et à travers cette ouverture le plongeur se fendant un chemin passa, comme une étincelle qui s'élance d'une fournaise brûlante.

XII

« Et alors, » continua Cythna, « il me conduisit dans une caverne au-dessus des eaux, près de ce gouffre de la mer; une fontaine circulaire et vaste, où la vague emprisonnée bouillonnait et sautait perpétuellement puis, après un instant de repos, il s'enfuit en remontant victorieusement le courant de l'abîme. Cette prison spacieuse, semblable à un temple hypèthre, vaste et élevé, dont le dôme aérien est inaccessible, était percée d'une ouverture ronde par où tombaient les rayons du soleil.

XIII

« En bas, les bords de la fontaine étaient richement pavés des trésors de l'abîme, corail et perles, et sable semblable à des paillettes d'or, et coquilles pourpre gravées de mystiques légendes par quelque main immortelle, laissées là, quand, se rassemblant au commandement de la lune, les vagues amoncelées brisèrent la porte Hespérienne des montagnes; et sur ce brillant parquet s'élevaient des colonnes, et des formes semblables à des statues, et des trônes sans roi, que la Terre avait créés dans son sein.

XIV

« Le démon de folie qui avait fait sa proie de mon pauvre cœur avait été assez bercé pour dormir quelque temps. Il y eut un intervalle de bien des jours. Cependant un aigle de mer m'apportait ma nourriture ; son nid était bâti dans cette île qu'aucun pied n'avait foulée, et il avait été dressé à servir de geôlier à cette étrange prison ; et ce qu'est un ami dont matin et soir on cherche le sourire comme la lumière et le repos, cet oiseau sauvage le fut pour moi, jusqu'à ce que la folie m'apportât la misère...

XV

« La misère d'une folie lente et rampante, qui me faisait voir dans la terre du feu, dans la mer de l'air, dans les blancs nuages de midi, qui souvent dormaient dans le ciel bleu si pur et si beau, comme des armées d'ombres spectrales voltigeant sur ma tête ; et l'aigle de mer me semblait un démon qui m'apportait à manger tes membres déchirés !.... Ainsi toutes choses se transformèrent pour moi en une agonie que je portai, comme une robe empoisonnée, autour de mon cœur.

XVI

« Puis je recommençai à distinguer le jour et la nuit et leur fuite rapide, l'aigle et la fontaine et l'air.... Il me vint alors une autre frénésie ; il me sembla qu'il y avait un être en moi.... que mon cœur portait un étrange fardeau, comme si quelque chose de vivant avait fait son repaire dans les sources même de ma vie ; — une longue et prodigieuse vision, l'œuvre de mon désespoir, grandit alors, comme une douce réalité au milieu d'un chaos sans repos de sombres et douloureux cauchemars.

XVII

« Il me sembla que j'allais être mère. Les mois succédaient aux mois, et toujours je rêvais que nous serions tout l'un pour l'autre, moi et mon enfant ; et toujours des pulsations nouvelles semblaient battre près de mon cœur, et toujours je pensais qu'il y avait un petit être en moi... et quand la pluie de l'hiver ruissela à travers l'ouverture de la caverne, il me sembla, après une longue douleur, voir cette forme adorée couchée près de mon cœur.

XVIII

« C'était une petite fille, belle dès sa naissance ; elle te ressemblait, cher amour ! ses yeux étaient les tiens, et son front, et ses lèvres, et sur la terre elle étendait ses doigts de la même façon que les tiens maintenant reposent sur les miens, mon bien-aimé !... C'était un rêve divin ! Rien qu'à se rappeler comment il s'enfuit, avec quelle rapidité, comment il n'en resta rien, le cœur sentirait se rouvrir sa douleur, quoique ce ne fût qu'un rêve... » — Alors Cythna leva ses regards vers les miens, comme si elle eût voulu éclaircir quelque doute.....

XIX

Un doute qui ne voulait pas s'enfuir, la tendresse d'une douleur qui questionne, une source d'abondantes larmes... Quand elles furent passées, encore tout oppressée de sanglots, elle continua : « Oui, dans le désert des années, sa mémoire m'apparaît toujours comme une verte oasis; elle a sucé à pleines lèvres ce sein, mon doux amour, pendant de longs mois. Je n'avais plus de mortelles craintes; il me semblait sentir ses lèvres et son souffle me prouver que c'était bien un être humain qui s'était attaché à mon sein.

XX

« J'épiai l'aurore de ses premiers sourires; et bientôt quand les étoiles du zénith tremblaient sur la vague, ou quand les rayons de la lune ou du soleil invisibles, reflétés par maint prisme dans l'intérieur de la caverne, projetaient sur les eaux leurs ombres diamantées, ses regards couraient après eux, et de sa main étendue, parmi les doux rayons qui pouvaient paver la fontaine, elle en désignait un, et riait, quand, indocile à son commandement, il ne bougeait pas de place, et n'avait pas l'air de comprendre.

XXI

« Il me semblait que ses regards commençaient à converser avec moi; car ses lèvres ne formaient encore aucuns sons articulés, mais seulement quelque chose de doux... de si doux, que ce ne pouvait être une chose sans signification; son toucher cherchait à rencontrer le mien, et nos pulsations coulaient et battaient avec calme en se répondant pendant que nous dormions; et un jour que j'étais très heureuse dans cette étrange retraite, nous jouâmes toutes les deux avec des tas de coquilles d'or, — deux enfants tissant des ailes pour l'éternel voyage du Temps.

XXII

« Avant la nuit, me sembla-t-il, ses yeux s'obscurcirent fatigués de joie; et, lasses de nos plaisirs, nous nous étendîmes sur la terre comme deux sœurs jumelles sur le beau sein d'une seule mère. —A partir de cette nuit je ne la vis plus; elle s'enfuit comme ces mirages clairs et brillants, qui voltigent sur les lacs quand la rouge lune s'arrête au haut du ciel avant d'éveiller la tempête; — et sa fuite, quoiqu'elle fût la mort d'une fantaisie en démence, cependant frappa mon cœur solitaire plus cruellement que toute autre misère.

XXIII

« Il me sembla que, dans cette terrible nuit, le plongeur qui m'avait amenée là revenait et emportait mon enfant. Je vis encore, comme la premiere fois, les eaux frémir, quand il s'y enfonça si rapidement.... Puis vint le matin; il brillait comme d'ordinaire; mais moi je n'étais plus la même; la vie même avait quitté mon cœur. — Je dépéris de plus en plus, jour par jour, et là, toute seule assise, je tourmentai les vagues inconstantes de mes perpétuels gémissements.

XXIV

« Je n'étais plus folle, et cependant il me semblait que mes seins étaient gonflés et changés; dans chacune de mes veines le sang s'arrêtait un instant silencieux, pendant que cette pensée passait. Avec une impétuosité qui me causait une douleur cuisante, il ne cessait de refluer à ses sources flétries, quand j'essayais avec une ferme résolution de détourner mes yeux blêmes de cette illusion si étrange, qui aurait volontiers réveillé ce rêve auquel mon esprit aspirait avec un amour plus qu'humain ; mais qui alors ne revint pas.

XXV

« Ainsi ma raison m'était rendue; je luttais avec ce rêve, qui, semblable à une bête farouche et belle, avait fait de ma mémoire son repaire, et festoyait sur mon cœur ; mais toute cette caverne et toutes ses formes, imprégnées de pensées qui ne pouvaient plus s'évanouir, faisaient revivre tour à tour un sourire, un regard, un geste, qui m'avait charmé naguère... et seule assise, je tourmentais les vagues inconstantes de mes perpétuels gémissements.

XXVI

« Le temps passait ; étaient-ce des mois ou des années? car ni jour ni nuit, ni changements de saisons ne laissaient de trace, mais seulement mes pensées et mes larmes stériles ; et je finis par devenir une ombre, une fumée, un nuage dont les vents ont fait leur proie jusqu'à ce qu'il ne soit plus qu'un air insaisissable..... Mais un soir, un nautile (1) jouait sur la fontaine, étendant sa voile d'azur sur laquelle ne descendait pas le souffle du ciel, entraîné parmi les vagues et les tourbillons.

XXVII

« Et, quand vint l'aigle, cette chose charmante, remorquant de ses pieds rosés son bateau d'argent, s'enfuit vers moi comme pour chercher un abri. L'aigle d'une aile pesante planait en flottant sur sa proie ; mais, quand il vit que j'avais découvert en tremblant son dessein, et que j'offrais au nautile ma propre nourriture, ses plumes hérissées retombèrent sur son cou ; il s'approcha de l'endroit où nageait ce brillant enfant de la mer, et étendit en paix sur lui son ombre large et épaisse.

XXVIII

« Cette aventure me réveilla, et me rendit la force humaine ; et l'espérance, je ne sais ni d'où ni comment, rentra dans mon cœur. J'avais enfin retrouvé mes anciennes facultés ; mon esprit ressentit de nouveau ce que ressent le tien, ce que ressentent ceux dont le destin est de faire des maux de l'humanité leur proie. Qu'était cette caverne ? Ses fondements profonds ne connaissent pas la volonté déterminée, immuable, irrésistible, forte pour sauver, comme l'esprit, quand il se moque du tombeau qui dévore tout.

XXIX

« Et où était Laon ? Mon cœur pouvait-il être mort,

(1) *Nautile papyracé* ou *argonaute*, molusque qui conduit sa coquille comme une barque, en s'aidant de ses pieds, dont deux son élargis, et lui servent de voile.

pendant que ce cœur si cher battait et existait encore, et que s'étendait toujours sur la terre le linceul que j'avais juré de déchirer ? Je pouvais être libre, si seulement je pouvais amener cet oiseau dévoué à m'apporter des cordes et longtemps, en vain, je cherchai, au moyen d'un échange d'images tirées des objets, à lui apprendre à me rendre ce service ; mais il apportait toujours des fruits, des fleurs, ou des rameaux, jamais de cordes.

XXX

« Nous vivons dans notre propre monde, et le mien était fait de glorieux rêves d'espérance évanouie ; oui, leur ombre flottante nous couvre de ses ténèbres, ou bien nous leur prêtons notre propre lumière. Le temps me rendait mes forces, mon cœur retrouvait son intrépidité ; mes yeux et ma voix redevenaient fermes, mon esprit calme et perçant, comme le matin, maintenant dardant son éclat sur toutes les choses cachées derrière les sombres nuages qui là-bas, prêts à s'évanouir, pèsent sur le vent fatigué.

XXXI

« Mon esprit devint le livre qui m'apprit à grandir dans toute sagesse humaine, et sa caverne que je fouillai dans tous ses recoins comme une mine me donna la garde de ses secrets,... un esprit, le type de toutes choses, la vague immobile dont le calme réfléchit tout ce qui se meut, nécessité, amour et vie, le tombeau et la sympathie, les sources d'espérance, et de crainte, justice, vérité, temps, et la sphère naturelle du monde.

XXXII

« Et sur le sable je traçai des signes pour disposer par ordre ces tissus de ma pensée, tels qu'elle en tissait la trame; claires formes élémentaires, dont le plus léger changement créait dans le langage un langage plus subtil : la clef des vérités autrefois obscurément enseignées dans l'antique Crotone; — et dans cette profonde solitude, je tirai en rêve de douces mélodies d'amour de ma propre voix, pendant que tes chers yeux brillaient à travers mon sommeil et harmonisaient mes accents.

XXXIII

« Tes chants étaient comme des brises, où je flottais avec délices, comme dans un char ailé, sur la plaine d'une jeunesse de cristal; tu étais là pour remplir mon cœur de joie, et là nous nous retrouvions encore assis ensemble sur le gris rivage de la mer phosphorescente; — heureux comme autrefois, mais bien plus sages, car nous souriions sur le tombeau fleuri où étaient couchées Crainte, Foi et Servitude; et l'humanité était libre, égale, pure et sage, dans la prophétie de la sagesse.

XXXIV

« Car pour ma volonté mes imaginations étaient comme des esclaves remplissant leur doux et subtil ministère; et souvent des vagues sombres de cette brillante fontaine elles auraient voulu rassembler les multitudes humaines et les lancer au combat avec mes yeux débordants et ma voix que la passion rendait profonde. Ainsi je me familiarisais avec le choc, les surprises et la guerre des esprits humains, et j'y puisais ce pouvoir qui fut le mien de réformer leurs pensées.

XXXV

« Et ainsi ma prison était la terre populeuse; j'y vis, — de même que la misère rêve du matin avant que l'orient ait donné son glorieux enfantement, — les pompes de la Religion désolées par le mépris du plus faible sourire de la Sagesse, les trônes renversés, les habitations du peuple adouci entremêlées de champs sans clôture couverts de moissons mûrissantes, et l'amour devenu libre : une espérance que nous avons nourrie de notre sang même et de nos larmes, jusqu'à ce que sa gloire éclatât.

XXXVI

« Tout n'est pas perdu! Quelque récompense est réservée à l'espérance dont la source est aussi profonde!... Oui, la splendide impuissance du Mal sur son trône entouré de son enfer de pouvoir, le secret murmure des hymnes à la vérité et à la liberté, le terrible passage de la vie à la mort traversé sans frayeur et sans crainte, les prisons où se conçoivent de hauts desseins, les tortures qui proclament la grandeur de la femme dégradée, et tout ce qui peut être bon et irrésistible;

XXXVII

« Telles sont les pensées, semblables aux feux étincelant sur des îles enveloppées par l'ouragan, que nous caressons sur cette sombre ruine ; telles étaient alors aussi les miennes. De même que dans son sommeil une violette odorante, bien que ses feuilles soient humides des rosées de la nuit , s'exhale en rêves prophétiques du lever du jour, ou comme, avant que la gelée de Scythie ait rencontré avec terreur les messagers du Printemps descendant des cieux, les boutons ont pressenti leur écloison ; — ainsi cette espérance doit se lever un jour.

XXXVIII

« Ainsi les années passaient quand un soudain tremblement de terre déchira les profondeurs de l'Océan, et la caverne se fendit, avec un bruit terrible, comme si l'immense continent du monde était entraîné dans une ruine universelle, et à travers l'ouverture se précipitèrent en cataracte les eaux étouffées. — Quand je m'éveillai, l'inondation, dont les eaux liguées avaient saccagé cette caverne de cristal, refluait autour de moi, et ma brillante demeure s'ouvrait béante devant moi... un gouffre désert, nu, immense.

XXXIX

« Au-dessus de moi était le ciel, au-dessous la mer ; j'étais debout sur la pointe d'une pierre fracassée, et j'entendais les rochers détachés roulant en bonds tumultueux et retentissants dans l'abîme. — Puis tout à coup tout bruit cessa, il se fit un vaste et désert silence. Je sentis que j'étais libre ! L'embrun de l'Océan tremblait sous mes pieds, le large ciel rayonnait autour de moi et dans ma chevelure les vents jouaient, en s'arrêtant dans leur course maintenant sans obstacle.

XL

« Mon esprit errait sur la mer comme un vent qui aime à s'attarder et à voltiger autour d'un cap parfumé de thym, quoiqu'il puisse réveiller le nuage endormi, et déchaîner la fureur de la tempête. Le jour était presque écoulé, quand, à travers la lumière déclinante, je pus découvrir un vaisseau qui approchait... Ses voiles blanches étaient gonflées par le vent du Nord : son ombre mobile couvrait l'abîme crépusculaire ; les mariniers effrayés jetèrent l'ancre, quand ils virent de nouveaux rochers disséminés autour d'eux.

XLI

« Et, quand ils virent quelqu'un assis sur un rocher, ils m'envoyèrent un bateau... Les marins ramaient frappés de terreur, à travers un nouveau et formidable déchirement de rocs suspendus entre lesquels flottait l'écume de courants qui ne pouvaient offrir aucun abri. Ils arrivèrent et me questionnèrent ; mais, quand ils entendirent ma voix, ils devinrent silencieux, et prirent l'attitude d'hommes en qui un amour inconnu a remué de profondes pensées ; nous atteignîmes ainsi le vaisseau sans prononcer une parole.

CHANT VIII

I

« Je m'assis à côté du timonier, et regardant vers l'Ouest, je criai : — Étendez les voiles ! Voyez ! la lune qui plonge est comme une tour d'observation qui flamboie sur les montagnes ; le cap seul là-bas dérobe à notre vue la Cité d'Or. Le courant est rapide ; le Nord souffle avec force sous les étoiles ; elles tremblent de froid. Vous ne pouvez vous arrêter sur la terrible mer ; hâtez-vous, hâtez-vous d'atteindre le chaud abri d'un plus heureux destin !

II

« Les mariniers obéirent. Le capitaine se tenait à l'écart, et chuchotant à l'oreille du pilote, lui disait : — Hélas ! Hélas ! Je crains que nous ne soyons poursuivis par des ombres malfaisantes ! La nuit qui précéda notre départ, un fantôme des morts vint à mon lit, en rêve, semblable à celui-ci ! — Le pilote répliqua : Ce ne peut être une ombre, c'est une vierge humaine, sa voix pénétrante vous fait pleurer ! C'est une jeune femme ou une fille de haute naissance ! Elle ne peut être autre chose !

III

« Nous passâmes les îles, portés par le vent et le courant, et, pendant que nous voguions, les mariniers se réunirent autour de moi pour m'entendre. Je me tenais debout dans la pâle clarté de la lune, comme quelqu'un que la crainte ne saurait atteindre, et ma calme voix s'éleva (1). Vous êtes tous des hommes; au loin la large lune donne sa lumière à des millions d'êtres qui portent absolument la même ressemblance; oui, pendant que je vous parle, sous la même nuit, leurs pensées flottent comme les nôtres, dans la tristesse ou la joie.

IV

« Que rêvez-vous? Vos propres mains ont bâti un foyer pour vous-mêmes sur un rivage bien-aimé. Pour quelques-uns, des yeux passionnés languissent en attendant leur retour; comme ils le salueront quand leurs peines seront passées, et que leurs enfants se précipiteront en riant du seuil bien connu! Est-là votre souci? C'est pour votre propre bien que vous peinez, — vous sentez et pensez! Un pouvoir immortel a-t-il de telles préoccupations? Ou bien, selon l'humeur humaine, rêvez-vous que Dieu (2) a bâti ce monde pour que l'homme y vive dans la solitude?

(1) Le discours que tient Cythna aux matelots va jusqu'à la strophe XXIII.

Au mot de *Dieu*, dans ce vers et les strophes suivantes, se trouve substitué dans la *Révolte de l'Islam* le mot de *Pouvoir*.

V

« Qu'est-ce alors que Dieu? Vous vous moquez de vous-mêmes, et donnez un cœur humain à ce que vous ne pouvez connaître; comme si la cause de la vie pouvait penser et vivre! Autant dire que les propres œuvres de l'homme peuvent sentir, et manifester les espérances, les craintes et les pensées dont elles émanent, et que l'homme leur ressemble! Hélas! le fléau est libre de dévaster le monde, et avec lui ruine, destruction, poison, tremblement de terre, grêle, neige, maladie, besoin, et la pire des nécessités, celle de la haine et du mal, et l'orgueil, et la crainte, et la tyrannie!

VI

« Qu'est-ce alors que Dieu? Quelque sophiste lunatique vit un jour l'ombre de sa propre âme en sortir et remplir le ciel et la sombre terre; et ainsi la forme qu'il vit et adora était sa propre forme, son image aperçue dans le vaste miroir du monde; ce serait un rêve innocent, si une foi nourrie de la rosée empoisonnée de la crainte n'avait pas poussé sur sa tige, et si les hommes ne disaient pas que Dieu a chargé la mort d'exercer sur ceux qui méprisent ses lois son immortelle colère.

VII

« Les hommes disent qu'ils ont vu Dieu, et qu'ils ont appris de Dieu, ou d'autres hommes témoins de tels prodiges, que sa volonté est toute notre loi, la verge qui doit nous réduire à l'esclavage (1) ; que prêtres et rois, coutume, autorité domestique, en un mot tout ce qui ploie l'âme née libre de l'homme sous le talon des oppresseurs, sont ses ministres redoutables; et que les aiguillons de la mort font sentir sa vengeance au sage, quoique la vérité et la vertu arment son cœur d'un triple bronze.

VIII

« Ils disent aussi que Dieu punira le mal, oui, qu'il ajoutera le désespoir au crime, et la peine à la peine ; qu'au milieu des serpents immortels de son rouge enfer il enchaînera le misérable qu'il a marqué d'une tache qui s'est attachée à lui, pendant qu'il vivait, comme une peste, un fardeau, un poison ; qu'amour et haine, vertu et vice sont de vaines distinctions ; que la volonté de la force est le droit ! Ainsi les tyrans désolent avec des mensonges ce monde humain, qu'ils sont parvenus à gouverner.

IX

« Hélas ! quelle est cette force ? L'opinion est plus fragile que ce nuage obscur qui là-bas s'évanouit sur la lune au moment même où nous le regardons, quoiqu'elle parvienne pendant quelque temps à cacher l'orbe de la vérité ; et c'est sur elle, une forme aux mille noms, que s'appuie tout trône de la terre ou du ciel, une ombre. C'est pour elle que nous labourons les stériles

(1) Version de la *Révolte de l'Islam :* « Des hommes disent qu'ils ont eux-mêmes entendu et vu, ou connu par d'autres hommes témoins de ces prodiges, une Ombre, une Forme, résidant entre la Terre et le Ciel, brandissant une baguette invisible... »

vagues de l'océan ; c'est pour elle que chacun est esclave ou tyran ; que tous trahissent et s'inclinent, commandent, tuent ou craignent, font souffrir où souffrent.

X

« Chacun de ses noms est un signe qui rend sacré tout pouvoir, que dis-je ?... le fantôme, le rêve, l'ombre du pouvoir : convoitise, mensonge, haine, orgueil et folie ; le type d'où provient toute fraude et tout mal ; une loi sous laquelle l'espèce humaine a été entraînée par trahison ; et l'amour humain est comme le nom bien connu d'une mère chérie qu'un meutrier a couchée dans son tombeau sanglant, et dont il a, les séquestrant dans les ténèbres, réuni autour de lui les enfants égarés comme s'ils étaient les siens.

XI

« Oh ! l'amour (qui est pour le cœur de l'homme errant ce qu'est le calme aux vagues fatiguées de la mer), la justice, ou la vérité, ou la joie, voilà ce qui peut seul nous guider hors de l'esclavage ou des souterrains labyrinthes de la religion, comme une brillante étoile sauve les marins... Donner à chacun une égale part de bien ; suivre les pas de la Liberté même à travers les tombeaux ; supporter tout avec patience ; pleurer sur le crime, fût-il souillé du plus cher sang de tes amis ;

XII

« Sentir la paix que donne le contentement de soi-même ; reconnaître toutes les sympathies, et n'outrager personne ; et dans les plus secrets berceaux du sens et de la pensée, jusqu'à la fin du dernier jour ensoleillé de la vie, s'asseoir et sourire avec joie, ou, sans rester seul, baiser les larmes salées sur la joue consumée du malheur ; vivre comme si aimer et vivre ne faisaient qu'un... ce n'est ni la foi, ni la loi, et ceux qui s'inclinent devant les trônes du ciel ou de la terre ne peuvent connaître une pareille destinée.

XIII

« Mais maintenant les enfants tremblent devant leurs parents, parce qu'ils doivent obéir. L'un gouverne l'autre ; car il est dit que Dieu gouverne à la fois grands et petits ; l'homme est devenu le prisonnier de son frère ; et au-dessus trône la Haine avec la Crainte sa mère, dominant les plus grands ; — et les fontaines d'où découlait l'amour, quand la loi a étouffé tout le reste, ont été couvertes de ténèbres ; — la femme est devenue l'esclave enchaînée de l'homme, un esclave ; et la vie est empoisonnée dans ses sources.

XIV

« L'homme cherche l'or dans les mines, se tressant ainsi une chaîne durable pour son propre esclavage ; afin de pouvoir vivre dans la crainte et les soucis sans repos, il peine pour d'autres, les éternels esclaves sans joie d'une captivité semblable à la sienne ; il tue, pour que ses chefs jouissent dans la ruine ; il bâtit l'autel, pour que son idole trouve son salaire dans son propre sang ; il poursuit, ô aveugle et volontaire infortuné ! l'obscure ruine qui l'attend.

XV

« La femme ! elle est son esclave, elle est devenue une chose que je pleure de dire... l'enfant du mépris, la proscrite du foyer désolé. Le mensonge, la crainte et la fatigue, comme des vagues, ont creusé des canaux sur sa joue, que parent les sourires comme de calmes sillacs parent le traître Océan : — vous savez bien ce qu'est la femme, car il n'est personne né de la femme qui ne soit réduit à épuiser la lie amère du chagrin, qui toujours de l'opprimé remonte à l'oppresseur.

XVI

« Tout cela cependant ne doit pas être. Vous pouvez vous lever, et vouloir que l'or perde son pouvoir, et les trônes leur gloire ; que l'amour, que personne ne peut enchaîner, soit libre de remplir le monde, comme la lumière ; que la coupable Foi, blanchie dans le crime, soit étouffée et meure. — Voyez au loin le promontoire éclipser la lune qui descend ! — Prison et palais sont éphémères ; les superbes temples s'évanouissent comme une vapeur ; l'homme reste seul, lui dont la volonté conserve le pouvoir quand tout autour de lui a disparu :

XVII

« Que tous soient libres et égaux !... De vos cœurs j'entends sortir un écho ; à travers le plus intime de mon être, comme le plus doux des sons cherchant son compagnon, il pénètre. — D'où venez-vous, amis ? Hélas ! je ne puis donner un nom à tout ce que je lis de chagrin, de fatigue et de honte sur vos faces épuisées ; comme dans les vieilles légendes qui immortalisent la désastrouse renommée de conquérants et d'imposteurs faux et hardis, je vois dans vos regards le trouble de vos cœurs.

XVIII

« D'où venez-vous, amis? De verser le sang humain sur la terre? ou apportez-vous le fer et l'or dont se servent les rois pour duper et égorger la multitude? Ou bien venez-vous de chez le pauvre affamé, pâle, épuisé et glacé, apportant le fruit de ses sueurs?... Expliquez-vous! Parlez! Vos mains sont-elles fraîchement teintes dans le sang du carnage? Vos cœurs ont-ils vieilli dans l'artifice?... Connaissez-vous vous-mêmes; vous serez purs comme la rosée, et je serai pour vous une amie et une sœur.

XIX

« Ne déguisez rien... Nous avons un cœur humain; toutes les pensées mortelles reconnaissent un même foyer. Ne rougis pas d'avoir eu ta part des souillures d'un crime inévitable; la condamnation, que tu as encourue ou pu ou dû encourir, est celle de l'humanité tout entière. Vous êtes la dépouille que le Temps désigne ainsi pour la tombe dévorante, vous et vos pensées, et toutes les peines avec lesquelles vous enlacez les anneaux de l'éternelle chaîne de la vie.

XX

« Ne déguisez rien... Vous rougissez parce que vous haïssez, et l'Inimitié est la sœur de la Honte! Regardez dans votre esprit; c'est le livre de la destinée!... Ah! il est noirci de bien des noms blasonnés de misère; tous sont les miroirs de la même! Mais le noir démon qui, de sa plume de fer trempée dans le brûlant poison du mépris, y a immortalisé sa gloire, passerait inoffensif sur la tête des hommes, s'ils dédaignaient de faire de leurs cœurs son repaire.

XXI

« Oui c'est la Haine ! cette chose diabolique et informe, qui porte tant de noms, tous mauvais, quelques-uns divins, que le mépris de soi-même arme d'un mortel aiguillon; et lorsque le cœur qu'elle enlacè de ses replis de serpent est tout à fait épuisé, et qu'elle se lasse de dévorer une proie si amère, elle tourne cet aiguillon de tous côtés avec une rage multipliée; semblable au serpent amphisbène, qui, après avoir étreint quelque bel oiseau, bientôt sur sa masse putride menace tout ce qui l'environne.

XXII

« Ne gourmande point ton âme; mais connais-toi toi-même; ne hais point le crime d'un autre, ni ne déteste le tien. C'est la sombre idolâtrie de soi-même qui veut, quand une fois nos pensées et nos actions ne sont plus, que l'homme pleure, et saigne, et gémisse. O vide expiation !... Reste en paix; le passé appartient à la Mort, 'avenir est à toi; l'amour et la joie peuvent faire du cœur le plus immonde un paradis de fleurs, où la paix pourrait bâtir son nid.

XXIII

« Parle, toi ! D'où venez-vous ? — Un jeune homme prit la parole : — Péniblement, péniblement nous naviguons sur l'abîme sans bornes. Tu lis bien la misère écrite dans nos yeux épuisés ; mais il y a à l'intérieur beaucoup de choses qui dorment, que le pauvre cœur aime à garder pour lui, ou n'ose pas écrire sur le front déshonoré. Oui, depuis notre enfance, nous avons appris à tremper le pain de la servitude dans les larmes du malheur, et jamais, jusqu'à ce jour, nous n'avons rêvé d'espérance ou d'abri.

XXIV

« Oui, je dois parler... Mon secret serait mort dans le cœur qu'il a consumé, comme un tison s'éteint dans la flamme mourante dont il entretenait la vie ; mais aucun cœur humain ne peut te résister, à toi, merveilleuse femme, et au doux commandement de tes yeux perçants... Oui, nous sommes de misérables esclaves, qui, arrachés à leurs amours accoutumées et à leur terre natale, portent sur les vagues qui les en séparent la proie dédaignée de calmes et heureux tombeaux.

XXV

« Nous traînons bien loin de leurs vallées agrestes les plus belles parmi les filles de ces montagnes solitaires ; nous les traînons dans des lieux où toutes les meilleures choses et les plus rares sont souillées et foulées aux pieds. Bien des années sont venues et parties depuis que, semblable au vaisseau qui me porte, je ne connais plus aucune pensée ; mais aujourd'hui les yeux d'une vierge chérie ont fait briller sur les miens la lumière d'un mutuel amour ; elle est ma vie... je ne suis que son ombre... une fumée qui s'échappe des cendres et bientôt s'évanouit...

XXVI

« Car elle doit périr dans le palais du tyran ! Hélas ! Hélas ! — Il se tut et s'accroupit près de la voile. Mais tous entendaient ses sanglots... Et toujours devant l'océan et le vent, le vaisseau volait jusqu'au moment où les étoiles commencèrent à pâlir ; et, réunis autour de moi dans une muette attitude, les matelots me regardaient, le pilote était abattu et pâle de souffrance, le capitaine aux cheveux gris me jetait des regards pleins d'une crainte sans repos qui rencontraient les miens. — Ils étaient comme en extase.

XXVII

« Maintenant point de faiblesse ! Point de repos ! Tu es âgé, mais l'espérance te rendra jeune, car l'espérance et la jeunesse sont filles d'un même père, l'Amour... Voyez ! les astres éternels nous regardent ! La vérité est-elle entrée dans vos âmes ? Ne songez-vous qu'à vous-mêmes, ou vous sentez-vous attendris pour les souffrances d'autrui ? Avez-vous soif de porter un cœur que ne puisse plus atteindre la dent de serpent de la Coutume ? Soyez libres ! Et maintenant jurez-moi d'être fermes jusqu'à la mort ! — Ils s'écrièrent : Nous le jurons ! Nous le jurons !

XXVIII

« Les ténèbres mêmes furent ébranlées à ce cri, comme par un coup de tonnerre souterrain. Le rivage sonore renvoya ses mille échos dans la nuit, comme si la mer et le ciel et la terre s'étaient réjouis du réveil de la liberté ; car c'était au nom de la liberté qu'ils avaient juré! ... Les verrous furent tirés, et sur le pont les captives debout jetèrent autour d'elles des regards étonnés, et chacune se reculait éblouie, quand la lumière de la torche inconstante venait frapper ses yeux.

XXIX

« C'étaient les plus pures enfants de la terre, jeunes et belles, avec des yeux, les sanctuaires d'une pensée encore endormie; leurs fronts étaient aussi brillants que le printemps ou le matin; le sombre temps n'y avait point encore écrit sa triste légende en caractères nuageux qui ne s'effacent pas. — Ce changement était un rêve pour elles; mais bientôt elles connurent la gloire de leur nouvel état. Dans la brillante sagesse du midi haletant de la jeunesse, une douce conversation, des sourires et des soupirs harmonisèrent tous les cœurs.

XXX

« Mais une restait muette. Ses joues et ses lèvres très belles, changeant de nuances, comme des lis nouvellement fleuris agités en plein midi par le vent à l'ombre de la brillante chevelure d'un acacia, trahissaient les frémissements de son âme. Et bientôt, le cœur plein, ces jeunes filles se levèrent et, toutes haletantes, elles se regardèrent et me regardèrent, comme pour m'adresser une muette prière. Je souris, je pris leurs deux mains dans les miennes, et j'éprouvai un délicieux plaisir dont leurs esprits ressentirent le contre-coup.

CHANT IX

I

« Cette nuit-là, nous jetâmes l'ancre dans une baie boisée; le sommeil n'osa pas plus voltiger autour de nous qu'il n'ose, quand tout doute et toute crainte se sont enfuis, ombrager la couche de quelque amant sans repos, dont le cœur est désormais dans la paix. Ainsi la nuit se passa tout entière dans une mutuelle joie: autour de nous s'élevait une forêt de peupliers et de sombres chênes, dont l'ombre couvrait les étoiles déclinantes réfléchies dans les eaux bleues, et tremblait au vent qui soufflait du matin.

II

« Les mariniers joyeux et les vierges libres enlevèrent à la forêt profonde de nombreux rameaux et revinrent très innocemment chargés des innocentes dépouilles des bois; bientôt des guirlandes de feuillages en boutons flottèrent sur le mât et les voiles; la poupe et la proue furent couvertes d'un dais de rameaux fleurissants; pendant tout le cours du passage oblique du soleil, nous allons pleins de joie sur les vagues, comme les habitants d'une île, destinés à poursuivre ces vagues qui ne peuvent cesser de sourire.

III

« Les nombreux vaisseaux, mouchetant le bleu sombre de l'abîme de leurs voiles de neige, volaient rapides à mesure qu'ils approchaient du nôtre, dans la crainte et l'étonnement; et sur chaque hauteur des milliers d'hommes regardaient. Ils entendaient le cri qui fait tressaillir, comme la voix même de la terre se faisant irrésistiblement entendre à tous ses enfants, l'allégresse déchaînée, la glorieuse joie de ton nom, ô liberté ! Ils entendaient !... De même que sur les montagnes de la terre de pic en pic on voit sauter les rayons du matin naissant.

IV

« Ainsi, de ces cris répétés par les sommets sans fin, il se forma soudainement comme un son universel, comme une voix de volcan, dont le tonnerre remplit les cieux les plus lointains; une si glorieuse folie trouvait un passage à travers les cœurs humains et les entraînait dans un courant qui submergeait leurs craintes et leurs soucis guerroyants, noire couvée de la Coutume; ils ne savaient pas d'où cela venait, mais ils sentaient autour d'eux comme une immense contagion répandue; ils appelaient à grands cris la Liberté !.. Ce nom vivait sur la mer ensoleillée.

V

« Nous touchâmes au port. — Hélas ! De beaucoup d'esprits la sagesse qui avait réveillé ce cri s'était enfuie, comme la courte gloire que le sombre ciel reçoit d'une fausse aurore qui s'évanouit avant de s'épandre perdue, dans les ténèbres dévorantes de la nuit: cependant bientôt le jour brillant éclatera, oui comme un gouffre de feu, pour brûler les linceuls en lambeaux morts qui enveloppent le monde; un immense enthousiasme qui doit purifier le monde enfiévré comme avec le spasme d'un tremblement de terre!

VI

« Je parcourus alors la grande cité, libre de honte ou de crainte; les mariniers épuisés par les fatigues et les heureuses vierges m'entouraient. Et comme un vent souterrain, qui du fond des cavernes remue quelque forêt, les espérances et les craintes, du fond de chaque âme humaine, rendaient un étrange murmure à mesure que je passais; et beaucoup pleuraient, avec des larmes de joie et de crainte; et les pensées ailées erraient en liberté, avec des mots à moitié étouffés qui prophétisaient de révolution.

VII

« Dans un énergique discours je déchirai le voile qui cachait la Nature, la Vérité, la Liberté et l'Amour, comme quelqu'un qui, de la pyramide d'une montagne, indique l'endroit où va se lever le soleil; — les ombres approuvent la vérité qu'il annonce, et s'enfuient de chaque courant et de chaque bosquet. Ainsi de douces pensées remplirent plus d'une poitrine; pour plus d'un cœur la sagesse tissa l'armure d'affections éprouvées, et le mépris intrépide du mal trempa trois fois dans l'acier fondu la volonté désormais invicible.

VIII

« Quelques-uns dirent que j'étais une maniaque sauvage et désespérée ; d'autres, que je venais de sortir du tombeau, la vierge fiancée du prophète, un fantôme du ciel ; d'autres, que j'étais un démon, sorti de sa caverne enchantée, qui avait dérobé une forme humaine, et était venu à travers la vague, la forêt et la montagne ; d'autres disaient que j'étais l'enfant de Dieu, envoyée ici-bas pour sauver les femmes des chaînes et de la mort, et sur ma tête voulaient affreusement faire retomber le fardeau de leurs péchés.

IX

« Mais bientôt mes paroles humaines trouvèrent de la sympathie dans des cœurs humains. Les plus purs et les meilleurs, comme un ami avec un ami, firent cause commune avec moi ; ils étaient en petit nombre, mais résolus ; le reste, même avant que le succès eût béni l'entreprise, se liguaient avec moi dans leurs cœurs ; leurs repas, leur sommeil, leurs occupations de chaque heure, étaient en proie à ces espérances que j'avais armées pour surpasser en nombre ces armées de passions inférieures qui embrassent les fortes ailes de la vie.

X

« Mais les femmes surtout, que ma voix avait réveillées de leur froid, insouciant et volontaire esclavage, me cherchèrent ; une vérité avait secoué leur affreuse prison ; elles regardèrent autour d'elles, et virent ! Elles étaient libres !... Leurs nombreux tyrans, assis désolés dans les salles vides d'esclaves, n'en pouvaient retenir aucune ; car le rouge feu de la colère s'était éteint dans ces yeux dont autrefois l'éclair était la mort ; ni crainte ni gain ne pouvaient maintenant entraîner une captive à reprendre une autre chaîne.

XI

« Ceux qui furent envoyés pour m'enchaîner pleurèrent, et sentirent leurs esprits s'échapper des liens qui les enserraient eux-mêmes, comme une forme de cire peut se dissoudre et fondre dans la blanche fournaise ; une défaillance pleine de visions, une pause d'espérance et de crainte enchaîna la cité ; celle-ci, comme le silence de la tempête naissante, quand elle a enveloppé dans son ombre formidable le soleil, le vent, l'océan et la terre, resta suspendue... terrible, même avant que les éclairs aient jailli de la nue.

XII

« Comme des nuages tissés dans le ciel silencieux se réunissent, poussés par les vents, des lointaines régions, ainsi, au nom sublime de vérité et de liberté, des millions d'hommes étaient réunis autour de la cité, poussés par les espérances qui jaillissaient de mainte source cachée : paroles que la science de la vérité revêtait des couleurs de la grâce ; tes propres chants sauvages qui dans l'air flottaient comme des parfums vagabonds ; et ton nom, et plus d'une langue que tu avais trempée dans la flamme.

XIII

« Le tyran s'aperçut que son pouvoir était évanoui ;

mais la Crainte, la nourrice de la Vengeance, l'invita à attendre l'événement, lui représentant que la perfidie et la coutume, l'or et la prière, et tout ce qui, à défaut de la Force impuissante, prête à la Fraude le sceptre du monde, pourrait, à son avis, raffermir son pouvoir chancelant. Il envoya donc les prêtres à travers les rues pour maudire les rebelles. Ceux-ci s'agenouillèrent sur la voie publique, en implorant de leur Dieu tremblement de terre, fléau et famine.

XIV

« Des hommes graves et blancs, des sièges où la Loi s'est faite l'esclave du Mal, ne craignirent pas de dire comment la glorieuse Athènes était tombée dans sa splendeur, parce que ses fils étaient libres... et que, dans l'espèce humaine, le plus grand nombre appartient au plus petit, de par Dieu (1), la Nature et la Nécessité. Ils dirent que la vieillesse était la vérité, et que la jeunesse avec ses sauvages espérances troublait la paix de l'esclavage, à l'aide duquel les hommes des vieux âges avaient étouffé l'orgueil et la liberté.

XV

« Et avec le mensonge de leurs lèvres empoisonnées, ils parvinrent à produire dans la docile mémoire des sages et des bardes une éclipse passagère. — Il y a un Maître enseignant, disaient-ils, qui doit toujours exister, Dieu même (2) ! C'est lui qui a armé la nécessité du

(1) Dans la *Révolte de l'Islam*, on lit « Ciel » à la place de « Dieu ».

(2) Ce passage est ainsi modifié dans la *Révolte de l'Islam* : « Il y a un maître enseignant qui a armé la Nécessité, etc... »

gouvernement et du crime contre l'humanité, pour être ici-bas son esclave et son vengeur. Ils ajoutaient que nous étions faibles et pécheurs, fragiles et aveugles; que la volonté d'un seul était la paix, et que nous ne devions aspirer à autre chose sur la terre qu'à la peine et la misère.

XVI

« Afin de pouvoir, par ce moyen, éviter l'enfer dans l'autre monde. — Ainsi parlèrent les hypocrites qui maudissaient et mentaient. Hélas ! leur autorité était passée ; les larmes et le rire s'attachaient à leurs cheveux blancs, flétrissant l'orgueil qui dans leurs cœurs creux osait encore habiter; et cependant des esclaves plus obscènes, au front plus poli, avec des ricanements sur leurs lèvres serrées, minces, bleues et larges, disaient que maintenant le monde avait renoncé à être le maître, et que le monde soumis devait s'incliner devant la volonté d'une femme !

XVII

« L'or était semé dans les rues, et le vin coulait partout à flots dans la cité. En vain ! Les solides tours brillaient toujours dans le ciel comme d'habitude ; et à l'appel des prêtres, la Peste ne quitta pas son banquet dans les salles d'Éthiopie, ni la Famine n'accourut des portails du riche, où toujours à son aise elle fait sa proie de ceux qui s'y rassemblent pour implorer à genoux leur nourriture ; ni la crainte, ni la honte, ni la foi, ni la discorde ne vinrent obscurcir la flamme nouvellement allumée de l'espérance.

XVIII

« Car l'or était comme un dieu dont la foi commençait à s'affaiblir; il n'avait plus qu'un petit nombre d'adorateurs, ainsi que l'enfer et la crainte, qui dans le cœur de l'homme est Dieu même; les prêtres s'aperçurent de sa chute, en voyant de jour en jour leurs autels plus solitaires, jusqu'à ce qu'ils restassent seuls dans le temple (1). Les traits du mensonge volaient sans causer de flétrissure; et les froids ricanements de la calomnie étaient impuissants à troubler avec le brandon de la discorde l'union des hommes libres.

XIX

« Tu sais le reste. — Nous voici tous deux réunis, survivant à une ruine immense et profonde. Étranges sont mes pensées... Je ne puis ni souffrir ni craindre; assise avec toi sur ce rocher solitaire, je souris, quoique l'amour humain doive me faire pleurer; nous avons survécu à une joie qui ne connaît aucun chagrin, et je sens un calme puissant glisser sur mon cœur, qui ne peut plus emprunter ses nuances au Hasard ou au Changement, ces sombres enfants du Lendemain.

XX

« Nous ne savons pas ce que nous deviendrons. — Cependant, mon cher Laon, Cythna sera la prophétesse de l'Amour; ses lèvres te déroberont la grâce que tu portes,

(1) On lit à la place de ces derniers vers, dans la *Révolte de l'Islam*: « et la Foi elle-même, qui dans le cœur de l'homme donne une forme, une voix, un nom à la spectrale Terreur, connut sa chute, les autels devenant de jour en jour plus solitaires, etc... »

pour cacher ton cœur, et en revêtir les formes qui errent dans le bosquet brumeux de l'avenir vagabond; car maintenant, assise ainsi près de toi, il me semble que je respire et vis de ton souffle et de ton sang, et la violence et le mal sont comme un songe qui roule bien loin de l'inébranlable vérité, entraîné par un courant sans retour.

XXI

« Les coups de vent de l'Automne dispersent les semences ailées sur la terre; — puis bientôt viennent les neiges, et la pluie, et les gelées, et les ouragans, que le terrible Hiver amène de la caverne de Scythie, un sauvage cortège. Mais vois! Le Printemps passe de nouveau sur le monde, versant de douces rosées de ses ailes éthérées; il répand les fleurs sur les montagnes, les fruits dans la plaine, la musique sur les vagues et les bois, et l'amour sur tout ce qui vit, et le calme sur les choses sans vie.

XXII

« O Printemps! emblème aux ailes de vent de l'espérance, de l'amour, de la jeunesse et de la joie! Brillant, beau, adorable Printemps! D'où viens-tu, quand tu mêles à la noire tristesse de l'hiver tes larmes qui s'évanouissent en sourires ensoleillés? Sœur de la joie! Tu es l'enfant qui as recueilli le sourire mourant de ta mère, sourire tendre et doux; tu portes au tombeau de ta mère l'Automne (1) de fraîches fleurs et des rayons

(1) *Autumn* et *Spring*, en anglais, sont des deux genres, comme tous les noms d'objets inanimés; nous avons cru devoir traduire littéralement le texte de Shelley, pour ne pas lui enlever la grâce que lui donne cette image des saisons féminisées.

semblables à des fleurs, sans troubler de tes pas gracieux les feuilles qui sont son linceul.

XXIII

« Vertu, Espérance et Amour, comme la lumière et le ciel, environnent le monde. Nous sommes leurs esclaves choisis. Le tourbillon de notre esprit n'a-t-il pas emporté les germes immortels de la vérité aux cavernes les plus reculées de la pensée ?... Mais voici l'hiver ! la douleur de nombreux tombeaux, la glace de la mort, la tempête de l'épée, le torrent de la tyrannie, dont les vagues ensanglantées deviennent stagnantes comme la glace au nom de la Foi, le mot de l'enchanteur, et enchaînent tous les cœurs humains dans leur repos abhorré !

XXIV

« Les semences dorment dans la terre. Tandis que le tyran peuple les prisons de ses conquêtes, de pâles victimes sur l'échafaud gardé sourient, parce qu'elles ne peuvent parler ; et, jour par jour, la lune de la Science consumante s'évanouit parmi les étoiles ; et dans ces vastes ténèbres les fils de la terre adressent leurs prières à leurs immondes idoles, et les prêtres chenus triomphent ; et, comme un fléau ou une rafale, une ombre d'égoïsme s'abat sur les regards humains.

XXV

« C'est l'hiver du monde ! — Et nous y mourons, comme les vents d'automne s'évanouissent, expirant dans l'air gelé et brumeux. Mais regarde ! Le Printemps vient, bien que nous devions passer, nous qui avons promis sa naissance ; — oui, passer comme l'ombre même qui du sein de notre mort, ainsi que d'une montagne, fait jaillir l'avenir, un large lever de soleil ; alors, couverte de l'ombre des ailes qui la parent, la Terre de son noir gouffre de chaînes s'élance comme un aigle.

XXVI

« O bien cher amour ! nous mourons et serons refroidis avant que ce matin puisse se lever sur le monde ; voudrais-tu voir la gloire de son aurore ? Hélas ! jette tes regards non sur moi, mais tourne tes yeux sur ton propre cœur, — ce paradis que l'éternel printemps a fait sien ; et, tandis que le lugubre hiver remplit les cieux dépouillés, là il y a de doux courants de pensée ensoleillée et des fleurs fraîchement écloses, qui entrelacent et confondent leurs sons et leurs parfums.

XXVII

« Dans leurs propres cœurs, les bons trouveront toujours l'ardeur de l'espérance qui les a faits grands ; et, quoique d'envieuses ombres puissent s'interposer entre l'espérance et son effet, — il vient quelqu'un par derrière, qui reliera toujours l'avenir au passé, la Nécessité, dont la force aveugle doit pour toujours enlacer le mal avec le mal, le bien avec le bien, dans les bandelettes d'une union qu'aucun pouvoir ne saurait rompre ; ils doivent manifester leur propre nature, et n'être jamais séparés !

XXVIII

« Les bons et les puissants des âges écoulés sont dans leurs tombeaux.... avec les innocents et les libres, les héros, les poètes, et les sublimes sages, qui laissent le manteau de leur majesté pour orner et parer ce monde nu — et nous, nous leur ressemblons. De tels hommes périssent; mais ils laissent l'espérance, l'amour, la vérité, la liberté, dont leurs puissants esprits ont pu concevoir les formes pour en faire la règle et la loi des âges qui survivent.

XXIX

« Ainsi, que le gazon couvre nos restes, même au milieu de notre heureuse jeunesse! Que cet étrange lot, quel qu'il soit, quand dans nos veines confondues le sang sera silencieux, soit le nôtre ! Que le sentiment et la pensée abandonnent notre être, et qu'il ne soit plus compté au nombre des choses qui sont ! Que ceux qui viennent derrière nous, à qui notre ferme volonté aura acquis un calme héritage, une glorieuse destinée, insultent, en la foulant dédaigneusement aux pieds, notre tombe inséparable !

XXX

« Nos pensées et nos actions, notre vie et notre amour, notre bonheur, tout ce que nous avons été, vivra éternellement, et ne cessera de rayonner et d'inspirer, quand nous ne serons plus. Le monde a vu un idéal de paix ; et de même qu'aux yeux d'un pauvre maniaque l'apparition soudaine de quelque coin de terre serein et aimé, lui rappelant après de longues années la douce et vivante scène des espérances de sa jeunesse, dissipe sa longue folie ; ainsi l'homme se souviendra de toi.

XXXI

« Et pendant que la Calomnie s'assouvira sur nous, comme les vers dévorent les morts, et que près du trône et de l'autel les railleries et les malédictions trouveront un bienveillant abri, ce que nous avons fait, personne n'osera l'invoquer en témoignage, quoiqu'il soit parfaitement connu. Ce souvenir restera, tandis que passeront ceux qui bâtissent l'édifice de leur orgueil sur son oubli ; et la renommée, qui s'est sculpté une statue dans le marbre de l'espérance humaine, survivra aux parchemins détruits d'une gloriole éphémère !

XXXII

« Et cependant tous deux, mon bien-aimé, nous devons nous séparer ; et le Sentiment et la Raison, ces beaux enchanteurs, dont la baguette magique est l'espérance, invitent notre cœur à regarder au-delà du désespoir du tombeau, la proie des vers. Ces yeux, ces lèvres, ce sang paraissent s'y décomposer dans une hideuse ruine ; aucun calme sommeil, peuplant de rêves d'or l'air stagnant, ne semble y baigner dans la joie nos yeux obscurcis et tombant en pourriture ; rien que la Mort insensible ! une ruine ténébreuse et profonde !

XXXIII

« Ce sont là d'aveugles imaginations. La raison ne peut connaître ce que le sens ne peut sentir, ni la pensée concevoir ; il n'y a dans le monde que déception, douleur, crainte et peine. Nous ne savons ni d'où nous venons, ni pourquoi, ni comment nous vivons ; ni quel muet pouvoir peut donner leur être à chaque plante, étoile ou bête, ou à ces pensées mêmes. — Viens près de moi !... Je veux t'unir à moi dans une chaîne que je ne puisse briser ! Je suis possédée de pensées trop vives et trop fortes pour une seule poitrine humaine!

XXXIV

« Oui, oui ! ton baiser est doux ! tes lèvres sont chaudes! O mon bien-aimé, qu'ils voudraient ces yeux, s'ils ne pouvaient plus boire l'être dans ton sein, qu'ils voudraient, même pour ce sommeil dont nous venons de nous réveiller, fermer leurs orbes épuisés dans la mort ! Je ne crains ni n'estime rien de ce qui peut arriver maintenant, s'il n'est pas partagé avec toi. Oui, l'Amour, quand la Sagesse s'évanouit, rend Cythna sage; ténèbres et mort, si la mort est véritable, doivent être bien plus chères que la vie et l'espérance, si je ne puis en jouir avec toi !

XXXV

« Hélas ! nos pensées flottent sur un courant dont les eaux ne remontent pas à leur source ; la terre et le ciel, l'océan et le soleil, les nuées leurs filles, l'hiver et le printemps, le matin, le midi et le soir, tout ce que nous sommes ou ce que nous connaissons, est ténébreusement entraîné vers un gouffre !... Vois ! quel changement s'est opéré depuis que j'ai commencé de parler !... Mais je pardonnerai au temps de tout changer, excepté toi ! » — Elle s'arrêta... Cependant, l'obscurité de la nuit était tombée sur la terre du dôme sans soleil du ciel.

XXXVI

Quoiqu'elle eût cessé de parler, son visage, levé vers le ciel, parlait encore, avec une brillante et solennelle gloire ; ses profonds yeux noirs, ses lèvres, dont les mouvements communiquaient l'amour à l'air qu'elles respiraient, ses boucles dénouées... « Belle étoile de vie et d'amour », m'écriai-je, « délices de mon âme, pourquoi regardes-tu le ciel de cristal ? Oh ! puisse mon esprit être le ciel de la nuit qui te regarde avec ses millions d'yeux ! » — Elle se tourna vers moi et sourit... ce sourire était le Paradis !

CHANT X

I

Y avait-il alors dans le coursier un esprit humain, pour que de son altière voix, avant que la nuit fût passée, il rompit notre repos entrelacé ? ou bien en vérité toutes les choses vivantes n'ont-elles qu'une commune nature, et la pensée élève-t-elle un trône universel, où toutes les formes apportent un même tribut ? La Terre, leur mère commune, gémit-elle de voir ses fils en venir aux mains, et découvre-t-elle son sein, afin que tous en paix puissent partager ses trésors inépuisables ?

II

J'ai entendu des sons amis sortir de plus d'une langue qui n'était pas humaine... Le solitaire rossignol m'a plus d'une fois répondu avec son chant apaisant, de son berceau de lierre, quand je m'asseyais pâle de chagrin, et que je soupirais près de lui ; de plus d'une vallée les antilopes, cherchant en troupeaux leur pâture, m'ont parlé avec des accents et des mouvements heureux, qui rappellent le propre langage de l'homme ; tel fut en ce moment le signal de la nuit décroissante, quand ce fier hennissement vint en troubler le calme.

III

Chaque nuit, ce puissant coursier m'emportait au loin, et je revenais avec la nourriture à notre retraite, l'esprit plein de sombres pensées. Le sang qui inondait les champs avait taché les pieds du coursier ; bientôt la poussière but cette rosée sanglante... Puis se rencontrèrent le vautour et le chien sauvage, le serpent, le loup et la grise hyène, pour manger les morts dans une horrible trêve ; leurs multitudes faisaient, derrière le coursier, un gouffre comme les vagues sur le sillage d'un navire.

IV

Car, des derniers royaumes de la terre accouraient comme un flot les bandes d'esclaves que chaque despote envoyait à l'appel du traître couronné. Comme le rugissement du feu, dont les vagues enveloppent les bêtes sauvages dans les pâturages incendiés du Sud, ainsi les armées des rois ligués serpentaient en longues traînées d'acier et de flamme ; le continent trembla sous leurs pas, comme enchaîné d'une ceinture de ruine ; la mer s'ébranla au bruit de leurs navires.

V

De toutes les nations de la terre ils accouraient, multitude de choses animées et sans cœur, que les esclaves appellent des hommes ; ils accouraient, docilement, comme des moutons que le berger mène de la bergerie à l'étal, rouges de sang. Leurs nombreux rois les amenaient en troupeaux vagabonds de leur sol natal, Tartare et Franc, et ces millions d'hommes que bercent les ailes des brises indiennes ; il vint de nombreuses bandes de l'Anarchie arctique, et des sables de l'Idumée,

VI

Fertile en prodiges et en mensonges. Ainsi ces étranges natures conclurent entre elles une fraternité de mal. Le sauvage du désert cessa de saisir dans la crainte son bouclier et son arc asiatique, quand, au commandement d'un plus ingénieux fils de l'Europe, sa flèche pouvait tuer quelque berger tranquillement assis sur un rocher; mais des sourires d'une prodigieuse joie et d'une sauvage sympathie remplissaient sa face. Ainsi ces esclaves impurs s'entraînaient l'un l'autre dans l'émulation du mal.

VII

Cet affreux Tyran sut traîtreusement revêtir son visage de mensonge. A l'heure même où il venait d'être arraché à la mort, partout sur le globe, à l'aide de signes secrets partis de mille tours des montagnes, à l'aide de la fumée le jour et du feu pendant la nuit, il appela à lui la force des rois et des prêtres, ces noirs conspirateurs ; ceux-ci embrassèrent sa cause comme la leur et, semblables à des loups et à des serpents, jurèrent une étrange trêve à leurs guerres mutuelles, avec maint rite abhorré de la terre et du ciel.

VIII

Des myriades étaient arrivées... Des millions étaient en chemin. Le Tyran passait, environné de l'acier d'assassins déguisés, à travers la voie publique, obstruée des morts de son pays ; ses pieds glissaient sur le sang frais... il souriait ! — « Ah ! » dit-il « je sens maintenant que je suis vraiment roi ! » et il s'assit sur son siège royal, et fit apporter la roue de torture, et le feu, et les tenailles, et les crocs, et les scorpions, tout ce que son âme pouvait inventer pour sa vengeance.

IX

« Mais qu'on aille avant tout égorger les rebelles... Pourquoi les bandes victorieuses reviennent-elles ? » dit-il. « Il y a encore des millions qui vivent, dont le plus faible d'une seule parole pourrait encore faire pencher en leur faveur la balance de la victoire ; que personne ne survive, excepté ceux qui sont dans les murs. Ici un homme sur cinq paiera pour ses frères.... Allez, ravagez et tuez !... » — « O roi, répondit un soldat, pardonnez-moi d'élever la voix ; mais nous avons peur des esprits de la nuit, et le matin ne tardera pas à paraître.

X

« Nous étions en train de tuer toujours sans remords, et déjà sous ma main ce terrible chef était étendu sans défense, quand, sur un cheval noir comme l'enfer, un ange brillant comme le jour, brandissant une torche qui flamboyait au milieu des étoiles, passa. » — Oses-tu donc discuter avec moi, misérable ? » répliqua le roi. « Esclaves, attachez-le à la roue ; et celui d'entre vous qui m'amènera cette femme qui l'a effrayé pourra brûler à côté de lui son plus cher ennemi...

XI

« Et l'or et la gloire seront son partage ! Allez ! » —

Ils se précipitèrent dans la plaine. Un terrible fracas éclate sous leurs pas; les cavaliers ébranlent la terre; les pavés volent en éclats sous les roues et les coursiers de l'artillerie; l'infanterie, file après file, verse ses nuages sur les plus lointains sommets. Cinq jours ils égorgèrent à travers les champs dévastés; le sixième vit un torrent de sang inonder la cité; le septième la rosée de carnage s'arrêta, et la paix régna de nouveau :

XII

Paix dans les champs et les villages déserts, entre les bêtes repues et les morts déchirés!... paix dans les rues silencieuses! excepté quand les cris des victimes condamnées au feu faisaient pâlir les lèvres sans voix des spectateurs, qui semblaient craindre que quelque langue, même parmi leur parenté la plus chère, ne révélât quelque terreur non encore trahie!... paix dans le palais du tyran, où la foule passait les heures de triomphe en fêtes et en chants!

XIII

Jour après jour le soleil brûlant roula sur la terre souillée par la mort. Il vint de l'Est comme un feu; une ardeur torride d'automne flamboya, mûrissant de sa flamme le peu d'épis solitaires qui restaient; le ciel devint comme stagnant sous la chaleur; chaque nuage, chaque souffle de vent languissait et mourait; l'air altéré réclamait un peu d'humidité, et une vapeur putréfiée venant des morts sans sépulture passait invisible et rapide.

XIV

Le besoin d'abord, puis la peste tomba sur les bêtes; privées de nourriture, elles aspiraient l'air qui les tuait. Millions sur millions, que l'odeur du sang avait attirées, ou qui des lointaines régions avaient suivi à la trace les armées dans leur triomphal appareil de guerre loin de leurs sombres déserts, maintenant amaigries et épuisées, elles rôdaient comme des ombres féroces au milieu de leurs proies perdues pour elles; dans leurs yeux verts un étrange malaise luisait; elles tombaient dans de hideux spasmes, ou des tortures cruelles et lentes.

XV

Les poissons étaient empoisonnés dans les courants, les oiseaux mouraient dans les bois verts; la race des insectes dépérissait; les troupeaux dispersés et les animaux domestiques, qui avaient survécu à la chasse affamée des bêtes sauvages, mouraient en gémissant, jetant les uns sur les autres des regards désolés dans une irrémédiable agonie. Autour de la cité toute la nuit les maigres hyènes pleuraient leur triste sort comme des enfants mourant de faim, une chanson lamentable! et plus d'une mère pleurait pénétrée d'une pitié contre nature.

XVI

Parmi les minarets aériens, les vautours éthiopiens voletant tombaient du milieu de la longue ligne de leurs frères dans le ciel, faisant tressaillir les spectateurs de leur chute. Ces signes annonçaient trop bien le malheur qui allait fondre; une étrange panique d'abord, une terreur profonde et accablante, dans chaque cœur, comme la glace tomba et séjourna, — une muette pensée de malheur, qui se répandit avec la rapidité du coup d'œil, comme tombent les éclairs desséchants.

XVII

Jour après jour, quand l'année décline, les gelées la dépouillent de sa verte couronne de feuilles, jusqu'à ce qu'elle soit toute nue; ainsi la Famine fondit sur ces étranges armées accumulées, comme une ombre rapide, et l'air gémit sous le fardeau d'un nouveau désespoir;... la Famine, la plus terrible des filles que nourrit la Tyrannie de ses milles seins, quoique y dorment aussi, avec leurs yeux sans paupières, la Foi, la Peste et le Massacre, spectrale couvée éclose des lugubres eaux du Léthé.

XVIII

Il n'y avait plus de vivres. Les moissons avaient été foulées aux pieds; les troupeaux, les animaux domestiques avaient péri; les poissons morts et putréfiés étaient rejetés sur le rivage; les abîmes n'avaient plus de nourriture et les vents ne retentissaient plus sous le faix des oiseaux; ces choses ailées s'étaient enfuies tout d'abord, laissant l'air privé d'ombre; les vignes et les vergers, la richesse d'or de l'automne, étaient brûlés; de sorte que la moindre nourriture s'achetait au poids de l'or, et l'Avarice mourait devant le dieu qu'elle a fait.

XIX

Il n'y avait plus de blé. Sur la vaste place du marché,

toutes les choses les plus répugnantes, même la chair humaine, se vendaient... on la pesait dans de petites balances... et alors plus d'une face à cette vue fut immobilisée dans une violente horreur ! Le malheureux apportait son or ; la tendre vierge, que la faim avait rendue hardie, découvrait en vain ses charmes méprisés ; la mère apportait son premier-né, dominée par un instinct aveugle comme l'amour, mais s'en retournait, et faisait téter son enfant, et mourait dans une douleur silencieuse.

XX

Alors la livide Peste tomba sur la race de l'homme. « Oh ! où est l'épée rengainée, qui si tard a donné l'oubli aux morts, quand les rues étaient inondées du sang de leurs frères ? Oh ! que le tremblement de terre n'ouvre-t-il son tombeau, ou que l'océan ne nous étouffe-t-il dans ses vagues ! » Vains cris !... à travers les rues, des milliers d'hommes, poursuivis par leurs brûlantes tortures, hurlent et délirent, ou sont assis en proie à une inimaginable frénésie sur de frais monceaux de mort — une spectrale multitude !

XXI

Maintenant ce n'était plus la faim, mais la soif !... Toutes les fontaines étaient comblées de cadavres tombant en pourriture, et devenaient des chaudières de vapeur verdâtre visible au lever du soleil. Là des myriades d'hommes accouraient toujours, cherchant à éteindre l'agonie du feu qui dévorait comme un poison leurs veines brûlantes ; ils étaient nus par la force de la douleur, sans honte, couverts de plaies sans nom et de pustules livides; enfants, jeunes gens, vieillards se tordaient dans de sauvages tortures.

XXII

Bientôt ce ne fut plus la soif, mais la folie ! Beaucoup voyaient partout leur maigre image; un spectre d'eux-mêmes plus terrible encore se tenait à côté d'eux, jusqu'à ce que l'épouvante de cette affreuse vision forçât à se détruire elles-mêmes ces victimes éperdues. Quelques-uns, avant que la vie s'envolât, cherchaient, dans une horrible sympathie, à répandre la contagion sur ceux qu'elle n'avait pas atteints; d'autres arrachaient leur chevelure emmêlée, et criaient bien haut : « Nous marchons sur du feu ! Dieu tout-puissant (1) a versé son enfer sur la terre ! »

XXIII

Quelquefois les vivants étaient cachés sous les morts. Près de la grande fontaine sur la place publique, où les cadavres formaient une pyramide s'effritant sous le soleil, on entendait une prière étouffée implorant la vie, dans le silence brûlant de l'air; et il était étrange de voir au milieu de ce hideux monceau des figures enveloppées dans le linceul de leur longue chevelure d'or, comme si elles n'étaient pas mortes, mais doucement assoupies, semblables à des formes sculptées, aimer jusque dans l'agonie.

XXIV

La Famine avait épargné le palais du Roi; ils s'étourdissaient dans des fêtes continuelles, lui, ses gardes et

(1) Variante de la *Révolte de l'Islam* : « le Pouvoir vengeur. »

ses prêtres : mais la Peste jeta une ombre sur toutes choses. La Famine peut sourire à celui qui la repaît, et passer, avec l'artificieux mensonge d'un remerciement, comme un vieux courtisan, le chien de garde du trône; mais à une longue distance vient la Peste, un loup ailé, qui dédaigne la curée et l'écume dont les étrangers font leur proie.

XXV

Ainsi, près du trône, au milieu de la splendide fête, revêtu de sa brillante armure, ou nonchalamment abandonné à la débauche, avant même que la moquerie eût expiré sur ses lèvres, le puissant guerrier se sentit défaillir, et une nuit nouvelle pour lui, une nuit spectrale, enveloppa ses yeux de songes frénétiques; il tomba la tête la première, ou les prunelles raidies s'assit sur son séant au milieu des convives, ou dans un délire insensé proféra d'étranges vérités, prophète mourant du noir enfer de l'oppression.

XXVI

Princes et Prêtres pâlirent de terreur; cette foi monstrueuse, avec laquelle ils gouvernaient l'espèce humaine, tombait, comme un trait lâché par l'erreur d'un archer, sur leurs propres cœurs; ils cherchaient, mais sans le trouver, quelque refuge; c'était l'aveugle qui conduisait l'aveugle ! Ainsi, à travers les rues désolées, vers le temple élevé de leur tout-puissant Dieu, les armées (1) déroulèrent une lugubre procession; chacune au milieu

(1) Variante de la *Révolte de l'Islam* : « vers le temple élevé, les armées aux mille langues et sans fin, etc... »

du cortège élève vers sa propre Idole une supplication vaine.

XXVII

« O Dieu ! » criaient-ils, « nous reconnaissons que notre secret orgueil t'a méprisé toi, et ton culte, et ton nom ; pleins de confiance dans la puissance humaine, nous avons défié ton redoutable pouvoir ; nous nous inclinons dans la crainte et la honte devant ta présence ; nous réclamons notre parenté avec la poussière... Sois miséricordieux, ô Roi du Ciel ! Très justement nous avons souffert pour ta gloire obscurcie ; mais qu'enfin nos péchés soient pardonnés, avant que tes adorateurs descendent dans le désespoir et la mort !

XXVIII

« O Dieu tout-puissant (1) ! Toi seul as le pouvoir ! Qui peut résister à ta volonté ? Qui peut arrêter ta colère, quand sur le coupable tu fais pleuvoir les traits de ta vengeance, une pluie qui ronge ? Le seul grand, le seul bon, sois encore miséricordieux ! N'avons-nous pas égorgé tes ennemis ? N'avons-nous pas fait de la terre un autel, et des cieux un temple, où nous t'avons présenté l'offrande de leur sang ? N'avons-nous pas étendu dans la poussière ces cœurs qui voulaient peser tes œuvres impénétrables ?

XXIX

« Tu as bien fait de lâcher sur cette cité impie les anges de ta vengeance ; rappelle-les maintenant ! Tes

(1) *Révolte de l'Islam* : « O roi de gloire ! »

adorateurs, humiliés, implorent ta pitié à genoux ; ils lient leurs âmes par un éternel vœu : nous jurons en ton nom, — et toi, donne à notre serment la sanction de ton enfer de démons et de flammes, — que nous ferons périr dans le feu et les lentes tortures le dernier de ceux qui se moquaient de ton saint nom, et méprisaient les lois sacrées proclamées par les prophètes ! »

XXX

Ainsi, les membres tremblants et les lèvres pâles, ils adoraient l'image de leur propre cœur, obscur et vide, épouvantés de l'ombre même avec laquelle ils voulaient éclipser la lumière des autres esprits ; et tout troublés, ils sortirent du vaste temple. — Terriblement silencieux et rapides, les traits du fléau tombèrent sur eux, et ils se regardaient les uns les autres frappés de stupeur ; et parmi les armées s'éleva une étrange confusion, chacune racontant à sa façon les prodiges opérés par son Dieu.

XXXI

Oromaze, Christ (1), et Mahomet, Moïse et Buddha, Zoroastre, Zerdusht, et Brahma, et Foh, un cliquetis de noms étranges, qui ne s'étaient pas encore rencontrés, comme le mot d'ordre d'une unique douleur, se firent entendre. Chaque sectateur, dans sa rage, leva vers le ciel ses mains armées, et chacun cria : « Notre Dieu seul est Dieu ! » Ils allaient se massacrer, quand de dessous un capuchon une voix sortit, qui pénétra chaque âme comme le froid de la glace.

(1) Dans la *Révolte de l'Islam*, il y a « Josué » à la place de « Christ ».

XXXII

C'était la voix d'un prêtre chrétien (1), un homme dévoré de zèle, qui conduisait les légions de l'Ouest avec des paroles que la foi et l'orgueil avaient trempées dans la flamme, pour étouffer les athées rebelles (2). C'était un hôte terrible même pour ses amis ; car dans sa poitrine la haine et la ruse habitaient vigilantes, entrelacées, serpents jumeaux dans un même nid profond et tortueux ; il avait horreur de toute autre foi que la sienne, et brûlait d'assouvir dans la vengeance sur le genre humain sa crainte de Dieu (3).

XXXIII

Mais plus il détestait et haïssait la claire lumière de la sagesse et de la pensée libre, et plus il craignait qu'une fois allumée, elle ne parvînt à percer la nuit de ses rayons, là même où son Idole était debout ; car de près et de loin, plus d'un cœur en Europe bondissait de joie d'apprendre que la foi et la tyrannie étaient foulées aux pieds ; que plus d'une pâle victime était condamnée, pour la vérité, à partager la prison des meurtriers, ou à voir avec une irrémédiable douleur les prêtres asservir ses enfants pour en faire les esclaves des leurs.

XXXIV

Il n'osait pas, en Europe, faire périr les infidèles par le feu ou le fer ; les lentes agonies de la torture légale

(1) *Révolte de l'Islam* : « un prêtre ibérien ».
(2) *Révolte de l'Islam* : « pour étouffer les incrédules ».
(3) *Révolte de l'Islam* : « sa crainte du Ciel ».

trompaient ses désirs acérés ; aussi fit-il une trêve avec ceux qui méprisaient son Idole choyée et le sacrifice de Dieu à la colère même de Dieu ; — cette croyance de l'Islam (1) pouvait écraser pour lui ces ennemis plus redoutables ; car la crainte de Dieu enfantait dans son sein une envieuse haine de l'homme, un besoin sans repos.

XXXV

« Paix ! Paix ! » cria-t-il. « Quand nous serons morts, le jour du jugement viendra, et alors nous saurons tous avec assurance lequel de ces Dieux est Dieu, et chacun de vous dans l'épouvante expiera les erreurs de sa foi dans un malheur sans fin ! Mais une mortelle vengeance s'est abattue maintenant sur la terre, parce qu'une race impie a méprisé celui que nous adorons tous, — un ennemi subtil, qui vous a valu la terrible épreuve que vous subissez, et qui a presque renversé les trônes qui s'appuient sur la foi en Dieu (2). »

XXXVI

« Pensez-vous donc, parce que vous pleurez, vous agenouillez et priez, que Dieu endormira le fléau ? Il s'est élancé des pieds de son trône, où depuis de nombreux jours sa miséricorde le calmait dans un sombre repos ; il parcourt la terre pour juger ses ennemis ; et que sommes-nous, vous et moi, pour qu'il daigne refréner son spectral ministre, ou fermer les portes de la mort,

(1) *Révolte de l'Islam* : « l'expiation et le sacrifice, cette croyance favorite, quoique détestée de l'Islam, etc... »

(2) *Révolte de l'Islam* : « les trônes royaux qui s'appuient sur la foi ».

avant qu'elles aient reçu le couple qui a ébranlé de ses mortels enchantements son empire sans défense ?

XXXVII

« Oui, la famine est dans le gouffre de l'enfer, ses vers géants de feu ouvrent une gueule toujours béante, leurs yeux livides sont sur nous !... Ceux qui sont tombés sous les rapides traits de la peste avant l'aurore sont dans leurs mâchoires !... Ils ont faim de la race de Satan, leurs propres frères, envoyés ici-bas pour faire de nos âmes leurs dépouilles ! Voyez ! Voyez ! Ils caressent comme des chiens, et ils dormiront, épuisés de débauche, quand ces cœurs détestés (1) auront déchiré leurs crocs de fer !

XXXVIII

« Alors notre Dieu pourra bercer et endormir la Peste !... Entassez maintenant bien haut le bûcher d'expiation ; dépouillez les forêts de leurs rameaux ; et sur le monceau versez des résines vénéneuses, qui cruellement et lentement, une fois touchées par la flamme, brûleront, fondront, et couleront un torrent de feu collant ; — fixez au-dessus un réseau de fer, et étendez dessous un lit de serpents et de scorpions, et le frai des scolopandres et des vers, infernale progéniture de la terre !

XXXIX

« Que Laon et Laone, étroitement attachés sur ce bûcher par un airain brûlant, périssent ! Alors, vous

(1) C'est-à-dire : Laon et Cythna, le couple dont il est déjà question dans la strophe précédente.

pourrez prier, afin que par ce sacrifice la colère desséchante de Dieu (1) puisse être apaisée. » — Il se tut, et un instant l'auditoire resta silencieux, pendant qu'au loin, courant de rang en rang, les échos de sa voix expiraient; puis il s'agenouilla dans la poussière, murmurant toujours les malédictions de son muet orgueil, pendant que la honte et la terreur séparaient les armées.

XL

Sa voix fut comme une trombe qui fit éclater les portes du fabuleux enfer; et, pendant qu'il parlait, chacun vit s'ouvrir sous lui les gouffres de feu immortel, et en haut le Ciel semblait se fendre, laissant voir un trône entouré d'ouragans et d'ombres, sur lequel Dieu était assis, le seul Dieu (2), leur Roi et leur Juge. Alors la crainte tua dans chaque poitrine toute pitié naturelle, une crainte inconnue jusqu'alors; et embrasés d'un feu intérieur, ils entrèrent dans une rage semblable à celle de bêtes sans asile cernées par les bois incendiés.

XLI

C'était le matin. — A midi, le crieur public vint faire cette proclamation au milieu des vivants et des morts : « Le Monarque dit que la fortune de son grand empire repose sur la tête de Laon et de Laone. Celui qui pourra amener ici vivant l'un des deux seulement, ou qui leur arrachera à tous deux la vie du cœur, sera l'héritier du royaume, — une glorieuse récompense ! Mais celui qui les amènera tous deux ici vivants épousera la Princesse, et régnera l'égal du Roi. »

(1) *Révolte de l'Islam* : « du Ciel ».

(2) *Révolte de l'Islam* : « sur lequel était seul assis leur Roi et leur Juge ».

XLII

Avant la nuit le bûcher fut entassé, le réseau de fer fut dressé au-dessus, et le terrible lit étendu dessous. Il surpassait en hauteur les tours qui environnaient cette spacieuse place ; car la Crainte n'est jamais lente à bâtir les trônes de la Haine, sa compagne et son ennemie ; son fouet ne laissa pas en repos cette multitude affolée, jusqu'à ce qu'elle eût élevé cette pyramide. Abattus et languissants, atteints du fléau, sans nourriture, semblables à de maigres troupeaux poursuivis par des taons, ils avaient entassé la bruyère, les résines et le bois.

XLIII

La nuit vint, une obscurité sans lune et sans étoiles. Jusqu'à l'aurore, ces armées de maintes nations différentes se tinrent debout près du bûcher, comme près de la tombe de leur unique amant deux charmantes sœurs pleurant leur chagrin ; et dans le silence de cette attente, on entendait le sifflement et le fourmillement des reptiles — tant le silence était profond, — excepté quand, avec des intervalles terrifiants, les coups de la Peste rapide, marquant son passage avec des cris, tombaient à travers la multitude.

XLIV

Puis vint le matin. Au milieu de ces multitudes sans sommeil, la Démence, la Crainte, la Peste et la Famine ne cessaient d'entasser cadavre sur cadavre, comme dans les bois d'automne les nombreux vents glacés remplissent de feuilles mortes les froids et tristes ruisseaux de la terre. Les pâles survivants étaient toujours debout, en silence. Avant midi, la crainte de l'Enfer devint une panique qui tua comme la faim ou la maladie : on entendait de terribles murmures, comme : « Chut !... Écoutez !... Viennent-ils déjà ?... Dieu ! Dieu (1) ! ton heure est proche !... »

XLV

Et les Prêtres parcouraient les rangs, quelques-uns contrefaisant la rage qu'ils inspiraient, d'autres vraiment infatués de leurs propres mensonges. Ils disaient que leur Dieu était impatient de voir ses ennemis se tordre, et brûler, et saigner, et que, jusque-là, les serpents de l'enfer avaient besoin d'âmes humaines. — Trois cents fournaises flamboyèrent bientôt dans la vaste cité ; et des hommes se hâtèrent d'y jeter leurs parents athées (2) pour apaiser la colère de Dieu, et pendant qu'ils brûlaient, ils s'agenouillaient autour sur leurs genoux tremblants.

XLVI

Le soleil de l'après-midi fut obscurci de cette fumée ; les vents du soir dispersèrent ces grises cendres. La folie que ces rites avaient bercée se réveilla de nouveau au coucher du soleil. — Qui osera dire les actions qu'amenèrent la nuit et la crainte, et peser dans une juste balance le bien et le mal qui s'y firent ? Il pourrait découvrir le profond et impénétrable cœur de l'homme, et porter la lumière dans ces sombres labyrinthes, où sur le bord de gouffres imaginaires l'Espérance lutte avec le Désespoir.

(1) *Révolte de l'Islam* : « juste ciel ! »
(2) *Révolte de l'Islam* : « leurs parents incrédules ».

XLVII

On dit qu'alors une mère traîna ses trois enfants à ces cruelles flammes qui brûlent les yeux dans la tête, puis rit et mourut... et que des impies, festoyant comme des démons sur les cadavres des infidèles, levèrent les yeux au milieu de leur orgie, et virent un ange franchir le seuil du trône de Dieu (1), et cet ange était elle ! Et cette même nuit, sans hésitation et sans crainte, un homme s'approcha du feu, et dit : « Arrêtez ! C'est moi qui suis Laon ! Tuez-moi ! » — On les brûla tous deux (2) avec des moqueries diaboliques.

XLVIII

Et cette même nuit, une par une, vinrent de jeunes vierges, belles et calmes, semblables à des formes de marbre vivant revêtues de la lumière des songes, et près de la flamme qui s'amoindrissait comme si elle était trop repue elles se couchèrent et chantèrent un chant bas et doux, dont on n'entendit qu'un seul mot, et ce mot était Liberté ! On ajoute que quelques-uns baisèrent leurs pieds de marbre, avec un gémissement d'amour et moururent ; qu'alors elles moururent aussi avec d'heureux sourires, qui s'évanouirent dans une blanche paix.

(1) Variante de la *Révolte de l'Islam* : « le parquet visible du Ciel».
(2) C'est-à-dire : les impies qui avaient vu Cythna sous la forme d'un ange et celui qui se donne pour Laon.

CHANT XI

I

Elle ne me voyait pas... elle ne m'entendait pas... elle était debout seule au bord vertigineux de la montagne ! Elle ne parlait pas, ne respirait pas, ne bougeait pas ! Sur son regard était répandue cette ombre qui n'enveloppe le cœur que dans la solitude, une pensée d'une profondeur sans voix ! Elle était debout seule ! Sur sa tête, les cieux étendus : à ses pieds, la mer murmurant dans ses cavernes ; le vent soulevait sa chevelure éparse, à travers laquelle étincelaient ses yeux et son front.

II

Un nuage était suspendu sur les montagnes de l'Occident ; devant sa masse bleue immobile volaient de gris brouillards versés des sources sans repos des ténèbres du Nord ; le jour était mourant... Soudain, le soleil, sortant du nuage, éclata ; ses rayons s'étendirent comme de l'or bouillant sur l'océan, spectacle étrange, et sur les vapeurs dispersées, qui, défiant en vain le pouvoir de la lumière, s'agitaient sans repos dans le ciel rouge, comme les débris d'un naufrage sur la mer orageuse.

III

C'était un courant de rayons vivants, dont le bord de chaque côté était formé par la crevasse du nuage ; et là où ses gouffres buvaient cette inondation de gloire, ses vagues jaillissaient comme du feu et, comme si elles étaient soulevées par quelque muette tempête, roulaient sur elle. — L'ombre de sa brillante image flottait sur la rivière de la liquide lumière, qui bientôt s'affaiblit et disparut... Sa forme radieuse sur le bord de l'abîme frissonna ; dans l'air sa chevelure flottante trembla comme des cordons de flamme.

IV

Je me tenais près d'elle; mais elle ne me voyait pas... Elle regardait la mer, les cieux et la terre. L'extase, l'amour, l'admiration lui créaient une passion trop profonde pour éclater en larmes ou en allégresse, en gestes ou en paroles, l'expression quelconque d'une vulgaire joie; cette passion ne faisait qu'un avec le sentiment muet qui l'animait alors, et dardait de ses yeux au loin une lumière de profonde révélation qui dérobait tout à mon regard, excepté son être si cher.

V

Ses lèvres s'entr'ouvrirent, et l'on put entendre sa respiration mesurée ; ses yeux noirs, où s'enchevêtrait orbe dans orbe, plus profonds que le sommeil ou la mort, absorbaient les splendeurs des cieux enflammés, qui, se mêlant aux profondes extases de son cœur, éclataient dans ses regards et ses gestes ; et une lumière de liquide tendresse, comme l'amour, jaillissait de tout son être... une atmosphère qui la parait tout entière de ses rayons, tremblante et douce et brillante.

VI

Elle aurait voulu m'attacher à son être embrasé ; ses lèvres ardentes et parfumées auraient bientôt pu répandre sur les miennes le parfum et l'invisible flamme que maintenant emportaient les vents glacés ; elle aurait voulu étendre sur mon cœur languissant sa tête adorée : j'aurais pu entendre sa voix, tendre et suave ; ses yeux, mêlés aux miens, auraient pu nourrir mon âme de leur propre joie !... Un moment encore je la regardai !... Nous nous séparâmes pour ne plus nous rencontrer...

VIII

Nous rencontrer jamais qu'une seule fois sur la terre !... Elle m'entendit, comme je fuyais !... Sa voix passionnée tomba sur mon cœur et allait enchaîner ma volonté à la sienne ; ma ferme résolution était presque évanouie : « Je ne puis donc t'arrêter ! où fuis-tu ? Je me sens défaillir !... Reviens sur tes pas, ô toi le seul bien-aimé, reviens à moi ! ah ! reviens ! » —Le vent passait, et sur le vent mouraient ces accents faibles, lointains et languissants.

VIII

Malheur ! Malheur ! cette nuit sans lune !... La famine et la peste offraient un horrible spectacle ! Mais quelque chose de plus horrible encore, comme dans le repaire pullulant de l'hydre, élevait sa crête saillante au milieu de ces victimes : la crainte de l'enfer ! Chacun, étreint par l'atmosphère enflammée de son aveugle agonie, se perçait, comme les scorpions, de l'aiguillon de sa propre rage sur le tombeau brûlant de charbons de feu qui l'entouraient. Mais toujours une espérance était là, comme une épée affilée suspendue à un fil tremblant.

IX

Ni mort... La mort n'était plus un refuge ou un repos! Ni vie... la vie, c'était le désespoir! — Ni sommeil... démons et gouffre de feu avaient chassé tous les rêves naturels; veiller! ce n'était pas pleurer, mais regarder, égarés et pâles, le précipice où l'avenir, semblable à un fouet de serpents, ou à l'œil d'un tyran dont le rayon desséchant ne perd pas de vue ses esclaves, précipitait leurs pas... Ils entendaient le rugissement de la houle sulfureuse de l'enfer.

X

Chacun dans cette multitude, seul, et perdu pour le sentiment des choses extérieures, conservait cependant une espérance; comme sur un rocher entouré d'écume où il a été jeté, un marin fixe anxieusement ses yeux sur la marée montante, ou comme l'équipage d'un vaisseau qui se défend de toutes parts, ainsi chacun, si l'on entendait le piétinement de quelque coursier lointain, tressaillait d'un poignant désespoir, ou si quelque murmure volait sur le vent, ou si quelque parole, que cependant personne ne pouvait réunir, avait remué les lointaines multitudes.

XI

Pourquoi ces joues blêmies sous le baiser de la

Mort sont-elles devenues plus pâles par l'espérance? Elles avaient supporté le désespoir. Pourquoi ces myriades d'hommes, l'haleine suspendue, veillaient-ils sans sommeil une seconde nuit? Elles ne sont pas encore là, les victimes; et heure par heure, terrible vision! des cadavres chauds tombent sur les morts froids comme l'argile; et jusque dans la mort leurs lèvres se tordent de crainte! ... la foule est muette et immobile!.. L'arcture silencieux brille dans le ciel: « Ah! n'entends-tu pas le bruit.

XII

« Des pas qui se précipitent? Des éclats de rire? Le tumulte, les cris d'un triomphe qui ne peut se contenir?... Regarde!... Écoute!... Ils viennent, ils viennent! Passage!... » Hélas! Vous êtes dans l'erreur. Ce n'est qu'une troupe de maniaques raidis, entraînés, comme un essaim de spectres, à travers l'obscurité, de la fontaine obstruée, d'où a jailli une brillante flamme de mort, un livide météore terrestre, dont la queue bleuâtre sème mille livides étincelles et qui, s'étendant démesurément, s'est attaché à leur chevelure hérissée, comme un brouillard au milieu des plus hauts pins.

XIII

Et un grand nombre, du sein de cette foule rassemblée, formaient une étrange danse dans d'épouvantables sympathies; ce fut le silence d'un long désespoir quand le dernier écho de ces terribles cris arriva d'une rue éloignée, comme des agonies étouffées au loin. — Devant le trône du Tyran toute la nuit son sénat de vieillards siégea, les yeux fixés dans une attente de pierre ; tout à coup un homme se présenta devant eux, un étranger, seul.

XIV

Les sombres prêtres et les hautains guerriers le regardèrent avec un étonnement déconcerté, car un manteau d'hermite cachait sa face ; mais quand il parla, son ton et le sujet de son discours tinrent leurs pensées en arrêt ; ces paroles convaincues, bienveillantes, calmes, sortant d'une poitrine vide de toute haine et de toute crainte, les firent tressaillir ; et pendant qu'avec ses doux accents il leur parlait, une terreur inusitée tomba sur leur cœur récalcitrant, — un trait qui calme l'esprit.

XV

« Vous, princes de la terre, vous siégez pleins de stupeur au milieu des ruines que vous-mêmes avez faites : oui, la Désolation a entendu l'éclat de votre trompette, et s'est élancée de son sommeil, — la sombre Terreur a obéi à votre commandement. Oh ! que ne puis-je, moi que vous avez fait votre ennemi, que ne puis-je délivrer mon plus cher ennemi de la douleur et de la crainte ! Mais le Mal jette une ombre qui ne peut si tôt passer, et la Haine doit toujours être la nourrice et la mère d'une race perverse.

XVI

« Vous vous tournez vers Dieu (1) pour qu'il vienne et aide à votre détresse. Hélas ! Que ne pouvez-vous, vous

(1) Variante de la *Révolte de l'Islam* : « le Ciel ».

les puissants et les sages, vous qui, si vous osiez, aspireriez à réaliser tout le pouvoir que vous concevez, que ne pouvez-vous redouter les mensonges, que toi... et toi... vous avez imaginés sous le nom de mystères pour aveugler vos esclaves ! — Examinez vos propres pensées. Maintenant vous préparez un inutile et cruel sacrifice pour une vaine idole, l'œuvre de la crainte et de la haine qu'ont enfantées de vains désirs.

XVII

« Vous cherchez le bonheur... Hélas ! vous ne le trouvez ni dans la luxure, ni dans l'or, ni dans le pouvoir envié, pour lequel, ô volontaires esclaves de la vieille Coutume, une impérieuse maîtresse, vous avez vendu vos cœurs. Vous cherchez la paix, et vous voudriez, quand vous mourrez, ne pas rêver de mauvais rêves. Toutes les choses mortelles sont alors froides et insensibles ; si quelque chose survit, ce ne peut être, à mon avis, que l'amour et la joie, car ils semblent immortels.

XVIII

« Ne craignez pas l'avenir, ne pleurez pas le passé. Oh ! si je pouvais vous amener par mes paroles à oser être maintenant glorieux, et grands et calmes ! vous décider à jeter dans la poussière ces symboles de votre malheur, pourpre, or et fer ! à proclamer devant les nations dont vous venez, que la famine et la peste et la crainte découlent de l'esclavage, que l'humanité est libre, et que la honte de la royauté et de la foi s'est perdue dans la gloire de la liberté !

XIX

« S'il en est ainsi, c'est bien ! Sinon, je viens vous dire que Laon... » — Pendant que l'étranger parlait, au milieu du conseil s'élevèrent un tumulte et un effroi soudains ; car beaucoup de ces jeunes guerriers avaient bu ses éloquents accents, et restaient suspendus comme les abeilles aux fleurs des montagnes ; ils reconnaissaient la vérité et s'élançaient de leurs trônes pour voler à sa conquête ; mais les hommes de foi et de loi sans pitié tirèrent leur dague cachée, et poignardèrent cette ardente jeunesse.

XX

Ils les poignardèrent dans le dos, et ricanèrent. Un des esclaves qui se tenaient derrière le trône traîna ces cadavres à leur tombeau sanglant, noir et secret ; un plus audacieux leva son poignard pour percer l'étranger. — « Qu'as-tu à faire avec moi, pauvre misérable ? » Calme, solennelle et sévère, cette voix détendit ses nerfs, il jeta sa dague sur le sol et, pâle et tremblant, il s'assit en silence. — L'étranger éleva alors la voix.

XXI

« Il ne servirait de rien de pleurer pour vous ! Vous ne pouvez changer, car vous êtes vieux et blancs, vous avez choisi votre lot ; votre renommée doit être un livre de sang, où dans de meilleurs jours les hommes apprendront à lire la vérité, quand vous serez rentrés dans l'argile ; maintenant vous devez triompher. — Je suis un ami de Laon, tout prêt à le trahir pour vous venger, si vous voulez m'accorder une seule faveur bien simple...

Écoutez ! car maintenant je parle de choses que vous pouvez comprendre.

XXII

« Il y a un peuple puissant dans sa jeunesse, une terre au delà des océans de l'Ouest, où, quoique avec des rites grossiers, on rend un culte à la Liberté et à la Vérité. Du sein d'une glorieuse mère (qui, depuis que la sublime Athènes est tombée, s'est assise dans le monde comme la Reine des Nations, mais qui, dans la douleur, outragée et opprimée par des monstres prédestinés se tourne aujourd'hui vers son enfant libre pour l'appeler à son secours), du sein de cette mère il tire le lait de la force pour le mêler au plein courant de la sagesse.

XXIII

« Cette terre est semblable à un aigle dont le jeune regard se repaît de la lumière de midi, dont les plumes d'or flottent immobiles sur l'ouragan, et brillent dans la flamme du soleil levant quand la terre est enveloppée d'ombre ! Ta renommée, ô grand peuple, peut devenir une épitaphe de gloire pour la tombe de l'Europe assassinée ! Tu te multiplieras comme les sables ; tu grandis aussi vite que le matin quand la nuit va s'évanouir ; la terre peuplée dormira sous ton ombre !

XXIV

« Oui, dans le désert, il y a un asile bâti pour la Liberté ! Le Génie est assez puissant pour y élever les monuments de l'homme sous le dôme d'un nouveau Ciel ; des myriades d'émigrants s'y réunissent, que les orgueilleux maîtres de l'homme, dans la rage ou la crainte, arrachent à leurs foyers ruinés. — Telle est la faveur que je vous demande : que Cythna soit conduite dans ce pays : — ne tressaillez pas à ce nom, l'Amérique! Et cette nuit même je vous livrerai Laon.

XXV

« Vous ferez de moi ce que vous voudrez. Je suis votre ennemi ! » — La lumière d'une joie semblable à celle qui fait briller le regard des serpents affamés comme des émeraudes vivantes étincela dans mille yeux humains. — « Où, où est Laon ? Allons ! Vole ! Hâte-toi de le traîner ici ! Nous t'accordons la faveur que tu demandes. » — « Je n'ai aucune confiance en vous ; jurez-le par votre Dieu redoutable ! (1) » — « Nous le jurons, nous le jurons ! » — L'étranger soudain fit tomber son manteau, et souriant avec une douce fierté, il dit : « Eh bien ! Laon, c'est moi ! »

(1) Variante de la *Révolte de l'Islam* : « par le pouvoir que vous craignez ».

CHANT XII

I

Le transport d'une farouche et monstrueuse allégresse se répandit à travers les rues encombrées, rapidement emporté sur les vents de la crainte. Le famélique se réveillait de son idiote folie et mourait dans la joie ; les mourants, au milieu des cadavres étendus dans une raide agonie, avaient juste le temps d'entendre l'heureuse nouvelle, et dans l'espérance fermaient leurs yeux épuisés ; se répondant de maison en maison par des exclamations retentissantes, les vivants ébranlaient la voûte du ciel et remplissaient d'échos la terre tressaillante. Le matin ouvrit ses yeux pâles ;

II

Et, alors, voici venir la longue file des gardes en armures d'or, et les Prêtres à côté d'eux, chantant leurs hymnes de sang, dans des vêtements qui trahissent la noirceur de la foi qu'ils semblent cacher ; et le char ouvragé de diamants du Tyran qui glisse à travers les sombres capuchons et les lances étincelantes ! Une forme de lumière est assise à son côté, une enfant de toute beauté. Au milieu apparait Laon, seul exempt d'espérances et de craintes mortelles.

III

Sa tête et ses pieds sont nus, ses mains sont liées par derrière avec de pesantes chaînes; cependant personne, parmi ces myriades d'hommes qui l'entourent, ne se raille de lui; il n'y a point de ricanement sur sa lèvre qui dise que le mépris ou la haine lui a donné cette audace; sa joue résolue n'a point pâli; ses yeux sont doux et calmes, et, comme le matin près d'éclater, sourient à l'humanité; son cœur semble réconcilié avec toutes choses et avec lui-même, comme un enfant qui repose.

IV

Autour de lui le trouble agitait toutes les âmes, joie mauvaise, doute, ou crainte; mais ceux qui virent passer leur victime tranquille sentirent la stupeur glisser dans leur cervelle, et se calmèrent saisis d'une respectueuse terreur. — Voyez, le cortège lentement s'approche du bûcher. Dans la place immense, mille torches portées par les esclaves empressés d'une loi inhumaine attendent tout autour le signal; le brillant matin est changé en une nuit incertaine par cette lueur sépulcrale.

V

Voyez, sous un dais étincelant comme le soleil, sur une plate-forme de niveau avec le bûcher, le tyran soucieux est assis, sur un trône qui domine la foule, entouré des chefs de l'armée! Tous sourient dans l'attente, excepté l'enfant seule! pendant que moi, Laon, conduit par des muets, je monte sur mon tombeau de feu, et regarde autour de moi. Les îles lointaines sont encore sombres dans l'aube brillante; près de moi, dans le lointain, des tours percent comme des flammes en repos l'atmosphère tremblante.

VI

Il y avait à travers l'armée un silence semblable à celui qui se fait quand un tremblement de terre, marchant sur quelque populeuse cité, a écrasé dix mille hommes d'un seul pas, et que les survivants attendent le second. Tous étaient muets, excepté un seul, cette belle enfant, qui, enhardie par l'amour, se leva devant le roi, plaidant vainement pour la vie de Laon; — on entendait ses gémissements étouffés, — elle frissonnait comme un tremble pâle au milieu des sombres pins d'une vallée norvégienne.

VII

Quelles étaient les pensées de Laon, enchaîné dans le soleil du matin au milieu de ces reptiles, dont l'aiguillon n'attendait que le signal, comme la colère d'un tyran ?... Le canon tonna ! Écoutez ! Il tonne encore !... Dans cette terrible pause Laon est comme dans un doux rêve. Les esclaves obéissent... Mille torches coulent... Écoutez ! le dernier coup éclate dans cet horrible silence. Au loin, des millions d'hommes, dont les cœurs battent fort et vite, épient l'essor de la flamme dans l'attente et la stupeur !

VIII

Ils fuient ! Les torches tombent ! un cri de terreur a

fait tressaillir les triomphateurs! Ils reculent! ... Car, avant que le rugissement du canon soit mort, ils entendent le bruit d'un galop semblable à un tremblement de terre, et un coursier, noir géant, avec la rapidité de la tempête, s'élance dans leurs rangs; sur ce coursier une femme est assise, qui semble plus belle que tout ce que peut enfanter la terre, calme, radieuse, comme le fantôme de l'aurore, un esprit vagabond venu des cavernes de la lumière du jour.

IX

Tous pensèrent que c'était un ange de Dieu envoyé pour balayer les coupables attardés à leur tombeau de feu; le tyran terrifié s'élança de son trône; son enfant trouva dans sa propre innocence un refuge contre la crainte. Épouvantés par la foi qu'ils feignaient, les esclaves prêtres s'agenouillèrent pour demander merci de celui qu'ils servaient avec du sang; et, semblable au remous d'une vague formidable engloutie dans la mer retentissante, la multitude, saisie d'une panique écrasante s'enfuit, dans le désordre de la terreur.

X

Ils s'arrêtent, ils rougissent, ils regardent, un cri formé de mille cris éclate, semblable au bruit de dix mille courants d'une mer tempêtueuse. Un homme arrêta cette soudaine déroute, un homme qui jamais dans ses plus doux rêves n'avait senti la respectueuse crainte qu'inspirent la grâce et la beauté, tant était dure et froide la croyance qui avait cicatrisé avec une glace brûlante les soudures de son cœur déchiré; — mais il s'imagine lui, que celui-là est sage, dont les blessures ne saignent qu'intérieurement pour lui-même... Ainsi pensait le prêtre chrétien (1).

XI

Et les autres aussi pensaient qu'il est sage de voir dans la peine, la crainte et la haine quelque chose de divin, tandis que dans l'amour et la beauté il n'y a rien de divin. Alors, avec un sourire amer, dont la lumière brilla comme l'espérance d'un démon sur ses lèvres et dans ses yeux, il dit, — et la persuasion de ce ricanement rallia ses compagnons tremblants : — « Est-ce à moi de résister seul, quand rois et soldats fuient devant une femme ? Le Ciel vous a envoyé son autre victime ! »

XII

« Ne serait-il pas impie, » dit le Roi, « de violer notre sacré serment ? » — « Dites plutôt : impie de le garder ! » cria le prêtre exalté. « Esclaves, attachez-la au poteau, et que sur ma tête retombe le poids de ses justes tourments ! Au jour du jugement, je paraîtrai devant le trône d'or de Dieu, et je crierai : Pour toi j'ai livré une athée (2) ! Sans moi elle eût connu la joie d'un autre moment ! Que la gloire soit la tienne ! »

XIII

Ils tremblaient ; mais ils ne répliquèrent pas, et n'obéirent pas, arrêtés dans un silence sans haleine. Cythna sauta de son gigantesque coursier, qui, comme

(1) *Révolte de l'Islam* : « le prêtre ibérien ».

(2) *Révolte de l'Islam* : « Je paraîtrai devant le trône d'or du Ciel, et je crierai : pour toi j'ai livré une infidèle. »

une ombre chassée par les vents, s'enfuit sans crainte à travers les rues désertes, quand elle eut jeté sur son cou les rênes de laiton, et baisé son front semblable à la lune. Spectacle digne de pitié, de voir une femme si jeune et si belle courtiser l'embrassement d'une si terrible mort avec les sourires d'une tendre joie, tels qu'ils rayonnaient alors du visage de Cythna !

XIV

En dépit de la foi et de la crainte, des larmes brûlantes s'échappèrent de beaucoup d'yeux tremblants, mais, comme les tendres rosées qui nourrissent les premiers boutons du printemps, restèrent suspendues, gelées par le doute. Hélas ! ils n'avaient autre chose à faire qu'à pleurer ; car, lorsque ses membres épuisés refusèrent de monter au bûcher, elle sourit aux muets ; et avec ses gestes éloquents, et les nuances de ses lèvres animées, — semblable à un enfant fatigué implorant avec ses douces caresses le sommeil d'une nourrice qui l'adore, —

XV

Elle les amena, bien malgré eux, à la lier près de moi, au milieu des reptiles. Quand ils furent partis, pour tout reproche, mais un doux reproche qui perça tout mon être, elle me sourit ; nous ne dîmes rien, mais nous bûmes à longs traits dans les yeux l'un de l'autre les regards d'un insatiable amour. Le redoutable voile qui sépare les vivants des morts était presque déchiré, le monde s'obscurcit et pâlit,... toute lumière du ciel ou de la terre, à côté de notre amour, s'évanouit.

XVI

Et puis... et puis... un court instant, semblable au dernier rayon de flammes mourantes, l'air pur resta suspendu autour de nous silencieux et serein ;... puis une lueur rouge-sang éclata dans l'air, soulevant devant elle avec furie des nuages de fumée ; j'entendis le bruit terrible de son essor, comme celui d'un océan tempêtueux : et à travers ses gouffres je vis comme dans un évanouissement l'enfant du tyran tomber sans vie et sans mouvement devant son trône, terrassée par quelque invisible émotion.

XVII

Est-ce la mort ?... Le bûcher a disparu, ainsi que la peste, le tyran et la foule. Les flammes sont devenues silencieuses... Lentement alors se fait entendre la musique d'un chant qui suspend la respiration, d'un chant qui, semblable au baiser de l'amour dans la jeunesse de la vie, plonge les yeux languissants dans une ombre douce et profonde ; il flotte dans l'air avec des notes toujours changeantes, jusqu'à ce que dans mon âme passive il me sembla sentir pénétrer une mélodie, semblable à celle des vagues qui sautent sur les sables ridés.

XVIII

Le chaud attouchement d'une douce et tremblante main me réveilla alors ; c'était Cythna assise, penchée près de moi, sur le sable d'or ondulé d'un lac limpide, sur un talus émaillé de fleurs étranges et brillantes comme des étoiles, qui exhalaient au vent une divine odeur ; au-dessus de nos têtes s'étendait le ciel d'émeraude d'arbres d'une espèce inconnue, dont les fleurs d'un éclat lunaire et les fruits brillants versaient sur les eaux une ombre qui était une lumière.

XIX

Et tout autour de cette puissante fontaine s'étendaient les pentes de nombreuses montagnes couvertes de pelouses, avec leurs forêts fécondes en encens et de vastes cavernes d'un rayonnement de marbre ; et là où le courant baigne son bord brillant, leurs échos causent avec ses éternelles vagues qu'il soulève des profondeurs dont les cavernes dentelées alimentent leur conflit sans repos, jusqu'à ce qu'à travers un gouffre de hauteurs elles roulent et entretiennent une rivière profonde, qui s'enfuit calme et unie, mais avec la rapidité d'une flèche.

XX

Nous regardions assis dans l'extase de l'admiration, quand un bateau approcha, porté par l'air musical, le long des vagues qui chantaient et étincelaient sous sa quille rapide. Une forme ailée y était assise, une enfant avec des ailes resplendissantes comme l'argent, si belle qu'à mesure que sa barque glissait sur les eaux, l'ombre des vagues charmées s'éclairait d'une lumière semblable à celle de rayons d'étoiles ; pendant que d'un côté à l'autre, laissant flotter ses ailes au vent, elle guidait la barque.

XXI

Le bateau était une coquille recourbée de perle creuse,

presque transparente sous la divine lumière de celle qu'elle portait ; la proue et la poupe ondulaient, terminées en corne, semblable à la jeune lune couchée, quand, sur les montagnes noyées dans le crépuscule de leurs sombres pins, elle flotte sur l'océan des rayons du soleil couchant, dont les vagues d'or s'évanouissent en mille lignes pourpres, jusqu'à ce que, porté sur les courants refluant de la lumière du soleil, se dilatant, le météore sombré flamboie sur le bord de la terre.

XXII

La quille a touché les sables à nos pieds. Alors Cythna se tourna vers moi, et de ses yeux noyés de larmes qui ne tombaient pas, un regard plus doux que l'amour heureux, plein d'un étrange et joyeux étonnement, étincela pendant qu'elle me disait : « Ah ! c'est le paradis ! ce n'est pas un rêve et nous sommes tous réunis ! Oui, c'est mon propre enfant, celui qui me vint en guise de délire, comme le jour pour quelqu'un enseveli dans les ténèbres des bois solitaires. Ah ! maintenant c'est trop de félicité pour mon cœur ! »

XXIII

Et alors elle pleura à chaudes larmes, et dans ses bras prit cette brillante forme moins merveilleusement belle que ses propres couleurs humaines et ses charmes vivants ; se penchant sur elle dans le silence de la passion, elle exhalait un souffle ardent sur le sein glacé de l'air, qui semblait rougir et trembler avec délices ; la noirceur lustrée de sa chevelure ruisselante tombait sur cette enfant blanche comme la neige, et dérobait à la vue le passionné et long embrassement qui tint leurs cœurs unis.

XXIV

Alors la brillante enfant, le séraphin ailé, vint, et fixant ses yeux bleus et rayonnants sur les miens, me dit : « J'étais troublée par une ombre tremblante, quand nous nous rencontrâmes la première fois ;... cependant je reconnus que j'étais à toi, à l'heure où tes divines lèvres éveillèrent dans mon cerveau un rêve poignant qui toujours veillait quand je pouvais dormir, pour entrelacer ton image avec *sa* chère mémoire. Nous voici de nouveau réunis, et maintenant à l'abri de toute crainte et de toute peine mortelle.

XXV

« Quand les flammes consumantes vous enveloppèrent ensemble, l'espérance que j'avais caressée s'envola; je tombai dans l'agonie sur le sol insensible, et cachai mes yeux dans la poussière ; et mon esprit égaré errait au loin, quand, brillant comme l'aube du jour, le spectre de la peste vola devant moi, et souffla sur mes lèvres, et sembla me dire : — Ils t'attendent, enfant bien-aimée ! — Alors je reconnus la marque de la mort sur ma poitrine, et je redevins calme.

XXVI

« C'était le calme de l'amour ! J'étais mourante... Je voyais le bûcher noir et à moitié éteint gisant sur ses cendres grises et réduites ; la sombre fumée du feu évanoui était toujours suspendue en mille dômes et spirales creuses au-dessus des tours semblable à la nuit ; sous cette ombre, les armées étaient terrifiées de voir finir leur propre désir ; un immense vide se faisait dans les profondeurs de l'attente ; elles restaient debout dans la consternation.

XXVII

« Le silence effrayant de cette nouvelle angoisse n'était troublé que par les tortures des mourants, quand un homme se leva du milieu de la multitude, et dit : — Le courant du temps roule toujours ; *nous* sommes encore sur la pente, pendant qu'ils sont partis, *eux*, pour glisser en paix sur le courant mystérieux de la mort. Avez-vous bien fait? Leur chair et leurs os tombent en poussière, quand ils auraient pu faire du rêve empoisonné de cette vie un breuvage plus doux que celui que vous pourrez jamais goûter, je pense.

XXVIII

« Ils périssent comme les bons et les grands d'autrefois ont péri, et leurs meurtriers s'en repentiront. Oui, de vaines et stériles larmes couleront avant que cette fumée là-bas se soit dissipée dans le firmament; et cela, parce que, vous qui allez pleurer la mort de ceux qui embellissaient ce monde, vous ne pouvez les faire revenir ; mais alors il reste à l'homme la sagesse d'un profond désespoir, quand de tels êtres peuvent périr, et que lui vit encore et reste ici-bas.

XXIX

« Oui, vous pouvez craindre, — non plus la peste, sortie comme par enchantement du fabuleux enfer, — tout pouvoir et toute foi doivent passer, maintenant que les athées (1) ont avec calme quitté cette terre, dans les tourments et le feu ; et vous allez vous retirer tristement et gémir en secret, en retournant chacun à votre maison ; cette heure sera connue de longs âges, et lentement sa mémoire, toujours étincelante, remplira la sombre nuit des choses d'un éternel matin.

XXX

« Pour moi le monde est devenu trop vide et trop froid depuis que l'espérance poursuit avec des pas si lents son immortelle destinée ; — vous allez voir comment des athées et des républicains savent mourir (2)... Dites-le à vos enfants ! — Et tout à coup il s'enfonça un poignard dans le cœur, et tomba.... Mon cerveau s'assombrit dans la mort, et cependant il vint encore jusqu'à moi un murmure de cette foule, parlant du profond et puissant changement qui s'était si soudainement opéré.

XXXI

« Je me trouvai tout à coup, une pensée ailée, devant l'immortel sénat, et le siège de cet Esprit resplendissant comme un astre, d'où découle la force de son empire, bon et grand, le meilleur Génie de ce monde. Son royaume s'étend autour d'un temple merveilleux, îles Élyséennes, brillantes et fortunées, calmes séjours des morts libres et heureux, où je suis chargée de vous conduire. » — Telles furent ses paroles ailées.

(1) Variante de la *Révolte de l'Islam* : « Incrédules ».

(2) Var., *Ibid.* : « Comment ceux qui aiment et sont sans crainte osent mourir. »

XXXII

Et avec le silence de son éloquent sourire, elle nous fit monter dans son divin canot. Alors, nous nous assîmes au gouvernail ; pendant qu'elle, assise à la proue, déployait sur sa tête ses ailes aux couleurs éblouissantes et les abandonnait au courant de la brise invisible. Comme un fil de la vierge au rapide souffle du matin, le bateau vola sur les brillants tourbillons de cette belle fontaine, dont les bords s'éloignaient avec rapidité pendant qu'il nous semblait que nous ne bougions pas;

XXXIII

Jusqu'à ce que sur ce puissant courant, sombre, calme et rapide, au milieu d'un gouffre de montagnes de cèdres déchirées, chassé par les vents réunis dont les pas invisibles, aussi rapides que des rayons scintillants, répandaient sous le ciel des sons et des odeurs sauvages empruntés aux bois et aux eaux, le bateau volât visiblement. — Trois nuits et trois jours, emportés comme un nuage à travers le matin, le midi et le soir, nous voguâmes le long des sentiers liquides et tournants de ce vaste courant, un long et compliqué labyrinthe.

XXXIV

Scène de joie et d'enchantement de voir changer continuellement les formes et les ombres de cette rivière! où le vaste lever du soleil remplissait de ses profondeurs d'or ses tourbillons, où toutes les nuances se jouaient en tremblant, où des chutes mélodieuses éclataient et se brisaient au milieu des rocs revêtus de fleurs, l'écume et l'embrun étincelant comme des étoiles sur la rivière ensoleillée ; ou bien, quand le clair de lune versait une lumière plus sainte, c'était un lac immense et étincelant couché autour d'îles verdoyantes.

XXXV

Le matin, à midi, le soir, le bateau volait sur le courant qui le portait comme le nuage ailé de la tempête, ou comme la pensée plus rapide encore de l'homme qui vole toujours et ne peut s'arrêter. Quelquefois nous glissions à travers des forêts, profondes comme la nuit, entre les murailles de puissantes montagnes couronnées de masses cyclopéennes, dont les fières tourelles, demeures de ceux qui étaient partis, fronçaient leur noir sourcil au-dessus des vagues brillantes qui enveloppaient leurs sombres fondements.

XXXVI

D'autres fois, nous voguions pendant plusieurs milles à travers des prairies immenses et fleuries, et c'était un charme de voir les ombres fuir sur l'herbe devant les rayons du soleil ; d'autres fois, nous volions sous la nuit de vastes cavernes cintrées, dont les voûtes étincelaient de pierreries semblables à des étoiles ; tandis que, de leurs profonds et glauques abîmes, de belles ombres blanches passaient rapidement au milieu de doux sons le long de notre chemin, comme de suaves et charmants rêves qui marchent sur les vagues du sommeil.

XXXVII

Et comme nous voguions toujours, nos esprits furent remplis d'amour et de sagesse, qui débordaient en conversations étranges, douces et merveilleuses, en vivants sourires dont la lumière allait et venait comme une musique sur les vagues immenses, en larmes soudaines et en caresses muettes; car une ombre épaisse s'était entr'ouverte, et nous savions maintenant que la vertu, quoique obscurcie sur la terre, n'en survit pas moins à tous les changements mortels dans sa durable beauté.

XXXVIII

Nous voguâmes trois jours et trois nuits, autant que la pensée et le sentiment peuvent compter des heures délicieuses; — car à travers le ciel roulaient les lampes sphériques du jour et de la nuit, révélant de nouveaux changements et de nouvelles gloires, le soleil, la lune, et des astres semblables à la lune, enfants d'un ciel plus divin, plus serein et plus beau. Le quatrième jour, le courant devint sauvage comme une mer tourmentée par le vent, et emporta toujours plus rapide le bateau aux ailes d'esprit, toujours ferme dans sa rapidité.

XXXIX

Ferme et rapide, il allait où l'emportaient les vagues roulant comme des montagnes, dans la vaste ravine dont les crevasses versaient des torrents tumultueux de leurs dix mille fontaines; le tonnerre de leur rugissement qui ébranlait la terre, soulevait l'air qui balayait en tourbillonnant du rivage; calme comme une ombre, le bateau de la belle enfant volait en toute sécurité devant cette force rapide, au milieu de l'embrun gigantesque et de merveilleux arcs-en-ciel, entrelacés dans la brume d'argent. Dans la joie et l'orgueil nous souriions.

XL

Nous avons dépassé le torrent de cette immense et furieuse rivière, et notre course aérienne est suspendue. Nous regardons derrière nous; une brume d'or frémissait à l'endroit où ses vagues sauvages se mêlaient avec le lac. Là notre barque pendit, comme sur une ligne, suspendue entre deux cieux sur ce lac sans vent, sans vague, éternellement nourri par quatre grandes cataractes sortant de quatre vallées, accompagnées de brouillards; elles tombent en se brisant des rocs et des nuages, et font de cette mer azurée un refuge silencieux.

XLI

Je m'arrêtai longtemps sans mouvement sur le lac; je vis sa ceinture de montagnes étincelantes comme la neige perdant leurs sommets dans les airs; je vis chaque île rayonnante; et dans le milieu, bien loin, semblable à une sphère suspendue dans le ciel creux, le temple de l'Esprit m'apparut! Porté par le son qui en sortait, s'en rapprochant de plus en plus, comme la lune rapide autour de cette glorieuse terre, le bateau enchanté aborda, et trouva là son port!

ROSALINDE ET HÉLÈNE

ÉGLOGUE MODERNE

AVERTISSEMENT

Naples, 20 décembre 1818.

L'histoire de Rosalinde et Hélène n'est pas à coup sûr un essai dans le style le plus élevé de la poésie. Elle n'est en aucune façon destinée à exciter une profonde méditation ; et si en intéressant les sentiments et en amusant l'imagination, elle éveille une certaine mélancolie idéale propre à faire accueillir de plus importantes impressions, elle produira dans le lecteur tout ce que l'auteur a eu en vue dans sa composition. Je me suis borné, en l'écrivant, à suivre l'impulsion des sentiments qui s'adaptaient à la conception de mon histoire ; et c'est cette impulsion qui a déterminé les pauses d'un rythme qui ne prétend à être régulier qu'en tant qu'il reproduit et exprime l'irrégularité même des imaginations qui l'ont inspiré.

Je ne sais quels seront, parmi les poèmes que j'ai laissés en Angleterre, ceux que choisira mon éditeur pour les ajouter à cette collection (1). L'un de ceux que j'ai envoyés d'Italie fut écrit après une excursion d'un jour dans les charmantes montagnes qui entourent le lieu où fut autrefois la retraite de Pétrarque, et où se trouve maintenant son tombeau (2). Si quelqu'un était tenté de condamner dans

(1) Les poèmes qui furent publiés avec *Rosalinde et Hélène* (1819) sont : es *Vers écrits au milieu des montagnes Euganéennes*, l'*Hymne à la Beauté intellectuelle* et le *Sonnet d'Ozimandias*. — Quant à l'histoire de *Rosalinde et Hélène*, voir notre *Étude sur la vie et les œuvres de Shelley*, ch. XI.

(2) Ce sont les *Vers écrits au milieu des montagnes Euganéennes*, que l'on trouvera à la suite de *Rosalinde et Hélène*.

cette pièce les vers qui, servant d'introduction, expriment le soudain réveil d'un état de profond découragement sous l'influence des visions radieuses révélées par l'éclosion soudaine d'un lever de soleil italien en automne sur le plus haut sommet de ces délicieuses montagnes, la seule excuse que je puisse lui donner est celle-ci, qu'ils n'ont pas été effacés à la requête d'une amie bien chère, pour laquelle chaque année de plus dans notre intimité ne fait qu'ajouter à mon estime de ses mérites, et qui eût eu sans doute plus que personne le droit de se plaindre de n'avoir pas été capable d'éteindre en moi la faculté même de peindre la tristesse.

ROSALINDE ET HÉLÈNE

SCÈNE : Le bord du lac de Como.

ROSALINDE, HÉLÈNE ET SON ENFANT

HÉLÈNE. — Viens ici, ma chère Rosalinde. Il y a longtemps que toi et moi nous ne nous sommes rencontrées ; et cependant il me semble que ce serait mal à nous d'oublier ces instants... Viens, assieds-toi près de moi. Je te vois debout près de ce lac solitaire, sur ce rivage éloigné, ta chevelure dénouée flottant dans la brise étincelante, ta douce voix s'unissant à chaque accent du soir, et tes yeux répondant aux teintes de ce beau ciel là-bas... Viens, charmante amie; veux-tu t'asseoir près de moi, et redevenir aujourd'hui ce que tu étais habituellement avant que nous fussions séparées? Personne maintenant ne nous voit; la puissance qui nous a conduites à cette heure solitaire serait bien mal récompensée, si tu t'en allais en emportant ton mépris. Oh! viens, et causons de notre patrie abandonnée! Souviens-toi, c'est ici l'Italie, et nous sommes exilées. Causons ensemble de cette terre qui est la nôtre, dont les landes et les courants, bien que stériles et sombres, nous étaient cependant plus chers que ces bois de châtaigniers; de ces sentiers à travers les bruyères, de ce ruisseau familier, de ces bleues montagnes, formes qui semblent être les débris d'un rêve ensoleillé d'enfance, rêve qui, depuis que nous les avons abandonnés, pèse sur le cœur, comme ce remords qui laisse s'altérer notre amitié... Mais je n'insiste plus sur nos relations de jeunesse; elles ne peuvent revenir! — Rosalinde, parle, parle-moi! Ne me quitte pas! — Quand le matin se levait, quand le soir tombait sur notre commune demeure, quand nous nous séparions seulement pour une heure... Ne fronce pas le sourcil; je ne voudrais pas te gronder, quoique tu aies brisé ta foi... Tourne-toi vers moi! Oh! par ce gage caressé de cheveux entrelacés, que tu ne voudras pas désavouer, tourne-toi vers moi, comme si c'était seulement le souvenir de moi, et non mon être méprisé, qui t'adressât cette prière!

ROSALINDE. — Est-ce un rêve, ou est-ce la pâle Hélène que je vois, que j'entends? Je voudrais fuir ton attouchement flétrissant; mais nos premières années se lèvent et amènent des larmes interdites; et ma mémoire surchargée cherche pourtant en toi son repos perdu. Je partage ton crime. Je ne puis que pleurer sur toi. Mon étrange chagrin ne s'abaisse que rarement à un tel soulagement; cependant je ne t'en ai jamais moins aimée, tout en gémissant sur ton crime avec la douleur d'une amie. Je savais ce que l'on doit au monde pervers, et c'est pourquoi je refusai duroment de m'enchaîner à l'infamie d'une femme perdue comme Hélène... Maintenant, égarée par mon affreux désespoir, je rougis et je pleure, tout étonnée que tu puisses m'aimer encore, toi seule! — Asseyons-nous donc sur cette grise pierre, pour achever notre lugubre entretien.

HÉLÈNE. — Hélas! non, pas là! Je ne saurais entendre le murmure de ce lac. Ma chère Rosalinde, il m'en vient comme l'écho d'un son que je n'ai cependant jamais entendu que dans notre terre natale; cet écho n'arrive ici même où nous venons de nous rencontrer. Il remue trop d'étouffant chagrin ! Dans l'anfractuosité de cette sombre forêt de châtaigniers il y a un banc de pierre, une solitude qui ressemble moins à la nôtre. Le fantôme de la paix ne désertera pas ce lieu. Demain, si les bons sentiments durent encore, nous pourons nous asseoir ici.

ROSALINDE. — Conduis-moi, douce amie, je te suis.

HENRI. — C'est à Fenici que vous allez ?... Ce n'est pas le chemin, maman; ce sentier conduit derrière les arbres qui bordent la petite rivière.

HÉLÈNE. — Oui, c'est vrai; je m'égarais. Embrasse-moi et sois gai, cher enfant; pourquoi ces sanglots ?

HENRI. — Je ne sais; mais quel cœur ne se briserait pas à vous entendre vous et la dame pleurer si amèrement.

HÉLÈNE. — Mon amie, c'est un charmant enfant. — Va à la maison, Henri, jouer avec Lilla jusqu'à ce que je revienne. Nous pleurions de joie de nous revoir; nous voilà tout à fait gaies... Bonsoir !

L'enfant jeta sur sa mère un rapide regard, et, dans la lumière d'une joie forcée et creuse qui éclairait sa face, il rit avec la gaîté de la légère et insouciante enfance, et chuchota à l'oreille de sa mère : « Amenez avec vous à la maison cette douce et étrange amie. » Puis il prit son vol; mais il s'arrêta et fit des signes avec un sourire d'intelligence, au tournant du chemin. Cependant Rosalinde, pâle, cachant son visage, pleurait silencieusement.

Elles prirent en silence le sentier sous la solitude de la forêt. C'était un vaste et antique bois, à travers lequel elles s'acheminèrent; et les ombres grises du soir sur la verdure de ce lieu sauvage répandaient une solitude toujours plus profonde. Poursuivant le sentier qui serpente autour des arbres immenses et noueux, à travers lesquels erraient de lentes ombres, elles arrivèrent, dans une profonde vallée unie comme une pelouse, à un banc de pierre à côté d'une source; là les colonnes de la forêt formaient comme un temple sans voûte, semblable à ces sanctuaires où, avant qu'une nouvelle foi obtînt créance, la race primitive des hommes s'agenouillait sous la divinité du ciel. Sur cette belle fontaine le ciel était suspendu, maintenant pailleté de rares étoiles. Le serpent, le pâle serpent, qui, avec son haleine enflammée, vient en rampant y étancher sa soif de midi, rayonne de mille nuances confondues que verse sur lui le bleu éternel du dôme, quand il flotte sur ces eaux sombres et diaphanes dans la lumière de sa propre beauté; et les oiseaux qui baignent leurs plumes dans la fontaine, dans une camaraderie sans crainte, s'ébattent et voltigent autour de lui. On entend la brise capricieuse remuer en haut quelque feuille solitaire; le cri de la sauterelle remplit toutes les pauses. A l'heure de midi tout ce qui habite là est dans l'émotion; alors, à travers le fouillis du bois sauvage, c'est un dédale de vie, de lumière et de mouvement. Mais en ce moment tout est rentré dans le silence; c'est l'heure de l'obscurité et de l'extase de la Nature. Le serpent est endormi dans sa caverne; les oiseaux rêvent sur les branches; les ombres seules rampent; le ver luisant seul étincelle; seuls les hiboux et les rossignols veillent dans ce vallon quand tombe la lumière du jour, et que les ombres grises se rassemblent dans les bois; tous les hiboux se sont enfuis bien loin dans un vallon plus gai pour huer et jouer ; car la lune est voilée et dort à cette heure. Le rossignol accoutumé couve toujours sur sa branche accoutumée ; mais il est muet, car son infidèle compagnon a fui et l'a laissé désolé.

Une vieille tradition avait peuplé ce lieu de revenants et de spectres. Le narrateur sentait les racines de ses cheveux se glacer et se raidir, quand de ses lèvres tremblantes il racontait qu'un démon de l'enfer y avait amené à minuit l'ombre d'un jeune homme à cheveux blancs, et s'était assis sur le banc à côté de lui, en attendant l'arrivée d'une enfant nue errante, que le démon aurait changé en une belle dame. Un terrible conte ! La vérité était pire ; car là une sœur et un frère avaient solennisé une monstrueuse malédiction, en se rencontrant dans cette belle solitude ; sous le ciel même, ils s'étaient abandonnés l'un à l'autre corps et âme. La foule, les traquant dans les profondeurs du bois, déchira membre par membre le corps de leur innocent enfant, poignarda et écrasa sa mère ; le jeune homme, par la très sainte grâce de Dieu, fut sauvé par un prêtre pour être brûlé sur la place du marché.

Régulièrement chaque soir Hélène venait, dans cette retraite solitaire et silencieuse, emprunter aux souvenirs d'un conte plus lugubre que le sien assez de sympathie pour adoucir l'amertume de son propre destin. Régulièrement chaque soir Hélène venait de sa demeure avec son bel enfant s'asseoir sur cet antique siège, quand pâlissaient les couleurs du jour. Là le brillant enfant tantôt se couchait à ses pieds, levant sur elle par intervalles ses grands yeux bleus ; tantôt, obéissant à une soudaine impulsion, il en suivait tous les caprices. C'était un charmant enfant, qui trouvait sa joie dans les plus aimables jeux. Souvent dans une feuille sèche en guise de bateau, avec une petite plume pour voile, sa fantaisie aimait à flotter sur cette source, si quelque invisible brise pouvait agiter son calme de marbre. Et Hélène souriait, à travers des larmes de crainte, à son joyeux enfant, en pensant qu'un autre, enfant aussi beau que lui, en des années qui ne peuvent plus jamais revenir, près de cette même fontaine, dans ce même bois, avait poursuivi les mêmes douces fantaisies ; et qu'une mère, perdue comme elle, s'était là lugubrement assise en veillant sur lui. Alors toute la scène se présentait à elle, nageant dans le brouillard d'une larme brûlante.

Pendant bien des mois, Hélène avait revu cette scène ; et aujourd'hui elle y ramenait ses pas, mais non pas seule ; l'amie dont elle avait pleuré la trahison était assise avec elle sur ce siège de pierre. Elles s'assirent silencieuses ; car le soir (ses mystérieuses lueurs lui donnent ce pouvoir) avait, à l'aide de ses formidables ombres, apaisé la passion de leur chagrin. Elles s'assirent les mains enlacées ; car Hélène, sans être repoussée, avait pris celles de Rosalinde. Comme le vent d'automne, quand il délie les boucles emmêlées de la chevelure de la morelle, entrelacée dans l'air brûlant de l'été autour des parois d'un tombeau vermoulu, la voix d'Hélène était triste et douce ; et le murmure de son cœur palpitant sans repos, comme avec des soupirs et des paroles qu'elle exhalait sur elle, délia les nœuds du désespoir de son amie, jusqu'à ce que ses pensées pussent flotter et couler en toute liberté ; et alors de son sein oppressé, comme l'explosion d'une flamme prisonnière, la voix d'un chagrin longtemps réprimé se fit entendre.

ROSALINDE. — J'ai vu la sombre terre tomber sur le cercueil ; j'ai vu la pierre étendue sur la tête à laquelle ce sein glacé avait servi d'oreiller pour le repos de la nuit ! Tu ne connais pas, tu ne peux connaître mon agonie... Oh ! je ne pouvais pas pleurer ; les sources d'où coulent de telles consolations étaient fermées pour moi ! Mais, je pouvais sourire, je pouvais dormir, bien que mon cœur s'accusât lui-même. Dans la lumière du matin, dans l'obscurité du soir, je veillais — et j'aurais voulu ne jamais m'en séparer — la tombe non pleurée de mon époux. Mes enfants apprirent que leur père était parti ; mais quand je leur dis : « Il est mort, » ils se mirent à éclater de rire dans un accès de joie frénétique, ils battirent des mains et sautèrent d'allégresse, se renvoyant l'un à l'autre dans leur extase mille folâtreries, mille cris joyeux ;.... et moi, je restai assise, silencieuse et solitaire, enveloppée dans la moquerie d'un vêtement de deuil. — Ils riaient, parce qu'il était mort ! Et moi, je restai assise avec des yeux endurcis et sans larmes, et un cœur qui aurait voulu renier la secrète joie qu'il ne pouvait réprimer, murmurant tout bas sur son nom détesté ; jusqu'à ce que de cette lutte intestine sortît un remords, où cependant il n'y avait pas de péché, — un enfer qui ne pourrait habiter dans de purs esprits.

Je te dirai la vérité. C'était un homme dur, égoïste, n'aimant que l'or, cependant plein d'artifice ; ses yeux pâles laissaient tomber des larmes dont chacune disait un mensonge, et souvent sa langue doucereuse et contenue faisait mentir sa joue rougissante. Il était lâche devant le fort, un tyran pour le faible, sur lequel il assouvissait sa vengeance ; aussi le mépris, dont les traits cherchent le cœur, dardé de plus d'un œil étranger, s'est-il attaché à sa mémoire, et a suivi son âme à sa dernière demeure froide et creuse. — C'était un tyran pour le faible, et hélas ! nous étions tels ! Souvent quand les petits dans leurs jeux rayonnaient de la gaîté naturelle à l'enfance, ou s'ils prêtaient l'oreille à quelque conte de voyage ou de féerie, pendant que la lueur du tison mourant dans l'âtre illuminait leur face ; entendaient-ils, ou croyaient-ils entendre son pas sur l'escalier, le mot suspendu mourait sur mes lèvres. Tous nous pâlissions ; le plus jeune sur mon sein se taisait de peur, à la pensée que son père approchait ; et mes deux garçons effarouchés venaient s'attacher à mes genoux, s'y blottissant à l'envi, pleins de terreur.

Je te dirai la vérité : j'en aimais un autre. Son nom résonnait toujours à mon oreille ; ses traits étaient toujours fixés dans ma cervelle ; et cependant, si quelque étranger prononçait ce nom, mes lèvres devenaient blêmes, et mon cœur battait fort. Mes nuits étaient hantées par des rêves de flamme, et mes journées plongées dans une ombre obscure à sa pensée. Jour et nuit, jour et nuit, il fut mon souffle, ma vie, ma lumière, pendant trois courtes années trop tôt écoulées. La quatrième, ma bonne mère me conduisit à l'autel pour lui jurer des fiançailles éternelles. Nous étions déjà debout sur les degrés de l'autel, quand mon père arrivé d'une terre lointaine se précipita tout à coup entre nous en poussant un terrible cri. Je vis le désordre de sa mince chevelure blanche, je vis sa maigre main levée, et j'entendis ses paroles,... et je vécus encore ! O Dieu ! Pourquoi ai-je vécu ? — « Arrête ! arrête ! » cria-t-il, « je te dis que c'est son frère ! Ta mère, enfant, repose sous le gazon du cimetière là-bas dans son froid linceul. Je suis aujourd'hui affaibli, pâle et vieux ; il fut un jour où nous fûmes chers l'un à l'autre, moi et ce cadavre ! Tu es notre enfant ! » — Alors avec un long et sauvage ricanement, le jeune homme tomba sur le pavé : on le releva mort ! Tout le monde me regardait, pour voir les spasmes de mon désespoir ;... mais j'étais calme. Je partis; j'étais froide et moite comme l'argile. Je ne pleurai pas, je ne parlai pas; mais jour après jour, semaine après semaine, j'errai comme un cadavre vivant. Hélas ! douce amie, vous devez penser que ce cœur était de pierre, pour ne point être brisé.

Mon père vécut encore un peu; mais tout le monde pouvait voir qu'il se mourait, si douloureux était son sourire ! Quand il fut couché dans le cimetière en proie aux vers, nous fûmes si pauvres que personne ne voulait nous donner de pain; ma mère me regardait, et m'adressait d'une voix faible des paroles d'encouragement qui signifiaient en réalité qu'elle serait heureuse de mourir. Je sortis donc de la même porte d'église pour aller au lit d'un autre époux. Et ce fut celui qui est mort à la fin, après bien des semaines, des mois et des années passées, pendant lesquelles je remplis courageusement mon devoir, en épouse dévouée, marchant du pas ferme d'une volonté subjuguée sous la nuit de la vie, dont les heures, comme une lente pluie qui doit durer toujours, éteignaient, peine sur peine, l'espérance même du cher repos de la mort; espérance cependant, qui, depuis que mon cœur dans ma poitrine s'était senti dépossédé de sa vie naturelle, avait été son étrange soutien.

Quand les fleurs furent mortes, et que l'herbe eut verdi sur le tombeau de ma mère, — tant qu'elle vécut cette mère, lui survivre, la rendre heureuse, raviver pour l'amour d'elle l'éclat de mes yeux pâlis, fut ma seule tâche sacrée, le seul souci qui donna quelque vie à mon désespoir; — quand elle fut une chose inanimée, et que les vers rampants la bercèrent pour un sommeil plus profond et bien plus doux que celui d'un enfant bercé sur les genoux de sa nourrice,... je me sentis revivre; une pulsation vivante battit dans mon cœur, et me réveilla. Quelle était cette pulsation si chaude et si libre? Hélas! je reconnus que ce ne pouvait être mon propre sang engourdi. C'était comme une pensée d'amour liquide qui se répandait et opérait sous mon sein et dans ma cervelle, et se glissait avec le sang dans chacune de mes veines. Heure par heure, jour après jour, l'étonnement, sans la charmer encore, put endormir ma peine vigilante, quand enfin je connus que c'était un enfant, et alors je pleurai. — Durant de longues, longues années, ces yeux glacés n'avaient point versé de larmes; mais alors.... — C'était la belle et suave saison où Avril avait pleuré lui-même pour Mai; je m'assis par un doux jour de soleil près de ma fenêtre, ombragée de feuillage, et le long de mes joues des larmes abondantes tombèrent, semblables aux gouttes de pluie scintillantes qui tombent des bords du toit, quand passent les chaudes averses du printemps. O Hélène, personne ne saurait dire quelle joie c'était de pleurer encore une fois!

Je pleurai en pensant combien il serait cruel de tuer mon enfant, de lui enlever le sentiment de la lumière, et l'air chaud, et mes propres caresses, et mes tendres soins, et mon amour, et mes sourires; je ne savais pas encore que tout cela, pour lui comme pour moi, pourrait être le masque d'une moquerie dérisoire. Heureusement, j'aimais à rêver combien il serait doux de le nourrir de mon propre sein épuisé, de sentir le battement incessant de mon propre cœur le bercer pour son repos que rien ne devait troubler, d'épier sous l'aurore l'éclosion de son âme en sourires naissants, d'entendre sa respiration, à moitié interrompue par de calmes soupirs, de chercher dans la profondeur de ses beaux yeux des souvenirs depuis longtemps envolés! Je vécus ainsi jusqu'au jour où je fus allégée de ce doux fardeau.

Le sombre courant des années fuyait toujours; il m'apporta deux objets d'allégresse pour mes yeux, deux autres enfants, plus délicieux dans la nuit abandonnée de mon âme perdue que ne peut l'être l'approche d'un vaisseau de leur pays pour des mariniers naufragés, cloués sur le rocher d'une mer hivernale. Chacun d'eux, en venant, m'apporta des larmes consolantes; et, pendant que chacun d'eux suçait mon triste lait, une bienfaisante chaleur jouait autour de mon cœur glacé, et le sevrait, avec quelle douleur! (à mesure que chacun d'eux était sevré de cette douce nourriture) de la soif même de la mort, du néant et du repos, étrange habitante d'une poitrine vivante. Cette soif, tout ce que j'avais subi de chagrin et de honte, depuis le jour où l'apparition de mon premier enfant avait fermé les portes de ce sombre refuge, et presque brisé le sceau de cette source Léthéenne, l'avait ranimée; mais ces belles ombres étaient intervenues; car toutes les jouissances maintenant sont des ombres!... Mais de mon cerveau de lourdes larmes se rassemblent sous ma paupière appesantie et coulent... Je ne puis plus parler. Oh ! laisse-moi pleurer!

Les larmes qui tombaient de ses yeux pâles brillèrent au milieu de la rosée éclairée par la lune ; ses profonds et pénibles sanglots, ses pesants soupirs, retentirent dans les ténèbres. Quand elle eut retrouvé son calme, elle reprit la suite de son récit :

Il mourut, je ne sais comment. Il n'était pas âgé, si l'on doit compter l'âge par les années ; mais il était courbé par les craintes, pâli de la soif inextinguible de l'or ; cette fièvre cruelle avait épuisé ses forces ; sa lèvre serrée et sa joue gonflée étaient contractées par les spasmes d'un creux ricanement ; les soucis égoïstes de leur soc stérile, et non l'âge, avaient sillonné son front étroit ; d'impures et cruelles pensées avaient au dedans de lui dévoré et consumé la vie, comme des vipères se repaissant de quelque herbe empoisonnée. Sa mort fut-elle l'effet de la maladie ou du péché, personne ne le sut, jusqu'au jour où il mourut réellement, et alors on reconnut que ces deux choses n'en faisaient qu'une.

Sept jours ce cadavre fut étendu dans ma chambre, sept jours qui furent pour mes enfants des jours de fête. Enfin je leur dis ce qu'est la mort. L'aînée, avec une sorte de honte, s'approcha de mes genoux, la respiration silencieuse, et s'assit saisie de crainte à mes pieds ; et bientôt les autres, laissant leur jeu, vinrent s'y asseoir aussi.

Il ne vaut rien de verser sur la fragile fleur de la jeunesse la science flétrissante du tombeau. Le remords me fit méconnaître cette vérité ; je ne pouvais supporter une joie qui répondait trop bien à la mienne. Ce fut en vain ;... je n'osai feindre un gémissement; et dans leurs regards ingénus je vis, au milieu des brouillards de la crainte et du respect, que ma propre pensée était la leur; ils ne la traduisaient pas en paroles, mais chacun disait dans son cœur combien les jours allaient s'écouler heureux en agréables occupations et en jeux, maintenant qu'il était mort et parti !

Après les funérailles toute la parenté fut assemblée, et on lut ses dernières volontés. Mon amie, sache-le, les morts mêmes, dans leurs putrides linceuls, ont encore la force de frapper et de torturer. Ceux qui vivent ne craignent que les vivants; mais un cadavre est sans pitié, et le Pouvoir donne à ces pâles tyrans la moitié de la dépouille qu'il arrache à ceux qui gémissent et souffrent, parce qu'ils ne rougissent pas de remords au milieu de leurs vers rampants. — Écoute ! Je n'ai plus d'enfant !... Mon récit vieillit à force de chagrins et chancelle; qu'il atteigne les limites de mon faible langage, et languissamment se couche à la fin sur le bord de son tombeau et du mien.

Tu sais ce que c'est que la pauvreté pour ceux qui sont tombés dans le malheur. C'est le crime, la crainte, l'infamie, le besoin sans abri errant sans vêtements sur des routes gelées, la peine, et, le pire de tout, cette tache intérieure, cet impur mépris de soi-même, qui étouffe dans les ricanements la lumière d'étoile du sourire de la jeunesse, et fait de ses larmes un fiel brûlant, avant de les sécher à jamais. Et tu sais bien que jamais une mère ne pourrait condamner ses enfants à un pareil malheur, et il le savait aussi lui-même. Sa volonté portait que, si jamais je cherchais à revoir mes enfants, ou si je restais plus de trois jours dans mon pays natal (les heures même étaient comptées), mes enfants n'hériteraient de rien. Et celui à qui venait d'échoir leur patrimoine, un blême homme de loi, cruel et froid, ne cessa de m'observer pendant la lecture du testament, cherchant avec ses yeux de travers à lire les secrets de mon agonie; et les lèvres closes, le front soucieux, il était debout, supputant en tout sens les chances de ma résolution, et invoquant tous les arguments du mort; car dans ce mensonge qui tuait il était dit: « Elle est adultère et soutient en secret que la croyance chrétienne est fausse; il faut donc que je me préoccupe de sauver mes enfants du feu éternel. » Amie, il était à l'abri dans le tombeau et osait ainsi mentir! En vérité, l'Indienne sur le bûcher de son époux mort, à moitié consumée, pourrait aussi bien être infidèle que moi, condamnée à ces embrassements abhorrés, mille fois pires que la courte agonie du feu. Quant à la croyance chrétienne, était-elle vraie ou fausse, je ne m'étais jamais posé cette question; je l'acceptais comme fait le vulgaire; et mon âme torturée n'avait pas encore eu le loisir de douter des choses que disent les hommes, ou de s'imaginer qu'elles sont autres qu'elles ne semblent.

Tous ceux qui entendirent articuler ces crimes, hommes, femmes, enfants, avec un mépris et une terreur réelle ou jouée, me fuirent, en chuchotant entre eux avec cet orgueil content de lui-même, ayant à moitié conscience de son propre ignoble mensonge. Sans parler à personne, je partis, et suivis silencieusement mon chemin; je ne regardai pas l'endroit où joyeusement mes deux plus jeunes enfants jouaient, dans la cour que je traversai: mais je marchai d'un pas ferme et assuré, jusqu'à ce que j'atteignisse le rivage du vert Océan. Et là une femme en cheveux gris, qui avait été la servante de ma mère, se mettant à mes genoux, à force de larmes et de prières, me fit accepter une bourse d'or, la moitié des économies qu'elle avait gardées pour sa ressource quand elle serait faible et vieille.

Et maintenant me voilà errante, avec un chagrin qui ne s'endort jamais et ne s'est jamais endormi. Peut-être est-ce une vaine pensée ?... mais là-bas cette Alpe dont la tête neigeuse est comme une île au milieu de l'air azuré (on l'aperçoit, de cette pierre grise où nous nous sommes d'abord rencontrées, suspendue avec ses fiers précipices sur le courant de nuages que le soleil levant fait sortir de ses cavernes de l'Orient, en les ridant de vagues d'or), c'est là (qui sait aujourd'hui si les morts ne sentent rien ?) que devrait être mon tombeau ; car celui qui est toujours l'âme de mon âme me dit jadis : « Il serait doux d'habiter au milieu des étoiles, des éclairs et des vents, et des neiges berçantes qui battent de leurs tendres flocons la vaste montagne, quand reposent les flambeaux des météores fatigués, quand les ouragans alanguis ferment leurs ailes, et que toutes choses fortes et brillantes et pures et éternelles durent toujours. Si nous y avions notre tombeau, qui sait si ces choses, au sein de l'air qui enveloppe tout, ne pourraient pas faire partager à nos esprits leur propre éternité ? » C'était alors un dire étrange et enjoué, auquel je ris ou fis semblant de rire. Telles furent ses paroles ; maintenant écoute ma prière, et qu'elles soient mon épitaphe ; ta mémoire pour un temps peut être mon monument. Te souviendras-tu de moi ? Oui, tu t'en souviendras, je le sais ; et tu peux me pardonner d'avoir pensé, tant que mon âme ne dédaignait pas de vivre dans ce monde errant, que ses formes gisantes avaient quelque prix, et toi beaucoup moins.

HÉLÈNE. — Oh ! ne parle pas ainsi ! Mais viens vers moi, et verse tes douleurs dans mon cœur, quoiqu'il déborde des siennes. Je pensais que le chagrin m'avait séparée de tous ceux qui autour de moi pleurent et gémissent, pour être sur la terre son portrait, sa véritable image ; mais tu es bien plus malheureuse. Douce amie, nous ne nous séparerons plus désormais, si la mort n'est pas une séparation : s'il en est ainsi, les morts ne sentent pas de repentir. Mais veux-tu entendre tout ce qui, depuis notre séparation, m'a laissée le cœur brisé?

ROSALINDE. — Oui, parle. Les plus belles étoiles sont à peine dépouillées de leurs minces rayons par ce matin trompeur qui retombe dans les ténèbres, comme la lumière d'un premier amour bientôt perdue dans une totale nuit.

HÉLÈNE. —Hélas ! les brises de l'Italie sont douces, mais mon sein est froid, froid comme l'hiver. Quand l'air chaud tisse à travers le frais feuillage sa douce musique, ma pauvre cervelle est effarée, et je suis aussi faible qu'un enfant à la mamelle, quoique le chagrin ait blanchi et vieilli mon âme.

ROSALINDE. — Ne pleure pas à tes propres paroles, quoiqu'elles doivent me faire pleurer. Quelle est ton histoire ?

HÉLÈNE. — J'ai peur qu'elle n'ébranle ton cœur aimant et ne te fasse verser des larmes. — Tu te souviens bien du jour où nous nous rencontrâmes pour la dernière fois ; et, quoique alors je vécusse avec Lionel, cette réserve sans amitié me blessa d'un profond chagrin, une blessure que mon esprit ne supporta qu'avec indignation. Mais, quand il mourut, avec lui moururent l'espérance et la fierté.

Hélas! toute espérance est maintenant ensevelie. Mais alors des hommes rêvaient que la terre vieillie était en travail de cette puissante renaissance que beaucoup de poètes et de sages ont toujours prévue, — l'âge heureux où la vérité et l'amour doivent habiter ici-bas au milieu des œuvres et des voies de l'humanité; rêve qu'aucun autre pouvoir que la volonté seule ne saurait aujourd'hui encore réaliser. Quelle lutte alors mit l'humanité aux prises, et combien elle fut vaine, c'est une histoire trop bien connue, quand le cher péan de la liberté tomba au milieu de hurlements meurtriers. Jusqu'à Lionel, malgré sa grande richesse et son haut lignage, même à travers ces murs de prison, arrive ta lumière pénétrante, ô Liberté! Et, comme la flamme d'un météore à minuit fait tressaillir le songeur, la vérité semblable au soleil rayonna sur sa jeunesse visionnaire, et le remplit, non d'amour, mais de foi, d'espérance et d'un courage muet dans la mort; car l'amour et la vie étaient en lui jumeaux, issus d'une même naissance. Chez tout autre homme, la vie d'abord, puis l'amour se manifeste, quoiqu'ils soient les enfants d'une seule mère; et ainsi à travers le sombre monde ils poursuivent leur vol séparés, jusqu'à ce qu'ils se rencontrent dans la mort: mais lui a toujours aimé toutes choses. Alors il entra dans la mêlée des hommes, et se présenta devant le trône du pouvoir armé, plaidant la cause d'un monde de douleurs. Aussi intrépide qu'un homme qui du haut d'une tour bâtie sur le roc contemple les débris d'un naufrage que la vague promène çà et là, au milieu des sauvages passions de l'espèce humaine il se tenait debout, comme un esprit qui les calme; car, disait-on, ses paroles pouvaient enchaîner comme une musique la foule charmée, et refouler ce torrent de rêve inquiet que les mortels appellent vérité et raison, mais qui n'est que vengeance, peur et orgueil. Il était joyeux; l'espérance et la paix descendaient dans tous ceux qui l'entendaient, tombant comme une pluie de rosée de son doux entretien; — de même, lorsque l'étoile du soir se promène sur le bord des mers obscures, on voit trembler de liquides brumes de splendeur. Ses gestes mêmes touchaient jusqu'aux larmes l'opiniâtre tyran qui n'avait jamais été aussi ému; en sa présence, on ne savait comment, le tortureur se sentait aiguillonné par la souffrance de ses propres victimes; et, en passant par leurs oreilles, le subtil sortilège de sa langue savait ouvrir les cœurs de ceux qui gardent l'or, la chaîne d'esclavage du monde. On s'étonnait, et quelques-uns riaient de voir un homme semer ce qu'il ne pourrait jamais récolter: « Il est riche, disaient-ils, et jeune, et pourrait s'abreuver aux profondes sources du luxe. S'il cherche la Renommée, la Renommée n'a jamais couronné le champion d'une croyance méprisée; s'il cherche le Pouvoir, le Pouvoir a son trône au milieu des anciens droits et des anciennes injustices; loups affamés que quiconque veut siéger près du Pouvoir doit travailler à repaître de flatteries et de dépouilles; et ceux qui y siègent ainsi, tout le monde peut les voir. Que cherche-t-il? Tout ce que cherchent les autres, il le rejette loin de lui, comme une herbe vile que la mer repousse sans retour. Que des pauvres, des affamés veuillent briser les lois qui les condamnent au travail et au mépris, nous le comprenons; mais Lionel, nous le savons, est riche et de noble naissance. »

Ainsi s'étonnaient-ils; cependant tout le monde aimait le jeune Lionel, quoique peu l'approuvassent; tout le monde, excepté les prêtres, dont la haine tombait comme l'invisible fléau d'un jour souriant, la rosée de miel flétrissante qui s'attache aux verts et brillants boutons de mai, quand ils déploient leurs ailes d'émeraude; car il avait fait des vers sauvages et bizarres sur les étranges croyances que les prêtres entretiennent si précieusement, parce qu'elles leur rapportent terres et or. Des diables et des saints et autres semblables babioles, il avait fait des contes, qu'on ne pouvait lire ou entendre sans en mourir presque de rire. Aussi courut ce proverbe : « Ne vieillissez pas avant d'avoir entendu le *Banquet en Enfer* de Lionel; ou alors vous rirez si bien que vous en rajeunirez. » Ainsi les prêtres le haïssaient, et lui leur rendait leur haine avec une joie délirante.

Ah ! sourires et joie en un instant s'évanouirent, car l'espérance publique pâlit et s'obscurcit quand changèrent le temps et la marée, et l'entraîna dans sa ruine; comme une fleur d'été qui fleurit trop vite languit dans le sourire de la lune décroissante, quand elle éparpille à travers une nuit d'avril les rosées glacées qui rident et flétrissent. Personne alors n'espéra plus. Le pouvoir grisonnant s'était raffermi sur le trône héréditaire, et la Foi, l'oracle indestructible, continua à traîner sur ses pas tachés de sang son impur et invalide cortège; les hommes furent de nouveau trompés et foulés aux pieds: les formules et les apparences purent de nouveau enchaîner les gémissantes nations de l'humanité dans le mépris et la famine. Le feu et le sang exercèrent leur rage au milieu de la multitude furieuse, envoyée par les tyrans aux plus lointains rivages, pour y être l'instrument méprisé chargé de tirer des mines de sang les chaînes que devaient porter à jamais leurs esclaves. Et les hommes se rencontrèrent dans les rues, près des vieux autels et dans les salles d'assemblée, et recommencèrent à rire aux fêtes. Mais chacun trouva dans le frère de son cœur un accueil froid ; car tous, quoique à moitié déçus, ajoutèrent de nouveau foi aux croyances usées ; et le monde fatigué recommença à tourner dans le même cercle où il avait toujours couru.

Beaucoup pleurèrent alors dans leurs cœurs, non des larmes, mais du fiel, comme des gouttes qui, en tombant, usent la pierre de la fontaine. Dans ce sombre et mauvais jour, tous les désirs et toutes les pensées que réclament les soucis de l'homme, ambition, amitié, renommée, amour, espérance (quoique désormais l'espérance fût désespoir), revêtirent les couleurs de ce changement ; de même que la terre emprunte à l'air qui l'environne d'obscures et étranges lueurs, quand l'ouragan et le tremblement de terre y font leur séjour.

Ainsi, mon amie, en fut-il de beaucoup, et surtout de Lionel ; lui dont l'espérance était dans son âme comme la vie de sa jeunesse ; aussi, quand elle mourut, devint-elle un esprit de flamme sans repos, qui le poussa dans sa détresse, à travers le vaste désert du monde. Trois ans il laissa sa terre natale, et quand, la quatrième année, il y retourna, personne ne le reconnut ; il était profondément atteint d'une maladie d'esprit, et devenait quelque chose qui ne ressemblait plus à Lionel. Autrefois, se reposait-il dans le sommeil, les sourires les plus sereins veillaient sur lui ; était-il éveillé, une légion ailée de brillantes Persuasions, nourries sur ses douces lèvres et ses yeux limpides, tenaient leurs rapides ailes à moitié étendues, toutes prêtes à exécuter auprès des hommes ses moindres commandements; autrefois, le voir seulement était un paradis; maintenant il était misérablement changé ! Il était impitoyable pour son propre cœur; à l'égard de tout le reste, on ne saurait exprimer son innocence et sa tendresse.

On disait que dans de lointains pays il avait cherché dans l'amour un refuge contre sa pensée inquiète, et qu'il avait été déçu par d'étranges apparences; car on trouva sur le sol, effacés de ses larmes (ainsi qu'ont coutume de faire ceux qui trouvent un soulagement dans leurs propres paroles) ces vers désolés — effacés aussi par les larmes de ceux qui les lisent :

« Combien je suis changé ! Autrefois mes espérances étaient comme la flamme; j'aimais et je croyais que la vie était amour. Comme je suis perdu ! Autrefois sur les ailes du rapide désir mon esprit s'élançait au milieu des vents du ciel. Je dormais, et des rêves d'argent inspiraient toujours mon limpide sommeil. Je veillais, et toute la nature trouvait un écho dans mon cœur, et je songeais à faire de la terre un paradis pour une douce cause.

« J'aime encore, mais je ne crois plus en l'amour; je sens des désirs, mais je n'espère plus ! C'est bien en vain aujourd'hui que ma cervelle fatiguée doit implorer du sommeil ses faveurs si longtemps perdues ! Je veille pour pleurer, et resterassis toute la longue journée rongeant le fond de mon cœur amer, et comme un misérable, depuis que personne ne prend peine ou plaisir à ce que je ressens, garder pour mon âme seule un trésor qui se consume lui-même ! »

Il habitait à côté de moi près de la mer: et souvent le soir nous nous rencontrions, quand les vagues, sous la lumière des étoiles, fuient sur les sables jaunes de leurs pieds d'argent, et nous causions. Notre conversation était triste et douce; jusqu'à ce que lentement la désolation qui avait inspiré ses discours ait quitté son visage, et que des sourires aient de nouveau revêtu ses traits d'une tendre lumière; — ainsi, quand le souffle de l'éclair a desséché quelque chêne qui faisait les délices du ciel, le printemps prochain fait apparaître sur ses rameaux déchirés des feuilles pâles et rares, qui ressemblent à de belles et délicates fleurs. Ses paroles devenaient un feu subtil; pour ceux qui l'entendaient, l'air exhalait le bonheur; ses mouvements étaient libres comme des brises, qui courbent gracieusement l'herbe brillante, puis s'évanouissent en faibles ondulations; et l'Espérance ailée, — portée sur elle, son âme semblait voltiger dans ses yeux, semblable à quelque brillant esprit nouvellement éclos, flottant au milieu des cieux ensoleillés — l'Espérance jaillit de nouveau de son cœur déchiré. Cependant sur sa conversation, sur ses regards et son visage, tempérant leur tendresse trop vive, le chagrin passé jetait en s'enfuyant son ombre; jusqu'au jour où, comme une exhalaison émanée des fleurs à moitié ivres de la rosée du soir, ils devinrent une douce contagion; ce furent comme de doux et subtils brouillards de sensation et de pensée, qui nous enveloppaient, quand nous pouvions nous rencontrer, et nous dérobaient presque à nos propres regards et à tout ce que contient le vaste monde. Ainsi son esprit se guérissait, tandis que le mien devenait malade de crainte; car toujours dès lors sa santé déclina, comme une frêle barque qui ne peut supporter l'impulsion d'un vent nouveau, quoique favorable. Et mon cœur, au milieu de sa nouvelle joie, se remplit d'un nouveau souci; car sa joue ne pâlissait pas, mais s'embellissait en se colorant, comme des lys ombrés de rose; et bientôt sa chevelure épaisse et brillante, ce qu'il y avait de moins beau en lui, comme l'herbe sur des tombes devint farouche et rare. Le sang, dans ses veines transparentes, n'avait plus les battements de la vie animale, mais l'amour semblait maintenant en mouvoir les lugubres pulsations, quand la vie défaillait, et avec elle toutes ses peines; et souvent un sommeil soudain s'emparait de lui, comme la mort, aussi calme qu'elle, — si ce n'est qu'une larme, pointant entre ses cils, se mêlait à la sereine lumière des sourires dont l'éclat brillant et doux ondulait au-dessous. Sa respiration était comme une flamme inconstante, dans son ardent mouvement de va-et-vient; et je restais suspendue sur lui dans son sommeil, jusqu'au moment où, comme une image sur le lac troublé par les pluies, mes larmes brisaient l'ombre de ce profond assoupissement. Alors il m'invitait à ne pas pleurer, et me disait, avec une flatterie mensongère, mais douce, que la mort et lui ne pourraient jamais se rencontrer, si je voulais ne jamais me séparer de lui. Ainsi nous nous aimions, et unissions tout ce qui cependant en nous était divisé; car, — quand il me disait que certains rites, autrefois inventés par les hommes uniquement pour enchaîner, ne pouvaient être partagés ni par lui, ni par moi, ou qu'ils le tueraient dans leur joie, — je frissonnais, et lui disais en riant : « Nous aurons aussi nos rites pour enchaîner notre foi; mais notre église sera la nuit étoilée; notre autel, la terre gazonnée étendue au loin, et notre prêtre, le vent qui murmure. »

Comme je parlais ainsi, le soleil se couchait. Une seule

étoile avait à peine paru, quand les ministres d'iniquité, envoyés de bien loin, se jetèrent sur Lionel, et l'emportèrent enchaîné à une affreuse tour au milieu d'une immense cité; car il avait, disaient-ils, proféré contre leurs dieux un audacieux blasphème, pour lequel, bien que son âme dût être brûlée sans pouvoir mourir dans les lacs de feu de l'enfer, il devait encore sur la terre subir la vengeance de leurs esclaves — une épreuve, je crois, comme l'appellent les hommes. A quoi servent les prières et les larmes, qui ne peuvent fléchir le farouche sauvage nourri dans la haine? A quoi sert l'union de l'âme, quand suppliante et pâle elle fait blêmir la joue tremblante que tout à l'heure elle colorait de son propre bonheur?... Nous fûmes séparés. Autant que je pus, je calmai le tintement de mon sang; et je le suivis malgré eux, comme une veuve suit, pâle et farouche, les meurtriers et le cadavre de son unique enfant. Quand nous fûmes arrivés aux portes de la prison, et que je demandai de partager son cachot, avec des prières qui ont été rarement rejetées, quand ces hommes m'eurent repoussée, et que mes yeux égarés par une pâle frénésie fixèrent le ciel, il tourna vers moi en signe d'adieu un regard d'amour, qui me calma à moitié. Puis il plongea ses regards dans le vide, comme si à travers cette masse noire et compacte, à travers la foule assemblée autour de lui, à travers l'air dense et sombre, et les rues encombrées, il eût voulu épier ce que savent et prophétisent les poètes; et d'une voix qui les fit frissonner, qui s'attacha comme une musique à ma cervelle, et que répétèrent les murs muets, en en prolongeant les accents rendus plus profonds, il dit : « Ne crains pas que les tyrans règnent pour toujours, ainsi que les prêtres d'une foi sanglante ! Ils sont sur le bord de cette puissante rivière, dont ils ont teint les vagues des couleurs de la mort; elle s'alimente aux profondeurs de mille vallées; autour d'eux elle écume, se courrouce et se gonfle; et je vois leurs épées et leurs sceptres flotter, comme les débris d'un naufrage sur le flot de l'éternité. »

Je ne quittai pas la porte de la prison; et l'étrange foule qui passait (quelques-uns sans doute, avec le même sort que moi) aurait pu m'étourdir de son fracas sans repos; mais la fièvre du souci était encore plus tumultueuse à l'intérieur. Bientôt, mais trop tard, repentir ou crainte, ses ennemis l'élargirent. Je vis son corps amaigri et languissant, au moment où, penché sur le bras du geôlier, dont les yeux endurcis s'humectaient à rencontrer son muet et faible sourire, et à entendre ses touchantes paroles d'adieu, — il sortit tout chancelant de cet humide cachot. Beaucoup jusque-là n'avaient jamais pleuré, qui sentirent de grosses larmes jaillir et tomber de leurs yeux; beaucoup ne s'attendriront plus, qui alors sanglotèrent comme des enfants; oui, tous ceux qui remplissaient les salles de pierre de la prison, les maîtres ou les esclaves de la loi, sentirent avec une surprise et une terreur toute nouvelle pour eux, qu'ils étaient hommes... jusqu'à ce qu'une tyrannique honte les fît rentrer dans leur premier état. Les énormes et affreux dogues de sang de la prison, puisant la contagion dans les regards humains, se couchaient tendrement devant lui et le flattaient; et on entendit dire aux prisonniers qui pourrissaient dans ces prisons, qu'à partir de cette heure, en un seul jour, le farouche désespoir et la haine qui gardaient leur poitrine oppressée, et, comme des vautours jumeaux, se repaissaient des blessures de leurs cœurs largement déchirées et saignantes, s'endormirent presque, parce que, pensaient-ils, leurs geôliers humanisés et attendris n'exercèrent plus sur eux qu'une autorité vraiment paternelle.

Je ne sais comment cela se fit, mais nous étions libres. Lionel s'assit seul avec moi, sur le char qui nous emportait rapidement à travers les rues. Nous nous regardions les yeux dans les yeux, et le sang dans nos doigts entrelacés courait comme les pensées d'un seul esprit, sous les rapides émotions qui traversaient les veines de nos deux êtres unis. Ainsi nous passâmes à travers les longues, longues rues de cette vaste cité peuplée de millions d'hommes, dans ce vaste désert où chacun cherche sa compagne, et cependant reste seul, sans être aimé, recherché ou pleuré de personne. Nous aperçûmes enfin la clarté du ciel bleu, et les brillantes prairies herbeuses et vertes. Alors je tombai dans ses bras, y enfermant tout un monde d'amour. Nous traversâmes ainsi des bois, des champs de fleurs jaunes, des villes, des villages, coulant des jours d'heures heureuses. C'était la saison azurée de juin, quand les cieux sont profonds dans le midi sans tache, et que les brises chaudes et capricieuses agitent les nouvelles feuilles vertes de l'églantier des haies; et il y avait autour de nous des parfums qui faisaient du souffle même que nous respirions un liquide élément où nos esprits, comme des choses enchantées qui se promènent dans l'air sur des ailes invisibles, flottaient et se confondaient en fuyant, au milieu des chaudes haleines du jour ensoleillé. Quand parut l'étoile du soir au-dessus du croissant de la nouvelle lune, que lumière et bruit refluèrent de la terre, comme la marée de la pleine mer fatiguée reflue dans les profondeurs de sa tranquillité, nos êtres dans leur repos s'harmonisèrent avec le sommeil sans haleine de la terre. Semblables à des fleurs qui ferment l'une sur l'autre leurs feuilles languissantes quand la lumière du jour a disparu, nous reposâmes, jusqu'à ce que de nouvelles émotions vinssent ne faire de chacune de nos formes mortelles qu'une seule âme de flamme entrelacée, une vie dans une autre vie, une seconde naissance dans des mondes plus divins que la terre, qui, semblables à deux courants d'harmonie qui se mêlent dans le ciel silencieux puis lentement se désunissent, passaient, et laissaient en passant la tendresse des larmes, un suave oubli de toutes craintes, un doux sommeil.

Ainsi nous voyagions jusqu'au jour où nous arrivâmes à la demeure de Lionel, au milieu de montagnes sauvages et solitaires près de la mer blanchissante de l'Occident ; les bords du rivage plein d'échos étaient ombragés d'une massive forêt.

Le vieil intendant, à la chevelure toute blanche, quand nous descendîmes, pleura de voir son maître si terriblement changé ; et les sanglots du vieillard m'éveillèrent de mon rêve de joie évanouie. La vérité m'inonda de sa lumière, comme une folie soudaine, quand je regardai et vis que la mort était sur Lionel. Il vécut pourtant quelque temps encore, si bien que la crainte se changea en espérance et en confiance, et que dans mon âme j'osai dire : « Quelque chose d'aussi radieux ne saurait périr ; la mort est sombre, hideuse, stupide ; mais lui !... oh ! qu'il est beau ! » Cependant de jour en jour il devenait plus faible ; et sa douce voix, quand il pouvait parler, sa voix, qui n'était jamais bruyante, devint de plus en plus basse ; et la lumière qui rayonnait à travers sa joue de cire s'affaiblit, comme les teintes rosées que le soleil couchant verse sur les neiges alpestres. La mort en lui ne ressemblait pas à la mort, car l'esprit de vie s'arrêtait sur chacun de ses membres, comme un brouillard de sensation et de pensée. Quand le vent d'été emporta les parfums évanouis des fleurs de la montagne, au moment même de son passage, sa joue changea, comme la mer à midi, quand la brise mourante la caresse capricieusement. Mais si un nuage obscurcissait le ciel, vous auriez vu sa couleur paraître et disparaître ; et les doux accords de la musique faisaient naître et s'évanouir de doux, mais tristes sourires au milieu de la rosée de ses tendres yeux ; et sa respiration, de son cours intermittent, faisait trembler et entr'ouvrait ses lèvres pâles. Vous auriez pu entendre les battements de son cœur, rapides, mais faibles ; et, lorsque souvent il voulait, en jouant, enlacer son cou de mes tresses sous les berceaux d'une solitude pleine de mousse, et qu'il m'entraînait ainsi à me perdre avec lui dans la douce profondeur de caresses entrelacées, et que nos membres languissants se confondaient... hélas! ma vie tintait sans repos de mon propre cœur dans chacune de mes veines, comme une captive, dans ses rêves de liberté, bat les murs de sa prison de pierre. Mais la sienne,... elle semblait déjà libre, comme l'ombre d'un feu qui m'enveloppait. Cet esprit en passant s'arrêta sur mes yeux et mes membres défaillants ; mais bientôt... (comme un frêle nuage errant sur la lune, invisible sous sa lumière, se fait voir quand il déploie de nouveau ses ailes grises pour s'abattre sur la sombre plaine de minuit), je recommençai à vivre et à voir, et mon âme ressaisie s'échappa de ce violent empire, et je tombai dans une vie tout angoissée de la crainte des malheurs qui aujourd'hui m'accablent.

Au milieu d'un bois de myrtes sans fleurs, sur un promontoire verdoyant et baigné par la mer, non loin du lieu que nous habitions, s'élevaient, en souvenir d'une douce et triste histoire, un autel et un temple brillant, entouré de gradins, et sur la porte était sculpté : « A la Fidélité ! » Dans le sanctuaire une image était assise, toute voilée ; mais on pouvait apercevoir à travers cette draperie aérienne la lumière de sourires qui exprimaient faiblement un mélange de peine et de tendresse. La main gauche soutenait la tête ; la droite (par derrière le voile, sous la peau, vous auriez pu voir les nerfs frémissant intérieurement) enfonçait la pointe d'un dard barbelé dans son cœur agonisant. Une main inhabile, mais cependant guidée par le génie, avait échauffé le marbre de cette vie pathétique. On raconte cette histoire: un jour que la marée montait avec furie, un chien avait tiré des flots la mère de Lionel, pâle et languissante, puis était mort près d'elle sur le sable. Alors, elle avait élevé ce temple, et la main de Lionel avait sculpté l'image. A chaque nouvelle lune, cette femme, dans son temple solitaire, célébrait les rites d'une douce religion, dont le dieu était dans son cœur et son cerveau. Les plus belles fleurs de la saison étaient semées sous ses pieds sur le parquet de marbre ; elle y portait des couronnes de blancs boutons de mer, dont l'odeur est si douce et si délicate, et des herbes, semblables aux branches du chrysolite, tissées en devises subtiles et ingénieuses ; et les larmes qui tombaient de ses yeux bruns inondaient l'autel. Il ne faut que jeter un regard sur cette belle et pâle statue mourante, si les larmes ont cessé de couler, pour les faire couler encore. De rares parfums d'Arabie venaient à travers les bosquets de myrte fumant des vapeurs sifflantes de l'encens, dont la fumée, d'un blanc laineux semblable à l'écume de l'Océan, se suspendait en épais flocons sous le dôme (ce dôme d'ivoire dont la nuit d'azur parsemée d'étoiles d'or, comme le ciel, resplendissait), au-dessus de la flamme effilée du cèdre fendu. Là, la harpe de la dame aimait à éveiller la mélodie d'un air ancien plus doux que le sommeil ; les villageois mêlaient leur religion à la sienne, et attentifs autour d'elle versaient des larmes.

Un soir il me conduisit à ce temple. La lumière du jour grise s'attardait sur son dernier nuage pourpre, et bientôt le rossignol commença son concert ; tantôt retentissant, escaladant de ses ondulations le ciel sans brise ; tantôt une musique mourante ; puis tout à coup il s'éparpille en mille et mille notes, et bientôt à l'oreille calmée flotte comme ces senteurs des champs si connues de l'enfance, et enfin, tombant, caresse de nouveau l'air. Nous nous assîmes dans ce temple solitaire, pavillonné tout autour de marbre de Paros ; la harpe de sa mère était près de nous, et souvent j'éveillai la douce musique sur ses cordes. Le rossignol interrompait son conte appris du ciel. « Maintenant, dit Lionel, buvons la coupe que l'oiseau-poète a si bien couronnée du vin de son chant brillant et limpide ! N'entends-tu pas de douces paroles au milieu de cette mélodie qui est un écho du ciel ? N'entends-tu pas ce que ceux qui meurent évoquent dans un monde d'extase ? L'amour, quand il entrelace les membres aux membres ; le sommeil, quand il entr'ouvre la nuit de la vie ; la pensée, quand elle s'attache aux obscures limites du monde, et la musique, quand chante un être aimé, tout cela n'est-ce pas la mort?... Buvons gaiement la coupe que le doux oiseau remplit pour moi! »

Il s'arrêta et pencha ses lèvres sur les miennes. Comme un esprit, ses paroles parcoururent tous mes membres avec la rapidité du feu: et ses yeux perçants, rayonnant à travers les miens, me remplirent de la divine flamme qui, dans les siens, brûlait profondément comme la lumière d'un astre sans mesure dans le ciel de minuit sombre et profond. Oui, c'était son âme qui m'inspirait des accents que mon art jamais n'aurait pu éveiller. D'abord, je sentis mes doigts courir sur la harpe, et un long cri frémissant jaillit de mes lèvres en symphonie; l'air obscur et solide fut ébranlé, à mesure que les notes sortaient de plus en plus douces, sous mes doigts voltigeant comme une flamme vivante, et de mon sein en proie à une émotion inexprimable. Le terrible son de ma propre voix fit trembler mes lèvres défaillantes... Lionel était debout dans l'attitude d'une pensée sans voix, si pâle, qu'à côté de sa joue la colonne de neige empruntait une nouvelle blancheur à son ombre; son visage cependant, levé vers le ciel, rayonnait de toute la splendeur d'une joie qui pénètre l'esprit; dont la lumière, comme celle de la lune quand elle perce avec effort la nuit des nuages fendus par le tourbillon, éclatait en rayons que rien ne saurait arrêter.

Je me tus. Mais bientôt ses gestes éveillèrent en moi un nouveau pouvoir, de même que les vagues se soulèvent sous l'action du vent; mon chant modifié s'apaisa en notes plus basses et plus douces; et des cordes scintillantes mes doigts languissants tirèrent des ondulations d'accords qui dissolvent la vie, quoique affaiblis. Elles enchaînèrent mon Lionel de leurs anneaux aériens.

A mesure que mes accents s'affaiblissaient en devenant plus doux, l'expression de ses traits tombait avec le son; lentement il se tournait vers moi, à mesure que lentement cette terrible joie s'évanouissait de son visage. Bientôt, avec des regards sereins, il se sentit entraîné dans mes bras; et mon chant mystérieux mourut en murmures. Je n'ose dire les paroles que nous confondîmes dans notre embrassement; sur ses lèvres les miennes s'abreuvèrent jusqu'à ce qu'il me semblât qu'elles étaient silencieuses et froides... « Que t'arrive-t-il, mon amour? » dis-je; — plus de regard! plus de parole! plus de mouvement!... Oui, un changement s'était fait... N'essaie pas de deviner, et je ne te dirai pas l'espérance de ce moment... Je regardai : il était mort! il tomba, comme l'aigle tombe sur la plaine, quand la vie abandonne sa cervelle, et que l'éclair mortel est de nouveau voilé!

Oh! que ne suis-je morte maintenant! Mais il m'a défendu ce désir! tes murmures mourants, mon amour, n'exigeaient-ils pas trop de moi? — Oh! pourquoi ne suis-je pas folle encore une fois! ... Et cependant, chère Rosalinde, qu'il n'en soit pas ainsi! Car je veux vivre pour partager ton malheur. — Et toi, doux enfant, t'ai-je donc aussi oublié? Hélas? nous ne savons pas ce que nous faisons, quand nous parlons!

Il n'y avait plus dans mon esprit aucun souvenir de ce rivage de la mer. La folie m'envahit, et il me sembla qu'une multitude d'ombres brumeuses s'asseyaient à côté de moi, à la poupe d'un vaisseau que poussait le clair vent du nord. Alors j'entendis d'étranges langues; je vis d'étranges fleurs; il me semblait que les étoiles ne ressemblaient pas aux nôtres; l'azur du ciel et le calme de la mer me firent croire que j'étais morte, et que j'errais dans un monde qui était pour moi un affreux enfer, quoiqu'il fût un ciel pour ceux qui étaient près de moi. Bientôt un sommeil mort tomba sur mon esprit, pendant que la vie animale échappait pendant de longues années à un abîme de larmes. Et, quand je me réveillai, je pleurai de voir que cette même dame, brillante et sage, avec ses boucles d'argent et ses vifs yeux bruns, la mère de mon Lionel, avait veillé sur moi dans ma détresse; elle est morte il y a quelques mois. Ce ne fut pas pour moi un étonnement moindre, mais une bien plus grande paix, une bien plus grande joie, que l'arrivée, à cette heure, de mon enfant bien-aimé. Car, au milieu de cette léthargie, mon âme avait bien conservé l'impression de ton être, ô Lionel, et dans la veille ou le sommeil, sans aucun doute, quoique ma mémoire fût infidèle, ton image habitait toujours en moi; et ainsi, ô Lionel, notre doux enfant est un autre toi-même ! C'est assurément une chose bien étrange que je ne me sois pas aperçue d'un aussi grand changement que celui qui donna naissance à celui qui, aujourd'hui, est toute la consolation de mon malheur !

Lionel m'avait laissé par ses dernières volontés une grande fortune; les mensonges complaisants de la loi devaient nous en dépouiller totalement, mon enfant et moi. Mais je ne puis penser au mépris que j'ai dû supporter de la part des plus petits, quand, pour l'amour de mon enfant adoré, je me mêlai au rang des esclaves, pour revendiquer les lois mêmes qu'ils font. Je ne veux pas dire que le mépris est ma destinée, de peur de m'enorgueillir de partager le sort de ceux qui jouissent d'une immortelle gloire !

Elle se tut. — « Vois, dit Rosalinde, là-bas le rouge matin à travers le bois rayonne sur la rosée. » — Et sur ces paroles, elles se levèrent et glissèrent vers les bords du lac bleu, sous les feuilles, d'un pas égal et les mains entrelacées. De là elles atteignirent bientôt une habitation solitaire ; — là le rivage est ombragé de rocs escarpés; des cyprès percent de leurs cônes vert foncé le ciel silencieux, et de leurs ombres les clairs abîmes; une petite terrasse de ses berceaux de myrtes fleuris et de citronniers aux fleurs pâmées, sème ses parfums enivrants sur le marbre liquide du lac paisible, et les membres de la vieille forêt blanchissent sous les feuilles qui leur font un vêtement vert... Elles arrivèrent. C'est la demeure d'Hélène, demeure propre et blanche, comme une de celles que les tyrans épargnent dans quelque solitude semblable de notre pays; ses croisées brillantes étincelaient à travers leur feuillage de vigne dans le soleil du matin, et à l'intérieur on se serait à peine cru en Italie. Quand elle vit comment tout y était disposé à la façon d'un *home* anglais, un souvenir confus troubla la pauvre Rosalinde; son attitude était celle de quelqu'un dont l'esprit est où le corps ne peut être. Hélène la conduisit près du lit où dormait son enfant, et lui dit : « Regarde : ce front était celui de Lionel, ces lèvres étaient les siennes... ainsi pendant son sommeil gardait-il toujours un bras, servant à sa tête d'oreiller. Vous ne pouvez voir ses yeux; ce sont deux sources de limpide amour. Ne le réveillons pas encore ! » Mais Rosalinde ne put se retenir davantage, elle versa un torrent de larmes brûlantes qui tombèrent sur la face de l'enfant; et ses cils en s'ouvrant brillèrent de larmes différentes des siennes, comme si une terreur subite l'avait tiré en sursaut de son innocent sommeil.

C'est ainsi que Rosalinde et Hélène vécurent ensemble à partir de ce jour; tout en elles était changé; mais elles se retrouvaient encore amies, telles qu'elles étaient quand sur la bruyère de la montagne elles erraient dans leur jeunesse, sous le soleil et la pluie. Après plusieurs années (car les choses humaines changent comme l'Océan et le vent), la fille de Rosalinde lui fut rendue, et dans leur cercle quelques visites de la joie intervinrent au milieu de leur nouveau calme. C'était une charmante enfant, aux regards sereins; ses mouvements répandaient sur les choses les plus indifférentes la grâce et la gentillesse qui les animaient; l'enfant d'Hélène grandissait avec elle; ils se nourrissaient des mêmes fleurs de la pensée, si bien que leurs esprits devinrent comme deux sources qui confondent leurs eaux; et bientôt dans leur union leurs parents contemplèrent l'ombre de la paix qui leur avait été refusée.

Rosalinde (car, lorsque la tige vivante est gangrenée dans son cœur, l'arbre doit tomber) mourut avant son temps. Avec une douleur et un chagrin profonds les pâles survivants suivirent ses restes, au delà de la région des pluies dissolvantes, sur la froide montagne qu'elle avait coutume d'appeler sa tombe. Sur le précipice de Chiavenna, on éleva une pyramide de glace éternelle, dont les parois polies, avant le lever du jour, réfléchissaient le premier éclat du soleil encore caché, et le dernier, quand il avait disparu. A travers la nuit, les chars d'Arctos roulaient autour de sa pointe étincelante, qu'on apercevait du logis d'Hélène. Les tristes habitants chaque année s'y rendaient, gravissant d'un pas volontaire cette hauteur escarpée, et suspendaient de longues boucles de cheveux, et des guirlandes tressées de fleurs d'amaranthe, qui, en dépit du climat, remplissaient l'air glacé d'une lumière inaccoutumée. Ces fleurs, semblables à la fleur d'un ami laissée dans un souvenir d'hiver, paraient cette tombe glacée.

Quant à Hélène, dont l'esprit était d'une trempe plus tendre, et qui aussi avait moins souffert, la Mort fut plus lente à la conduire dans la paix de son froid royaume. Elle mourut, âgée, au milieu des siens. — Assurément, si l'amour ne meurt pas dans les morts comme dans les vivants, il n'y a pas un être de la race mortelle qui soit aussi heureux qu'aujourd'hui Hélène et Rosalinde...

VERS

ÉCRITS AU MILIEU DES MONTAGNES EUGANÉENNES

Octobre 1818.

Il doit y avoir plus d'une île verte sur la mer profonde et vaste de la Misère; ou bien le marinier, épuisé et blême, ne pourrait jamais y voyager — jour et nuit nuit et jour, poussé sur son lugubre chemin, au milieu de la noire et solide obscurité qui enveloppe le sillage de son vaisseau; tandis que, sur sa tête, le ciel sans soleil, chargé de nuages, pend lourdement, et que, derrière lui, la tempête rapide se précipite avec ses pieds d'éclair fendant voiles, cordages et planches, jusqu'à ce que le navire ait presque bu la mort que lui verse à pleins bords l'abîme toujours envahissant, et qu'il s'enfonce et s'enfonce toujours plus bas; — tel ce sommeil où il semble au rêveur qu'il est submergé dans l'éternité et que devant lui l'obscure et basse ligne d'un rivage sombre et lointain s'éloigne toujours, pendant que, toujours tourmenté du désir qui partage son cœur, sans pouvoir jamais atteindre ou fuir, il est entraîné sur la vague sans repos jusqu'au port de la tombe. Que fera-t-il s'il n'a pas d'amis pour le saluer? pas de cœur qui se rencontre avec le sien dans un impatient battement d'amour? Partout où le portent ses pas errants, peut-il rêver de trouver avant ce jour un refuge contre le malheur dans le sourire de l'amitié, dans les caresses de l'amour? Qu'il en soit ainsi ou non, c'est pour lui la moindre douleur. La poitrine est insensible et froide, quand l'amour n'est pas là pour l'envelopper de sa tendresse; les veines sont exsangues et glacées, quand la pulsation de la douleur les a remplies; le moindre nerf vivant qui sous une parole amère a tressailli autour des lèvres ou du front torturés est comme une petite feuille desséchée qui va geler sur un rameau de décembre.

Sur la grève d'une mer du Nord que les tempêtes secouent éternellement, le malheureux s'étendit un jour pour dormir; des débris solitaires, un crâne blanc et sept os desséchés gisent sur le bord des pierres, près de quelques joncs grisâtres qui se tiennent là debout, limite de la terre et de la mer. On n'y entend pas une voix de plainte, mais seulement les mouettes voguant sur les vagues de la brise, ou le tourbillon qui monte et descend en hurlant; — on dirait une ville égorgée. quand un roi la parcourt en triomphe, au milieu d'un cortège de fratricides. Autour de ces os sans sépulture se fait entendre plus d'un accent lugubre; aucune lamentation sur le mort; mais comme une obscure et épaisse vapeur, qui naguère revêtait de vie et de pensée ce qui aujourd'hui n'a plus ni mouvement ni voix.

Oui, bien des îles fleuries sont couchées sur les eaux de l'immense Agonie. C'est à une de ces îles que ce matin ma barque aborda, pilotée par de suaves brises. Au milieu des monts Euganéens, j'étais debout prêtant l'oreille au péan dont des légions de grolles saluaient le majestueux lever du soleil. Réunies en rond, sur leurs ailes toutes blanches, elles planent à travers la bruine de rosée, comme des ombres grises, jusqu'à ce que le ciel éclate à l'orient; et alors, comme des nuages du soir mouchetés de feu et d'azur dans le ciel impénétrable, de même leurs plumes grenées de pourpre, étoilées des gouttes de la pluie d'or, brillent au-dessus des bois ensoleillés, pendant qu'en multitudes muettes sur la brise capricieuse du matin elles voguent en fendant la brume et les vapeurs déchiquetées et étincelantes suivent l'escarpement sombre qui en bas ruisselle, jusqu'à ce que toute la montagne solitaire soit brillante et claire et silencieuse.

Au-dessous s'étend comme une mer verte la plaine sans vagues de la Lombardie, enchaînée par l'air vaporeux, et semée de belles cités semblables à des îles. Sous les yeux d'azur du Jour, Venise est couchée, nourrisson de l'Océan, un labyrinthe populeux de canaux, retraites prédestinées d'Amphitrite, que son père aux cheveux blancs pave de ses vagues bleues et rayonnantes. Regardez! le soleil se lève par derrière, large, rouge, étincelant, à moitié penché sur la ligne tremblotante des eaux de cristal; et devant ce gouffre de lumière, comme dans une brillante fournaise, colonnes, tours, dômes et aiguilles flamboient comme des obélisques de feu, s'élançant avec de capricieux mouvements de l'autel du noir Océan aux cieux teints de saphir; ainsi les flammes du sacrifice s'élevaient des sanctuaires de marbres comme pour percer le dôme d'or où Apollon a si longtemps fait entendre sa voix.

Cité ceinte de soleil! Tu fus l'enfant de l'Océan, et puis sa reine. Aujourd'hui est venu un jour plus sombre; et tu dois être bientôt sa proie, si le pouvoir qui t'a élevée consacre ainsi ta liquide tombe! Tu seras alors au milieu des vagues une ruine moins lugubre que celle où tu gis aujourd'hui, — avec ton front stigmatisé par la conquête, descendue de ton trône pour être l'esclave des esclaves, — quand la mouette volera, comme elle a déjà volé jadis, sur tes îles sans habitants, et que tout sera rendu à son premier état; sinon que l'on verra semblable à un rocher de l'Océan, maint portique de palais recouvert de vertes fleurs de mer pencher sur la mer abandonnée, au gré du terrible caprice des marées. Le pêcheur errant à la tombée du jour sur son liquide sentier déploiera sa voile et ne quittera pas la rame jusqu'à ce qu'il ait passé le sombre rivage, de peur que les morts, se levant de leur sommeil sur l'abîme éclairé des étoiles, ne mènent sur les eaux de son chemin une mascarade échevelée de mort.

Ceux qui ne voient que tes tours tremblotant à travers l'or aérien, comme je les vois maintenant, ne pourraient pas s'imaginer qu'elles sont des sépulcres où des formes humaines, comme des vers nourris de pourriture, s'attachent au cadavre de ta Grandeur, assassinée et maintenant tombant en poussière. Mais, si la liberté se réveillait dans son omnipotence, et faisait tomber de la main de l'Anarchie Celtique toutes les clefs des froides prisons où cent cités gisent comme toi ignominieusement enchaînées, toi et toutes tes sœurs, vous pourriez rendre sa beauté à cette terre ensoleillée, en entrelaçant aux souvenirs des anciens temps de nouvelles vertus plus sublimes. Sinon, puissiez-vous périr toi et elles, nuages qui obscurcissent le jour naissant de la vérité consumés par son soleil! La Terre peut vous épargner; de votre poussière, dans le désert des années et des heures, de nouvelles nations écloront comme des fleurs, une floraison plus bienfaisante.

Péris ! Qu'il n'y ait plus ici, flottant sur ta mer sans rivages pendant que ton ciel immortel revêt toujours le monde, que ce seul souvenir, plus sublime que le baillon mortuaire du temps qui cache à peine ton visage blême : qu'un jour, fendant la tempête, un cygne chanteur d'Albion (1), entraîné loin des courants de ses ancêtres par la puissance de mauvais rêves, a trouvé en toi un nid ; et que l'Océan l'a accueilli avec tant d'émotion que sa joie est devenue la sienne, et a fait sortir de ses lèvres une musique plus puissante que l'éclat du tonnerre, une terreur qui châtie. Qu'importe que l'inépuisable fleuve de poésie qui pour toujours arrose les champs d'Albion, fouettant de ses vagues mélodieuses le tombeau de plus d'un poète sacré, pleure son dernier nourrisson envolé ? Qu'importe qu'avec tous tes morts tu puisses à peine opposer à cette gloire quelque chose de ta propre renommée, ou plutôt qu'importe que tes fautes et ton honteux esclavage obscurcissent une âme semblable au soleil ? De même que l'ombre d'Homère erre toujours autour des sources dévastatrices du Scamandre, que la puissance du très divin Shakespeare remplit Avon et le monde de sa lumière, semblable au Pouvoir doué de toute science dont il a été l'image en ce monde mortel ; de même que de l'urne de Pétrarque l'amour rayonne au sein de ces montagnes, lampe inextinguible qui fait voir au cœur des choses qui ne sont pas de cette terre : — ainsi en est-il de toi, puissant Esprit ! Ainsi en sera-t-il de la cité qui t'a donné refuge !

Vois, le soleil flotte sur le ciel, comme la Liberté aux ailes de pensée, jusqu'à ce que la lumière universelle

(1) Lord Byron.

semble niveler la plaine et la hauteur. De la mer un brouillard s'est élevé et les rayons du matin maintenant s'étendent sur les tours de Venise, morts comme depuis longtemps sa propre gloire. A travers les déchirures de ce nuage gris se dresse la fière Padoue aux nombreuses coupoles, une populeuse solitude au milieu de la plaine étincelante de moissons ; là le paysan entasse son grain dans le grenier de son ennemi, et les bœufs lents blancs comme du lait traînent avec effort la vendange pourpre chargée sur les chariots qui crient, pour que le Celte brutal puisse boire à longs traits le sommeil de l'ivresse et s'endormir dans ses sauvages desseins. Et la faucille repose sans faire place à l'épée, quoique de nombreux maîtres, comme une herbe dont l'ombre empoisonne, pullulent dans cette contrée, et que leurs gerbes soient mûres pour le grenier de la destruction. Les hommes doivent récolter ce qu'ils sèment ; la force doit toujours découler de la force, ou pire encore ; mais c'est un amer malheur que l'amour et la raison ne puissent triompher de la rage du despote, et de la vengeance de l'esclave.

Padoue ! — Dans tes murs, deux hôtes muets conviés à tes fêtes, la fille et le père, la Mort et le Péché (1), jouaient Ezzélin aux dés, quand la Mort cria : « Je gagne ! je gagne ! » et le Péché maudit la perte de l'enjeu ; mais la Mort lui promit, pour l'apaiser, qu'elle pétitionnerait pour qu'il fût créé vice-empereur sous la puissante Autriche, quand viendraient les années qui devaient lui soumettre tout ce qui se trouve entre le Pô et les neiges des Alpes orientales. Le Péché sourit, comme le Péché

(1) Shelley fait du Péché la mère de la Mort, et de la Mort le fils du Péché, comme le lui permettait la langue anglaise.

seul peut sourire; et, depuis ce temps, il y a déjà de longues années, tous deux ont gouverné de rivage en rivage, couple incestueux que suivent les tyrans, comme les hirondelles le soleil, comme la repentance suit le crime, comme les révolutions suivent le temps. — Padoue ! Dans tes salles la lampe du savoir ne brûle plus aujourd'hui. Comme un météore qui a perdu son sauvage chemin sur la tombe du jour, trahie, elle ne luit plus que pour trahir. Jadis les plus lointaines nations venaient adorer cette flamme sacrée, alors que ne brillaient pas de nombreux foyers de lumière sur cette froide et ténébreuse terre ; maintenant de nouveaux feux allumés à l'antique lumière jaillissent sous la puissance du monde immense : mais leur étincelle reste morte en toi, foulée aux pieds par la Tyrannie. De même que le bûcheron norvégien, au fond des vallées couvertes de pins, étouffe une légère flamme au milieu des fougères, pendant que la forêt sans bornes s'ébranle, et que ses troncs puissants se tordent sous le feu sorti d'une si humble cause; — l'étincelle est morte sous ses pieds; il tressaille de voir les flammes qu'elle a nourries hurlant à travers le ciel obscurci avec mille langues victorieuses, et il tombe de frayeur. — Ainsi toi, ô tyrannie ! tu vois aujourd'hui la lumière autour de toi; tu entends le bruit retentissant des flammes qui montent, et tu as peur. Traîne-toi sur la terre ! oui, cache dans la poussière ton orgueil et ta pourpre !

Midi descend maintenant autour de moi; c'est le midi de l'ardeur de l'automne, quand une brume molle et empourprée, semblable à une vaporeuse améthyste, ou à une étoile dissoute dans l'air entremêlant lumière et parfums, remplit l'espace débordant depuis la ligne de l'horizon recourbé jusqu'au point le plus profond du ciel. Au-dessous les plaines silencieuses s'étendent; les feuilles qui ne sont pas brûlées, là où la gelée blanche a posé ses pieds d'enfant ailés de matin, dont la brillante empreinte reluit encore; les vignes rouges et dorées, perçant de leurs lignes treillissées le rude désert bordé d'ombre; l'herbe humide et lamée, qui pointe de cette blanche tour dans l'air sans brise; la fleur qui étincelle à mes pieds; la ligne de l'Apennin aux sandales d'olivier, se perdant dans le sud en innombrables îles; les Alpes, dont les neiges s'étendent bien haut entre les nuages et le soleil; et chacune des choses vivantes; et mon esprit si longtemps enténébré par ce rapide courant du chant, — tout cela maintenant s'étend, profondément pénétré par la gloire du ciel; que ce soit amour, lumière, harmonie, parfum, ou l'âme de tout ce qui tombe du ciel comme une rosée, ou l'esprit qui nourrit ces vers en peuplant le monde solitaire.

Midi descend, et après midi le soir d'automne me rencontre bientôt, conduisant la lune enfantine, et cette seule étoile qui semble lui prêter la moitié de la lumière cramoisie qu'elle puise aux sources rayonnantes du soleil couchant. Et les tendres rêves du matin (qui, semblables, à des vents ailés, ont porté à cette île silencieuse couchée au milieu des agonies du souvenir la frêle barque de cet être solitaire) passent, volant vers d'autres douleurs; et son ancien pilote, la Peine, s'assied de nouveau au gouvernail.

Il doit y avoir d'autres îles fleuries sur la mer de la Vie et de l'Agonie; d'autres esprits flottent et volent sur cet abîme. En ce moment même peut-être, sur quelque roc battu par la vague sauvage, sont-ils assis, les ailes repliées, attendant ma barque, pour la piloter vers une crique paisible et fleurie, où pour moi et ceux que j'aime pourrait s'élever un calme berceau, loin de la passion, de la peine et du crime, dans une vallée au milieu de montagnes gazonnées, que remplissent le murmure sauvage de la mer, et la douce clarté du soleil, et le bruit des antiques forêts remplies d'échos, et la lumière et le divin parfum de toutes les fleurs qui respirent et étincellent. Nous pouvons y vivre si heureux que les esprits de l'air, nous portant envie, veuillent attirer à notre ravissant paradis l'impure multitude. Mais sa rage serait vaincue par ce climat divin et calme, ces vents dont les ailes font pleuvoir le baume sur l'âme élevée, ces feuillages sous lesquels respire la brillante mer; pendant que les intervalles haletants de leurs murmures musicaux, l'âme inspirée les remplit de ses profondes mélodies, avec l'amour qui guérit toute angoisse, et, comme le souffle de la vie, dans ce doux séjour enveloppe toutes choses de sa suave fraternité. C'est eux et non l'amour, qui changeraient; et bientôt sous la lune chaque esprit se repentirait de sa vaine envie, et la terre retrouverait une nouvelle jeunesse.

JULIEN ET MADDALO

CONVERSATION

« Les prairies ne se rassasient pas de frais courants, ni les abeilles de thym, ni les chèvres des feuilles vertes du Printemps bourgeonnant, ni l'Amour de larmes. »

(VIRGILE, *Gallus*.)

Le comte Maddalo (1) est un noble Vénitien d'ancienne famille et de grande fortune, qui, sans se mêler beaucoup à la société de ses concitoyens, réside principalement dans le magnifique palais qu'il a dans cette cité. C'est un homme du génie le plus achevé, et capable, s'il le voulait, d'employer ses forces à devenir le sauveur de son pays dégradé. Mais son faible est la fierté; la comparaison de son génie extraordinaire avec les esprits mesquins qui l'entourent lui donne une conception intense du néant de la vie humaine. Ses passions et ses facultés sont sans comparaison plus grandes que celles des autres hommes, et au lieu que les dernières aient été employées à réprimer les premières, elles se sont prêté les unes aux autres une mutuelle force. Son ambition se dévore elle-même, faute d'objets qu'elle puisse considérer comme dignes de l'exercer. Je dis que Maddalo est fier, parce que je ne peux trouver d'autre mot pour exprimer les sentiments concentrés et impatients qui le consument; mais ce n'est que ses propres affections et ses propres espérances qu'il semble fouler aux pieds; car dans la vie sociale aucun être humain n'est plus aimable, plus patient, plus exempt de prétentions que Maddalo. Il est gai, franc et

(1) Le lecteur reconnaîtra facilement, sous ces noms de *Maddalo* et de *Julien*, Byron et Shelley. — Voir, au sujet de ce poème, notre *Histoire de la vie et des œuvres de Shelley*.

plein d'esprit. Sa plus sérieuse conversation est une sorte d'enivrement ; ceux qui l'entendent subissent un véritable enchantement. Il a beaucoup voyagé, et il sait mettre dans le récit de ses aventures un charme inexprimable.

Julien est un Anglais de bonne famille, passionnément attaché à ces idées philosophiques qui affirment le pouvoir de l'homme sur son propre esprit, et les immenses améliorations que l'extinction de certaines superstitutions morales pourrait réaliser dans la société humaine. Sans se dissimuler le mal qui existe dans le monde, il ne cesse de spéculer sur les moyens de faire triompher le bien. C'est un parfait infidèle, un railleur déterminé de tout ce qui est réputé saint ; et Maddalo prend un malicieux plaisir à provoquer ses railleries contre la religion. On ne sait pas au juste ce que Maddalo pense sur ces matières. Julien, en dépit de ses opinions hétérodoxes, a, aux yeux de ses amis, quelques bonnes qualités. Le pieux lecteur déterminera jusqu'à quel point cela est possible. Julien est plutôt sérieux.

Quant au fou dont il est question dans le poème, je n'ai aucune information à donner sur son compte. Son propre récit laisserait supposer qu'il a éprouvé quelque désenchantement en amour. C'était évidemment un homme cultivé et aimable, quand il était dans son bon sens. Son histoire, dans son ensemble, pourrait bien ressembler à d'autres histoires du même genre ; les exclamations décousues de son agonie pourront sembler un commentaire suffisant pour le texte de chaque cœur.

1819.

JULIEN ET MADDALO

Je me promenais à cheval un soir avec le comte Maddalo sur cette levée qui brise le courant de l'Adriatique, du côté de Venise. C'est un chemin nu, formé de monticules de sables toujours mouvants, parsemé de chardons et d'herbes amphibies, telles qu'en engendre le suintement salé de l'embrassement de la terre ; un rivage inhabité, que le pêcheur solitaire, quand il a séché ses filets, abandonne. Aucun autre objet ne rompt la monotonie du désert, qu'un arbre nain, et quelques rares piquets brisés qu'on ne répare jamais ; et la marée y forme un étroit espace de sable uni, où nous avions l'habitude d'aller à cheval à la tombée du jour. Cette promenade à cheval faisait mes délices. J'aime les lieux incultes et solitaires ; là nous goûtons le plaisir de croire que ce que nous voyons est sans limites, comme nous désirons que soient nos âmes ; et tel était cet immense océan et ce rivage plus stérile que ses vagues. Et par-dessus tout, avec un ami cher au souvenir, j'aime à aller à cheval comme nous fîmes alors ; car les vents chassaient le vivant embrun à travers l'air ensoleillé jusque sur notre face ; les cieux bleus étaient nus, dépouillés jusque dans leurs profondeurs par le nord qui s'éveillait ; et des vagues, comme un charme, un son jaillissait, s'harmonisant avec la solitude, et envoyait dans nos cœurs une aérienne allégresse.

Tout en chevauchant nous causions, et la pensée rapide, volant elle-même en riant, ne se posait pas, mais courait de cervelle à cervelle. Telle était notre joie, chargée des légers souvenirs des heures rappelées, aucun ne nous laissant le temps d'être tristes, jusqu'au moment du retour au foyer, qui toujours calme l'esprit subjugué.

La journée avait été gaie, mais froide; et maintenant le soleil tombait et le vent aussi. Notre conversation devint quelque peu sérieuse, comme peut l'être une conversation interrompue par une raillerie qui se moque d'elle-même, parce qu'elle ne peut mépriser les pensées qu'elle voudrait éteindre; elle était désespérée, cependant plaisante : telle qu'autrefois, comme le disent les poètes, les démons en tenaient dans les vallées de l'enfer, sur Dieu, le libre arbitre, et la destinée. Nous discourions de tout ce que la terre a été, ou peut être encore, de tout ce que les hommes vains imaginent ou croient, de tout ce que peut peindre l'espérance, ou la patience accomplir; et moi (car n'est-il pas toujours sage de tirer le meilleur du mal?) j'arguais contre le découragement; mais l'orgueil faisait prendre à mon compagnon le plus sombre côté des choses. Le sentiment qu'il avait d'être plus grand que son espèce avait, ce me semble, aveuglé son esprit d'aigle, par la contemplation de l'excès de sa propre lumière.

Cependant le soleil s'arrêtait avant de descendre sur l'horizon des montagnes. Oh! qu'il est beau le coucher du soleil, quand l'incandescence du ciel descend sur une terre comme la tienne, ô toi, le paradis des exilés,

Italie !... sur tes montagnes, tes mers, tes vignobles et les tours des cités qu'ils environnent ! Nous n'avions qu'à rester immobiles devant toi, contemplant ce spectacle, quand, juste à l'endroit où nous descendions de cheval, les hommes du comte nous attendaient avec la gondole. Comme ceux qui s'arrêtent sur quelque délicieux chemin, quoique entraînés par la perspective d'un attrayant pèlerinage, nous restâmes là debout, regardant le soir et le courant qui s'étend entre la cité et le rivage, pavé de l'image du ciel. Les Alpes blanches et aériennes, vers le nord, apparaissaient à travers la brume, — un rempart soutenant le ciel élevé entre l'est et l'ouest ; et la moitié du ciel était voûtée de nuages richement armoriés, pourpre sombre au zénith, qui, en descendant vers les escarpements de l'ouest, se fondait insensiblement en une merveilleuse teinte plus éclatante que l'or enflammé, jusqu'à la déchirure où le rapide soleil s'arrêtait encore dans sa descente au milieu des montagnes aux mille replis. C'étaient ces fameux sommets Euganéens, qui, vus du Lido à travers les piles du port, ressemblent à un bouquet d'îles pointues. Et alors, comme si la terre et la mer s'étaient dissoutes en un lac de feu, on vit, de ces vagues de flamme, ces montagnes sortir comme des tours, autour du soleil vaporeux, dont la plus profonde émanation de lumière pourpre vint les frapper et rendre leurs pics mêmes transparents.

« Avant que le soleil disparaisse », me dit mon compagnon, « je veux vous montrer bientôt un site encore plus merveilleux. »

Nous glissâmes sur la lagune ; et me penchant hors de la barque funèbre, je vis la cité, et pus remarquer comment de leurs nombreuses îles, dans la lueur du soir, ses temples et ses palais semblaient autant d'édifices enchantés entassés vers le ciel. J'allais parler, quand Maddalo me dit :

« Nous voici arrivés au point que j'avais en vue », — et il ordonna aux gondoliers de cesser de ramer. « Regardez, Julien, vers l'ouest, et écoutez bien si vous n'entendez pas une cloche lourde et profonde. »

Je regardai, et je vis entre le soleil et nous une construction sur une île, telle que celles que peuvent accumuler âges sur âges pour de vils usages; une masse sans fenêtres, informe et lugubre; et au sommet une tour à jour, où pendait une cloche qui, dans l'irradiation, se balançait et vibrait; nous pouvions justement entendre sa rauque langue de fer. Le large soleil s'enfonça derrière elle, et elle tinta en se découpant dans un violent et noir relief.

« Ce que vous voyez, c'est la maison des fous et son beffroi », dit Maddalo; « et c'est l'heure où ceux qui peuvent traverser l'eau entendent cette cloche, qui appelle les fous de leurs cellules à la prière du soir. »

« Ils ont autant de motifs que de besoin d'adresser à leur rigoureux Créateur des prières de remerciement ou d'espérance pour le sombre lot de leur destinée », répliquai-je.

« Oh ! oh ! Vous parlez comme aux années passées », dit Maddalo. « Chose étrange ! les hommes ne changent pas. Vous avez toujours été, au milieu du troupeau du Christ, un dangereux infidèle, un loup pour les doux agneaux. Si vous ne savez pas nager, défiez-vous de la Providence ! » Je le regardai ; mais le gai sourire s'était évanoui dans ses yeux. « Et telle est, s'écria-t-il, notre mortelle humanité ! Voilà l'emblème et le signe de ce qui devrait être éternel et divin ; et comme cette cloche noire et lugubre, l'âme, pendue dans une tour illuminée du ciel, doit tinter en appelant nos pensées et nos désirs à se rencontrer au fond du cœur déchiré et à prier.... comme font les fous, pourquoi ? Ils ne le savent pas, jusqu'à ce que la nuit de la mort, comme le coucher du soleil, cette étrange vision, sépare notre mémoire d'elle-même, et nous-mêmes de tout ce que nous avons cherché, pour ne trouver que la déception ! »

Ce fut bien le sens de ce qu'il dit, quoique j'affaiblisse la force de ses expressions. Cependant, l'astre élargi du jour s'était enfoncé derrière la montagne, et la cloche noire devint invisible ; la tour rouge parut grise, et tout alentour, églises, bateaux et palais semblèrent se confondre dans le crépuscule ; au sein de la mer pourpre les nuances orangées du ciel tombèrent silencieusement. Nous parlâmes à peine, et bientôt en chemin la gondole me déposa à mon logis.

Le matin suivant fut pluvieux, froid et sombre. Avant que Maddalo fût levé, j'allai chez lui, et, tout en l'attendant, je jouai avec son enfant. La douce nature n'a jamais fait de plus aimable jouet ; un être sérieux, subtil, capricieux et cependant charmant, gracieux sans dessein et imprévoyant ; avec des yeux... Oh ! ne parlons pas de ses yeux ! qui semblent des miroirs jumeaux du ciel de l'Italie, et cependant étincellent de cette expression profonde que nous ne voyons que dans la physionomie humaine. Avec moi elle était comme une favorite privilégiée ; j'avais dorloté ses fins et faibles membres, quand pour la première fois elle vint dans ce glacial monde ; elle sembla reconnaître à la seconde vue son ancien compagnon de jeux, moins changé qu'elle ne l'était par six mois de séparation. Car, après que sa première sauvagerie se fût dissipée, nous nous assîmes, faisant rouler des boules de billard, quand le comte entra.

Les salutations faites : « Les paroles que vous m'avez dites hier soir ont laissé dans mon esprit une sombre impression. Si l'homme était la chose passive que vous dites, je ne verrais pas grand mal dans la religion et les vieux dictons (quoique je ne puisse jamais reconnaître de pareilles lois de plomb) qui ploient sous le joug une nature ignorante ; j'ai une autre foi. » Ainsi je parlai, et comme il ne répliquait rien, j'ajoutai : « Voyez cette charmante enfant, gaie, innocente et libre ; elle passe d'heureux instants avec peu de souci ; tandis que nous, nous sommes sujets à des pensées aussi maladives que celles qui nous sont venues hier soir. C'est notre volonté qui nous enchaîne ainsi au mal consenti. Nous pourrions être tout autrement ; nous pourrions être tout ce que nous rêvons d'être, heureux, élevés, vraiment grands. Où est la beauté, l'amour, la vérité que nous cherchons, sinon dans nos propres esprits ? Et, si nous n'étions pas faibles, serions-nous moindres en actions qu'en désirs ? »

« Oui, si nous n'étions pas faibles, et si nous n'aspirions pas, combien vainement ! à être forts, » dit Maddalo ; « vous parlez Utopie. »

« Il reste à savoir, repris-je alors, et l'on peut le trouver en l'essayant, jusqu'à quel point sont fortes les chaînes qui lient nos esprits ; peut-être sont-elles cassantes comme du verre. Nous sommes assurés que, parmi les choses qui nous dégradent et nous écrasent, beaucoup peuvent être vaincues et beaucoup endurées. Nous savons que nous avons sur nous-mêmes un certain pouvoir pour faire ou supporter... quoi? Nous l'ignorons, jusqu'à ce que nous l'ayons essayé; mais à coup sûr quelque chose de plus noble que de vivre et de mourir. Ainsi l'ont enseigné les princes de l'antique philosophie, qui régnèrent avant que la religion eût aveuglé les hommes; et ceux qui souffrent avec leurs frères souffrants sentent bien que leur foi est une Religion. »

« Mon cher ami, dit Maddalo, mon jugement ne peut se plier à votre opinion, quoique je pense que vous puissiez appuyer sur ce système une réfutation serrée, et la pousser aussi loin que peuvent aller les paroles. J'ai connu quelqu'un comme vous, qui vint il y a quelques mois dans cette ville, avec qui j'ai eu cette même discussion, — et maintenant il est devenu fou, — et il me répondait comme vous, le pauvre garçon! — Mais, si vous le désirez, nous irons le visiter, et son étrange conversation vous montrera combien sont vaines ces ambitieuses théories. »

« J'espère pouvoir prouver autrement mon induction, en constatant que c'est précisément le défaut de cette vraie théorie, cherchant toujours une âme de bonté dans les choses mauvaises ou en soi-même ou dans les autres, qui a ainsi déformé son être. Il y a des gens fiers de nature, qui, patients pour tout le reste, ne demandent qu'à aimer et à être aimés avec douceur; s'ils sont méprisés, qu'y a-t-il d'étonnant s'ils meurent de quelque mort vivante? Ce n'est pas l'effet de la destinée, mais un mal dépendant de la propre volonté de l'homme. »

Et comme je parlais ainsi, les serviteurs annoncèrent la gondole, et à travers la pluie battante et la mer profondément secouée, nous voguâmes vers l'île où se trouve la maison des fous. Nous descendîmes. Des battements de mains torturées, de féroces hurlements, des gémissements et des lamentations déchirantes, des éclats de rire qui eussent été une plainte s'ils avaient été plus gais, des pleurs, des cris, des imprécations, et des prières pleines de blasphèmes nous accueillirent. Nous gravîmes des escaliers fangeux dans une vieille cour. J'entendis en haut des fragments de la plus touchante mélodie; mais en levant les yeux, je ne vis pas le chanteur. A travers les noirs barreaux, dans l'air orageux, j'aperçus, semblables à des herbes poussant sur un palais en ruines, capricieusement emportées au dehors et flottantes, les longues boucles entremêlées de la chevelure des fous, qui soudainement charmés gardaient un étrange silence, regardaient au dehors et souriaient en entendant de doux sons. Et alors :

« Il me semble, dis-je, qu'on pourrait les guérir à force de patience et de bons soins. si la musique peut ainsi les émouvoir. Mais quel est celui que nous cherchons ?

« De sa triste histoire, je ne sais que ceci », dit Maddalo. « Il arriva à Venise déjà dans l'abattement; et le bruit public disait qu'il était riche, ou qu'il l'avait été. Quelques-uns pensaient que la perte de sa fortune lui avait causé un violent chagrin. Il tenait toujours des discours semblables à ceux que vous tenez, mais bien plus tristes; il semblait blessé, en homme qui souffre de son propre mal, de n'entendre parler que de l'oppression du fort ou de ces absurdes fourberies (je pense avec vous sous certains rapports, vous le savez) qui font triompher les éminents imposteurs de ce monde, en bravant l'impunité. Il avait du mérite, le pauvre garçon, mais c'était un humoriste à sa façon. »

« Hélas ! qu'est-ce qui l'a rendu fou ? »

« Je ne saurais le dire ; une dame vint avec lui de France ; et quand elle le laissa et s'en retourna, il erra alors à travers les îles solitaires du sable désert jusqu'à ce qu'il devint sauvage. Il n'avait ni feu ni lieu. La police l'avait amené ici ; une fantaisie le prit, et il ne voulut pas qu'on le transportât ailleurs. Alors je louai pour lui ces chambres du côté de la mer, pour satisfaire son caprice ; je lui envoyai des bustes, des livres, des urnes à fleurs, tout ce qui avait embelli sa vie en des heures heureuses, et des instruments de musique. Je fis pour lui, vous le devinez, tout ce qu'un étranger pouvait faire pour un homme si intéressant et si malheureux ; c'est lui qui fait entendre ces doux accords qui charment le poids des chaînes de ces fous, et changent cet enfer en un ciel de silence sacré, qui se tait pour écouter. »

« C'était en effet pure bonté de votre part — il n'y avait aucun droit, comme dit le monde. »

« Aucun, si ce n'est celui que je pourrais revendiquer de toute l'espèce humaine, si j'étais, comme lui, tombé dans une profonde infortune. — Sa mélodie est maintenant interrompue, et nous entendons recommencer le vacarme des fous et leur concert de cris. Allons maintenant le voir ; quand il a fini ses accords, il rentre toujours en conversation avec lui-même ; il ne voit et n'entend plus rien. »

Cet entretien terminé, nous appelâmes le gardien, qui nous conduisit à un appartement donnant sur la mer. Là le pauvre malheureux était lugubrement assis près d'un piano, ses pâles doigts entrelacés l'un dans l'autre. Le suintement et le vent s'engouffraient à travers un châssis ouvert, soulevaient sa chevelure, et l'étoilaient d'un embrun saumâtre. Sa tête était penchée sur un livre de musique; il marmottait quelque chose et ses membres maigres tremblaient. Ses lèvres, d'une nuance trop belle pour indiquer la santé, étaient pressées contre une feuille pliée, et quand elles la quittaient, le chagrin souriait dans leurs mouvements. Comme quelqu'un qui a soulevé du fond de son propre cœur brûlant l'éloquence de la passion, bientôt il leva sa douce et triste face, et ses yeux brillants et vitreux, il se mit à parler — tantôt semblable à un homme qui a écrit, et s'est imaginé que ses paroles, envoyées à des terres lointaines, pourraient émouvoir un cœur qui n'y pensait pas; tantôt, comme s'il s'adressait à quelqu'un, pour lui reprocher des actions à jamais irréparables, avec une étonnante pitié de lui-même. Alors son discours se perdait dans le chagrin, et les mots arrivaient séparément, sans modulation, froids, sans expression; seulement à un accent discordant vous pouviez deviner que c'était le désespoir qui les rendait si uniformes. Et tout le temps que l'ouragan furieux et retentissant siffla à travers la fenêtre, nous restâmes debout derrière lui, dérobant ses accents au vent jaloux sans être vus. Je me souviens cependant des paroles qu'il prononça distinctement, tant elles firent d'impression sur moi.

« Mois après mois, criait-il, porter ce fardeau! Et comme une haridelle harcelée par le fouet et l'aiguillon, traîner la vie, qui, comme une pesante chaîne, s'allonge par derrière de mille chaînons de douleurs! Et ne pas parler de mon chagrin! Oh! ne pas oser donner une voix humaine à mon désespoir! Mais vivre, me mouvoir, et, chose misérable! sourire, comme si jamais je ne m'étais mis à l'écart pour gémir!... et porter ce masque de fausseté même pour ceux qui me sont le plus chers, sans y trouver mon propre repos! — Hélas! aucun mépris, aucune peine, aucune haine ne pourrait être aussi pesante que ce mensonge l'est pour moi; — mais ce que je puis moins supporter encore, ce sont des visages trop altérés, des embrassements trop artificiels et trop froids, trop de misère, de désappointement et de méfiance, pour que je puisse m'en reconnaître le père... Oh! pourquoi la poussière maintenant ne recouvre-t-elle pas mon corps! Pourquoi la vie n'a-t-elle pas cessé de travailler dans mon cerveau! Car alors ces pensées se seraient enfin enfuies; il n'est pas à craindre qu'une telle angoisse puisse tourmenter les morts.

« Quel Pouvoir se complaît à nous torturer? Je sais que je ne dois pas entièrement à moi-même ce que je souffre maintenant, quoique je puisse me l'attribuer en partie. Hélas! personne n'a semé de douces fleurs sur le chemin, où, errant étourdiment, j'ai rencontré la pâle Peine, mon ombre, qui ne me lâchera plus. — Si j'ai erré, je n'ai pas trouvé la joie dans l'erreur, mais la peine, l'insulte, l'inquiétude et la terreur. Je n'ai pas, comme quelques-uns, acheté la pénitence avec le plaisir et une offense noire et cependant douce; car alors, si l'amour, la tendresse et la vérité avaient survécu à la jeunesse momentanée de l'espérance, ma croyance m'aurait racheté du repentir. Mais un détestable mépris et un outrage implacable rencontrèrent l'amour, excité par de bien autres semblants, jusqu'à ce que le dénouement s'accomplît... Comme d'un rêve de très douce paix, je me suis réveillé, et j'ai vu mon état tel qu'il est!...

« O toi, compagne de mon âme! toi qui, compatissante et sage comme tu l'es, aurais pitié de moi de tes très doux yeux, si tu pouvais lire ces tristes lignes; mes secrets gémissements ne doivent jamais être entendus de toi; tu pleurerais des larmes amères comme du sang, si tu connaissais le malheur incommunicable de l'ami que tu as perdu.

« Vous, rares amis, dont l'amitié a paré ma vie, je ne veux point dégrader ce nom, en imposant à vos cœurs le secret fardeau qui écrase le mien et le réduit en poussière. Il y a un chemin qui mène à la paix, et ce chemin est la *vérité* que vous suivez! l'amour quelquefois en égarant mène à la misère. — N'allez pas penser cependant que tout subjugué que je suis (et je puis bien dire que je suis subjugué) le plein enfer puisse infecter en moi de son inquiétude le sein sans tache de la sainte Nature; comme des êtres pervertis songent à trouver dans le mépris ou la haine un remède pour l'esprit que le mépris ou la haine a blessé. Vain espoir! Le poignard ne cicatrise pas; mais il peut déchirer de nouveau. Soyez bien persuadés que je suis toujours le même en croyance comme en fermeté, et ce qui peut dompter mon cœur doit laisser l'entendement libre, ou tout disparaîtrait à la fois dans cette cuisante agonie. — N'allez pas rêver que je veux joindre ma voix à celle du vulgaire, ou de mon silence sanctionner la tyrannie; ou chercher contre ma douleur un refuge d'un moment dans quelque folie que le monde appelle gain, dans l'ambition, la revanche, ou des pensées aussi cruelles que celles qui m'ont fait ce que je suis; ou me tourner du côté de l'avarice, de la misanthropie ou de la débauche... Entasse bientôt sur moi, ô tombe, ta poussière bienvenue! En attendant, le cachot peut demander sa proie; la Pauvreté et la Honte peuvent se rencontrer et dire, en s'arrêtant près de moi sur la voie publique : ce jeune homme dévoué à l'amour nous appartient ; asseyons-nous près de lui ; il peut vivre encore six mois. Ou bien le rouge échafaud, tel que l'élève notre pays, peut demander une victime volontaire ; ou bien, vous, mes amis, vous pouvez tomber sous le coup de quelque chagrin, que ce cœur ou cette main peut partager, ou vaincre, ou détourner. Je suis prêt, et en vérité sans orgueilleuse joie, à faire ou à souffrir quelque chose ; comme au temps où, enfant, je dévouais à la justice et à l'amour ma nature, maintenant flétrie.

« Je dois tirer un voile de devant mon esprit offusqué. Le voilà tiré ! O toi qui es pâle comme la fiancée prédestinée de la Mort, toi, moquerie, assise à mon côté, ne suis-je pas livide comme toi ? A l'appel du tombeau je me hâte, invité à ton bal nuptial, pour saluer l'amant spectral pour lequel tu m'as abandonné, et fait de la tombe ton lit nuptial. Mais moi, près de vos pieds je m'étendrai, et vous veillerai de mon suaire... tout à fait éveillé bien que mort !... Reste encore, oh reste ! Ne t'en vas pas si tôt !... Je ne sais ce que je dis... Ecoute seulement mes raisons !... Je suis fou, j'en ai peur, mon imagination est excédée !... Tu n'es pas ici ! Tu es pâle, c'est très vrai... Mais tu es partie... Ton œuvre est terminée ; me voilà seul, abandonné !...

« N'était-ce pas moi qui te réchauffais sur ce sein, que, semblable à un serpent, tu as empoisonné en paiement de la chaleur qu'il te prêtait ? Ne m'as-tu pas cherché pour ta propre satisfaction ? Ton amour n'a-t-il pas éveillé le mien ? Je pensais que tu étais véritablement celle qui disait : Vous ne me donnez pas toujours des baisers ; j'ai peur que maintenant vous ne m'aimiez plus... En vérité, j'aimais jusqu'à ma propre destruction celle qui voudrait bien oublier ces paroles... Mais elles s'attachent à mon esprit et ne peuvent s'en aller...

« Vous dites que je suis orgueilleux; que, quand je parle, ma lèvre est torturée des maux qui brisent l'esprit qu'elle interprète... Personne jamais ne s'est publiquement humilié comme je l'ai fait. Même le ver sur lequel nous marchons instinctivement se retourne, quoiqu'il n'ait pas blessé... puis la tête prosternée il tombe dans la poussière, se tord comme moi, et meurt! Non, il subit une mort vivante d'agonies! Pendant que les ombres lentes de l'herbe qui pointe marquent les périodes éternelles, ses tortures passent, lentes, toujours mobiles, faisant de chaque moment, comme me semblent les miens, une immortalité!...

« Vous dites que vous ne m'avez jamais vu! que vous n'avez jamais entendu ma voix! Et bien plus, que vous n'avez jamais enduré la profonde souillure de mon embrassement détesté :... que vos yeux n'ont jamais menti l'amour à ma face!... que, comme un moine maniaque, j'ai arraché les nerfs de l'humanité de leur racine saignante avec mes propres doigts tremblants, si bien que jamais nos cœurs ne se sont un instant confondus pour se désunir dans l'horreur!... Et ces malédictions ne furent pas pour toi comme ces pensées réprouvées et hideuses qui voltigent à travers nos rêveries, mais qui ne peuvent s'arrêter dans un pur et noble esprit; tu les a scellées de bien des paroles nues et grossières, et tu as cautérisé ma mémoire sur elles — car je les ai entendues, je ne puis les oublier, — ces malédictions ont été articulées l'une après l'autre! Mélange-les dans une coupe comme des poisons qui se détruisent eux-mêmes, et elles feront une bénédiction que tu n'as jamais prononcée sur moi.... la Mort!...

« C'eût été un cruel châtiment pour un homme très cruel, si un tel homme peut aimer, de faire de cet amour le combustible de l'enfer de l'esprit : haine, mépris, remords, désespoir ! Mais moi, dont une larme d'étranger pourrait user le cœur comme les gouttes d'eau la pierre de la fontaine sablonneuse ; moi, qui aimais et prenais en pitié toutes choses, qui pouvais gémir sur des malheurs que d'autres ne soupçonnent pas, qui pouvais voir l'absent avec le regard de l'imagination, m'asseoir et pleurer avec le pauvre et l'opprimé, suivant le prisonnier à son cachot profond ; moi, qui suis comme un nerf que font vibrer les oppressions de cette terre que les autres ne ressentent pas ; moi, qui étais pour toi la flamme sur ton foyer, quand autour de toi tout était froid ; c'est sur moi que tu devais faire pleuvoir ces tourments d'une agonie desséchante ! De telles malédictions devaient sortir de lèvres assez éloquentes naguère pour faire un éloge trop partial de l'amour ? Qu'il ne se laisse pas décourager, celui qui rêve pour l'avenir des actions trop terribles pour être nommées, s'il cherche un exemple qui les autorise ! Car tu me regardais ainsi et ainsi... tu me parlais ainsi et ainsi... Je vis pour montrer ce qu'un homme peut supporter, sans mourir !...

« Tu diras, avec la grimace de la haine, combien ce fut chose horrible pour toi de rencontrer mon amour, quand le tien s'affaiblit ; tu t'étonneras que j'aie jamais pu songer à faire servir de pareils traits à l'œuvre de l'amour... Ce reproche, quoique vrai (et en vérité la ature ne m'a pas trop gâté pour le teint ou les formes) ne peut te servir de défense; car depuis que ta lèvre a rencontré pour la première fois la mienne, il y a déjà de longues années, depuis que ton œil a allumé un doux feu dans le mien, je n'ai pas démérité; ni mon esprit, ni mon corps, rien n'a changé en moi, seulement l'amour change ce qu'il n'aime plus, après de longues années et de nombreuses expériences...

« Que vaines sont les paroles! Je ne songeais jamais à parler encore, pas même en secret, pas même à mon propre cœur!... mais de mes lèvres des accents involontaires s'échappent, et de ma plume les mots coulent... pendant que j'écris, mes yeux éblouis par des larmes brûlantes. Ma vue s'obscurcit de voir ces vains caractères sur cette feuille insensible qui brûle la cervelle et la ronge intérieurement, barbouillant toutes les choses belles et sages et bonnes que le temps y a écrites.

« Ceux qui infligent doivent souffrir; car ils voient l'œuvre de leurs propres cœurs, et c'est ce qui doit être notre châtiment ou notre récompense. — O enfant! je voudrais que la tienne pût être plus clémente pour l'amour de nos deux êtres infortunés, pour l'amour de toi surtout, qui sens déjà tout ce que tu as perdu, sans pouvoir désirer de le recouvrer encore. Et, pendant que les lentes années passent, funèbre cortège, chacune accompagnée du fantôme de quelque espérance ou de quelque ami perdu qui la suit comme son ombre, n'agenouilleras-tu aucune pensée sur ma mémoire morte?...

« Hélas, mon amour! n'aie pas peur de moi, contre toi je ne voudrais pas remuer un doigt de dépit. Si je vis, n'est-ce pas pour t'épargner une cause plus amère de pleurs? Je te donne des larmes pour du mépris, et de l'amour pour de la haine; et pour que ton sort soit moins désolé que celui que tu foules aux pieds, j'écarte ce doux sommeil qui guérit toute peine. Alors, quand tu parleras de moi, ne dis jamais : il ne pourrait pardonner... Ici, j'ai dépouillé toute passion humaine, toute vengeance, tout orgueil; je ne pense, ne dis, ne fais rien de mal; je ne veux que cacher sous ces paroles, comme sous des cendres, la dernière étincelle du feu qui m'a consumé. — Brusque et sombre, le tombeau s'ouvre béant devant moi !... de même que sa voûte doit recouvrir mes membres par-dessus et par-dessous de poussière et de vers, qu'ainsi l'Oubli ensevelisse ce chagrin... L'air étouffe mes accents, comme le désespoir étouffe mon cœur... que la mort étouffe le désespoir ! »

Il se tut et resta penché quelque temps; puis, se levant avec un mélancolique sourire, il s'approcha d'un sofa, s'y coucha, et dormit un lourd sommeil; et dans ses rêves il pleurait et murmurait quelque nom familier, et nous pleurâmes sans honte avec lui. Je crois que je n'ai jamais été si fortement impressionné; l'homme qui ne l'eût pas été, il lui eût manqué une fibre de l'humaine nature.

Nous ne restâmes pas plus longtemps, notre discussion était tout à fait oubliée. Nous appelâmes les serviteurs, et allâmes dîner chez Maddalo. Ni chère ni vin ne purent exciter nos esprits ; nous causâmes de lui, sans pouvoir parler d'autre chose, jusqu'à ce que la lumière du jour obscurcît les étoiles. Nous tombâmes d'accord que son mal était un mal terrible, inexprimable, audacieusement tramé contre lui par un ami bien cher; quelque mortelle déception d'amour de la part d'une personne engagée par les plus profonds serments déception qu'il n'avait pas rêvée) ; pour l'amour de cette femme, il semblait qu'il eût imposé la flétrissure du mensonge à son esprit, qui ne fleurissait que dans la lumière de la vérité qui voit tout; et après avoir imprimé ce chancre sur sa jeunesse, elle l'avait abandonné. Nous ne pouvions imaginer un malheur plus grand que le sien... Il avait eu autrefois amis et fortune en abondance, autant que nous pouvions le conjecturer à sa tenue soignée et à ses manières de gentillhomme. Tout cela maintenant était perdu; c'était encore, à vrai dire, un chagrin d'avoir échangé contre un faible roseau tout ce qui pouvait embellir la vie d'un tel homme.

Cependant les couleurs de son esprit ne semblaient nullement altérées; le bizarre langage de son chagrin était élevé, et tel qu'il ne lui manquait que la mesure pour être de la poésie. Je me souviens d'une remarque que fit alors Maddalo, il dit: « Les plus misérables des hommes sont comme bercés dans la poésie par le malheur; ils apprennent en souffrant ce qu'ils enseignent en chantant. »

Si j'avais été un homme inconstant, à partir de cette heure, j'aurais formé quelque plan pour ne plus quitter la douce Venise. Car pour moi c'était une volupté d'aller à cheval le long de la mer solitaire. Et puis la ville est silencieuse;... on peut écrire ou lire en gondole, de jour ou de nuit, avec sa petite lampe de cuivre allumée, sans être vu ni interrompu. Il y a là des livres, des peintures, et puis ces belles statues qui sont les sœurs jumelles de la poésie, tout ce que nous cherchons dans les villes, au risque d'oublier la verte campagne. Je pouvais m'installer dans le grand palais de Maddalo; son esprit et son ingénieuse conversation auraient enchanté les nuits d'hiver, et m'auraient révélé à moi-même; et la lumière du foyer aurait illuminé nos visages, jusqu'à ce que le jour parût et me surprît tout étonné d'être encore là. Mais j'avais aussi des amis à Londres. Ce qui m'attachait surtout à Venise, c'était le désir de trouver un soulagement à cette profonde tendresse que le fou avait excitée en moi. C'était peut-être une vaine pensée, mais je m'imaginais que si jour par jour je l'observais assidûment sans le perdre de vue, si j'étudiais tous les battements de son cœur avec ce zèle que mettent les hommes à étudier quelque art obstiné pour leur propre bien, et si je parvenais, à force de patience, à trouver une issue dans les cavernes de son esprit, je pourrais peut-être le tirer de son état ténébreux. En fait d'amitiés j'avais été très heureux; et cependant je ne vis jamais personne que j'aurais plus volontiers aimé à appeler mon ami. Cette pensée n'eut aucune suite. De tels rêves de bien sans fondement vont et viennent, dans la foule ou la solitude, et ne laissent aucune trace; mais ce dessein laissa pendant de longues années son impression dans mon esprit. Le lendemain matin, pressé par mes affaires, je quittai la brillante Venise.

Après bien des années et bien des changements j'y retournai. Le nom de Venise et son aspect étaient les mêmes. Mais Maddalo voyageait au loin, dans les montagnes de l'Arménie. Son chien était mort; sa fille était maintenant devenue une femme, telle que mon destin a été d'en rencontrer peu; une merveille de cette terre où il y a si peu de mérite transcendant, une vraie femme de Shakespeare. Elle reçut l'ami de son père avec bonté et une grâce plus que courtoise; et quand je lui demandai des nouvelles du maniaque abandonné, elle interrogea sa mémoire et me raconta, telle qu'elle l'avait entendue, cette lugubre histoire : « la santé de ce pauvre malheureux avait commencé à faiblir deux ans après mon départ; alors, la dame qui l'avait laissé revint. Elle avait eu l'air impérieux; mais maintenant ses regards s'étaient adoucis ; peut-être le remords l'avait abattue. A son arrivée il se trouva mieux; et ils restèrent ensemble chez mon père (je jouais, il m'en souvient, avec le châle de la dame; je pouvais avoir six ans); mais enfin, elle le laissa. »

— « Quoi ! son cœur a pu être si dur ! Comment cela finit-il ? »

— « N'était-ce pas assez ? Ils se rencontrèrent, ils se séparèrent. »

— « Enfant, est-ce tout ? »

— « Dans cet intervalle, on sut à peu près par la presse comment ils s'étaient rencontrés et pourquoi ils s'étaient séparés. Mais si tes yeux vieillis ne veulent pas mouiller ces joues ridées des larmes que fait couler le souvenir de la jeunesse, ne m'en demande pas davantage ; laissons les années silencieuses se fermer et se sceller sur leur mémoire, comme le marbre muet où gisent leurs cadavres. »

Je la pressai et la questionnai encore. Elle me dit comment tout était arrivé... Mais le monde froid ne le saura pas.

APPENDICE

I

NOTE DE L'AVERTISSEMENT

Pour quelques parties de l'œuvre de Shelley, le chemin nous était frayé par d'excellents essais de traduction, tels que ceux de Mme Tola Dorian pour les *Cenci* et l'*Hellas*, de M. Sarrazin pour l'*Alastor*, de F. V. Hugo pour quelques fragments de la *Reine Mab*, de M. Maurice Boucher pour un assez grand nombre de poésies détachées. Tout en cherchant à lutter avec ces traductions de fidélité et d'exactitude, nous n'avons pas affecté de nous en écarter là où il nous semblait qu'il n'était pas possible de faire autrement, ni d'éviter des rencontres matériellement commandées par les exigences d'une traduction à peu près littérale, la seule qui puisse avoir quelque mérite, quand il s'agit d'un poète aussi hardi, aussi original, aussi subtil que Shelley.

II

Nous donnons ici la traduction des principales variantes introduites par Shelley dans le poème qu'il a tiré de la REINE MAB, *intitulé* : LE DÉMON DU MONDE.

Page 13 : Le Squelette au sceptre de fer, qui règne sur les sépulcres infects, a-t-il pu, aux chiens de l'enfer couchés sous son trône, jeter une si belle proie ?

Ibid. : Ou bien est-ce que les Sommeils aux ailes de duvet ont charmé leur nourrice Silence près de ses paupières pour veiller sur leur repos ? Iront-ils, quand le rayon du matin coulera à travers ces deux sources de lumière, chercher loin du bruit et du jour quelque caverne occidentale, où les bois et les courants tissent avec les douces et calmes brises un berçant murmure ?

Non, Ianthe ne dort pas le sommeil sans rêve de la mort ; et dans sa chambre éclairée par la lune, Henri n'écoute pas en silence palpiter son pouls régulier, ne regarde pas se succéder sur sa joue délicate les reflets nuancés de la large lune, n'endure pas les fatigues d'une nuit de veille, sans une récompense assurée...

Écoutez ! D'où vient ce son retentissant ? Il est comme le concert prodigieux qui se fait entendre autour d'une ruine solitaire, quand les vents d'est soupirent et que les vagues du soir répondent en chuchotements du rivage ; il est plus étrange que les notes sans mesure que des lyres invisibles des vallées et des bocages tirent les génies des brises. Flottant sur des vagues de musique et de lumière, le char du Démon du Monde descend dans son silencieux pouvoir ; sa forme repose à l'intérieur, légère comme un nuage qui ne retient que la plus pâle teinte du jour quand le soir cède à la nuit, brillante comme cette trame fibreuse, quand les étoiles revêtent leur robe éphémère. Quatre ombres sans forme, brillantes et belles, tirent cet étrange char de gloire ; des rênes de lumière répriment leur célérité qui n'est pas de la terre ; elles s'arrêtent et replient leurs ailes d'air tressé ; le Démon se penchant sur son char éthéré regardait la vierge assoupie. Œil humain n'a jamais vu forme aussi fantastique, aussi brillante, aussi belle que celle qui, sur le sommeil enchanté de la vierge agitant une baguette étoilée, était suspendue comme une buée de lumière. Puis des sons, comme la respiration des brises odorantes au réveil du printemps, s'élevèrent tout autour, remplissant la chambre et le ciel éclairé par la lune.

« Vierge, l'esprit le plus sublime du monde sous l'ombre de ses ailes enveloppe tout ce que ta mémoire doit conserver de la ruine des plus divines choses, sentiments qui te leurrent pour te trahir, et lueurs de pensées qui s'évanouissent.

« Car tu as obtenu une puissante faveur : les vérités que les plus sages poètes ne voient qu'obscurément, ton esprit peut les faire siennes, reconnaissant sa propre majesté, admis à l'état plus divin d une solitude oublieuse d'elle-même.

« Tu méprises la Coutume, et la Foi, et la Force; ton cœur est libre et de haine et de crainte ; tu brûles ardente et pure comme le jour; tu es pour la sombre et froide mortalité une lumière vivante, pour la réjouir longtemps, au milieu des feux de bivouac du monde.

« Du sanctuaire intime de la nature, où dieux et démons s'inclinent et adorent, Esprit de majesté, que ce soit donc ton rôle de saisir la flamme, de déchirer le voile où le vaste serpent Éternité est pour toujours couché dans son sommeil enchanté.

« Que tout ce qui inspire ta voix d'amour, ou parle dans tes yeux toujours ouverts et à travers ton organisme brûle ou se meut, pense ou sent, se réveille et se lève ! Esprit, abandonne pour la mienne et pour moi la vaine imitation de la terre ! »

Le Démon se tut, et de la muette et immobile forme un esprit radieux s'éleva, toute beauté dans sa pureté nue. Revêtu de ses teintes humaines, il monta, fendant devant lui les nuages d'argent, il se dirigea vers le char, et prit place à côté du Démon. Obéissant à l'essor d'un chant aérien, les puissants coursiers déployèrent leurs ailes prismatiques. Le char magique s'ébranla. La nuit était belle; d'innombrables étoiles parsemaient la voûte bleu sombre du ciel; à l'orient, la vague pâlissait sous le premier sourire du matin...

Page 20 : aussi belle, aussi merveilleuse que le temple éternel. Les éléments de tout ce que l'humaine pensée peut composer d'adorable ou de sublime s'unissent pour élever l'édifice, et rien de ce qui est terrestre ne peut donner une image de sa majesté. Cependant la voûte du soir ressemble parfaitement à cette salle féerique ; comme le ciel s'appuyant sur la vague, elle étend ses parquets de lumière éblouissante et son vaste dôme d'azur; et sur le bord de cet obscur abîme où des créneaux de cristal sont suspendus sur le gouffre du monde ténébreux, dix mille sphères épandent leur éclat à travers ses portes de diamant.

Le char magique s'arrêta ; le Démon et l'Esprit entrèrent par les portes éternelles. Les nuages d'or aériens qui dormaient sur les vagues étincelantes sous le pavillon d'azur ne tremblèrent pas sous leurs pas éthérés; tandis que les brumes légères et odorantes flottaient aux accords d'une mélodie pénétrante à travers les vastes colonnes et les châsses de perle.

Le Démon et l'Esprit approchèrent du créneau suspendu; au-dessous s'étend l'univers sans bornes !...

Pendant que l'Esprit s'arrêtait en extase, il vit bientôt, à mesure que les sphères passaient rapidement devant lui, d'étranges choses apparaître dans l'intérieur de leurs orbes: comme des délires animés se mouvaient des ombres confuses, et des squelettes, et des formes diaboliques se pressant en foule autour de tombeaux humains, et sculptant sur les morts en l'honneur de chaque mémoire des inscriptions en vers, telles que les formulent les dieux malfaisants, flétrissant les espérances des hommes, quand le ciel et l'enfer confondus éclatent en ruines sur le monde; et ils élevaient de vastes trophées, instruments de meurtre, os humains, or barbare, peaux arrachées à des hommes vivants, tours formées de crânes avec des trous sans regards ouverts du côté d'un ciel plus aveugle encore, mitres et couronnes, et chars de bronze souillés de sang, et listes de mystiques méfaits, les codes sanglants du vénérable crime. Quand ces ombres eurent passé, vint un semblant de roi sur son trône, portant au front une triple couronne; sa contenance était calme, son œil sévère et froid, mais sa main droite portait une pièce de monnaie ensanglantée, et il rongeait, par moments, avec de secrets sourires, un cœur humain caché sous sa robe; et des formes de toutes couleurs, une nombreuse multitude, s'agenouillaient autour de lui, le sein nu, la tête courbée, avec de faux regards d'une vraie soumission; tandis que la sphère roulait, ne permettant à aucun œil d'être témoin de leur infâme honte, honte que des cœurs humains peuvent sentir, mais que des langues humaines tremblent d'exprimer. Ils entraient dans une horrible rage, exhalant en mépris d'eux-mêmes de furieux blasphèmes contre le Démon du Monde, et levant bien haut leurs mains armées vers les lieux où le pur Esprit, serein dans son inaltérable sécurité, se tenait debout sur un pinacle isolé, ayant au-dessous de lui l'océan agité des âges, au-dessus la profondeur de l'univers sans bornes, et tout autour l'harmonie immuable de la Nécessité.

Page 70 : « Le Génie t'a aperçue dans ses rêves passionnés, et d'obscurs pressentiments de *ta* beauté, hantant le cœur humain, y ont profondément enraciné cette espérance, que l'orgueilleux Pouvoir du Mal ne secouera pas toujours sur ce monde si beau la peste et la guerre, ou que ses esclaves, avec des blasphèmes pour prières et du sang humain pour sacrifices, ne s'inclineront pas toujours en adoration devant son sanctuaire, ou que l'Erèbe avec toutes ses légions de démons ne se lèvera pas toujours pour submerger dans l'envie et la vengeance l'intrépide et le bon qui ose défier son trône, fût-il entouré de l'omnipotence de la Mort. Tu as vu son empire sur le présent et le passé; spectacle désolé ! Jette maintenant les yeux sur le mien, l'avenir... Esprit, contemple ta glorieuse destinée! »

L'Esprit vit le vaste corps du monde renouvelé sourire dans le sein du Chaos, et le sentiment de l'espérance répandit à travers sa belle trame un éclat aussi varié que celui qu'un soir d'été jette sur les nuages onduleux et les lacs assombris. Semblable aux vagues soupirs du vent du soir qui réveille les petites vagues de la mer assoupie, et meurt en créant son haleine, tombe et s'élève, s'abat et se *gonfle* par accès; tel était le doux courant de pensée qui, d'un mouvement capricieux, soufflait sur les sympathies humaines de l'Esprit. La puissante marée de pensée qui venait du Démon s'était un instant arrêtée, elle recommença à couler comme le flot de l'Océan :

« Il m'est donné d'observer les prodiges du monde humain, espace, matière, temps et esprit; que cette vue fasse renaître et fortifie toute ton espérance défaillante...

« La vaste étendue du désert desséché et sablonneux est aujourd'hui féconde en ruisseaux sans nombre et en bois ombreux; et là où la solitude tressaillait d'entendre un sauvage conquérant souillé du sang des siens chanter sa victoire, ou le serpent plus doux écraser les os de quelque frêle antilope dans ses replis d'airain, la clairière pleine de rosée, offrant son doux encens au lever du soleil, sourit de voir un enfant devant la porte de sa mère partager avec le basilic vert et d'or qui vient lui lécher les pieds son repas du matin...

« L'homme ne tue plus la bête qui joue autour de sa

demeure, ne dévore plus affreusément sa chair déchirée, ou ne boit plus son sang vital, qui comme un courant empoisonné coulait dans ses veines enfiévrées, nourrissant une peste qui secrètement consumait son faible corps...

Page 72 : « Qu'il est aimable le front intrépide de la jeunesse ! Qu'ils sont doux les sourires de l'enfance sans tache !...

« Les temples de la Crainte et du Mensonge n'entendent plus la voix qui autrefois appelait les multitudes à la guerre, emplissant toutes leurs nefs de son tonnerre ; aujourd'hui à la mort ne répond plus que le chant funèbre du vent mélancolique...

Page 75 : « N'y a-t-il pas en toi des espérances qu'a confirmées la vision de la chaîne du progrès graduel de l'être ? Espérances que toi, et les flambeaux vivants de l'esprit, aussi radieux et aussi purs que toi, avez fait briller sur les sentiers des hommes ! Retourne, Esprit supérieur, à ce monde, etc... »

Page 76 : Le Démon appela ses ministres ailés...

Puis l'Esprit descendit ; et, quittant la terre, les ombres de leurs ailes rapides regagnèrent aussi vite que la pensée la lumière du Ciel... Le Corps et l'Ame, etc...

TABLE

DU PREMIER VOLUME

4-4-07. — Tours, Imp. E. Arrault et Cie.

Lightning Source UK Ltd.
Milton Keynes UK
UKHW021134170520
363414UK00001B/92